MATHÉMATIQUES 3000

MATHÉMATIQUES 3000

secondaire 1er cycle

Tome 1
Cahier d'exercices
1re secondaire

Chantal Buzaglo **Gérard Buzaglo**

Guérin Montréal Toronto
4501, rue Drolet
Montréal (Québec) H2T 2G2 Canada
Téléphone: (514) 842-3481
Télécopieur: (514) 842-4923
Courriel: francel@guerin-editeur.qc.ca
Site Internet: http://www.guerin-editeur.qc.ca

Lgen-DON

Dépôt légal

ISBN 2-7601-6459-4

Bibliothèque nationale du Québec, 2004
Bibliothèque nationale du Canada, 2004

Imprimé au Canada

Révision linguistique Marie-Claude Piquion

Nous reconnaissons l'aide financière du gouvernement du Canada par l'entremise du Programme d'Aide au Développement de l'Industrie de l'Édition (PADIÉ) pour nos activités d'édition.

Canadä

LE «PHOTOCOPILLAGE» TUE LE LIVRE

Introduction

En ce début du troisième millénaire, *Guérin éditeur* a le plaisir de mettre à la disposition des enseignants et enseignantes du Québec le premier cahier de la nouvelle collection **Mathématiques 3000**.

Il s'agit de cahiers d'exercices dont le contenu, conformément au programme de formation de l'école québécoise, est axé sur le développement des compétences, notamment les trois compétences disciplinaires : «**Résoudre une situation-problème**», «**Déployer un raisonnement mathématique**» et «**Communiquer à l'aide du langage mathématique**».

Chaque cahier de la collection se divise en chapitres qui recouvrent les différents champs des mathématiques tels que l'arithmétique, l'algèbre, la géométrie, les probabilités et la statistique.

Chaque chapitre débute par la section **Défi** où l'élève est invité seul ou en équipe à **résoudre des situations-problèmes** qui n'ont pas été présentées antérieurement. La solution de chaque situation exige le recours à une combinaison non apprise de règles ou de principes que l'élève a appris ou non. Dans cette section, l'élève est confronté à diverses situations qui lui donneront la motivation de rechercher dans le chapitre les éléments lui permettant de les résoudre.

Chacune des autres sections d'un chapitre débute par des **activités d'apprentissage** où l'élève est amené pas à pas à découvrir les concepts. Les activités mènent à des **encadrés** résumant l'essentiel du cours, appuyé par des **exemples**. L'élève trouvera dans ces encadrés des éléments complets de référence qui lui seront utiles tout au long de son apprentissage. Les encadrés sont ensuite suivis d'une suite **d'exercices et de problèmes** gradués qui permettront à l'élève de **développer ses compétences** en résolvant des situations-problèmes, en déployant un raisonnement mathématique et en communiquant par l'intermédiaire du langage mathématique. Chaque fois que la situation le permet, l'élève devra expliquer sa démarche, justifier son raisonnement, communiquer enfin sa réponse de manière appropriée.

Chaque chapitre se clôture par une section **Évaluation** qui permettra à l'élève de vérifier si les connaissances ont été acquises et si les compétences ont été atteintes.

Une section **Révision générale**, passant en revue l'ensemble de la matière, se retrouve dans le 2e tome à la fin des différents champs et aide l'élève dans sa préparation aux examens de fin de cycle.

Une **liste de symboles**, une référence sur les **constructions** et un **index** détaillé situés à la fin de chaque cahier permettront à l'élève de retrouver facilement tout ce dont il aura besoin durant son apprentissage.

Cet outil pédagogique, axé sur le développement des compétences, est écrit dans un langage simple et clair et vise à être accessible à tous les élèves sans pour autant sacrifier la rigueur mathématique.

Table des matières

Chapitre *1*

Nombres naturels

DÉFI 1

1 Le compte est bon

À l'aide des nombres suivants que tu dois utiliser une fois chacun, trouve une chaîne d'opérations qui permet d'obtenir le nombre 26.

$\boxed{2}$ $\boxed{5}$ $\boxed{10}$ $\boxed{12}$ $\boxed{25}$

_____

2 Les propriétés des opérations

a, b et c désignent 3 nombres naturels de ton choix. Indique si chacune des propositions suivantes est vraie ou fausse. Justifie ta réponse dans le cas où la proposition est fausse.

1. **a)** La somme $a + b$ est toujours un nombre naturel. _____

    b) La différence $a - b$ est toujours un nombre naturel. _____

    c) Le produit $a \times b$ est toujours un nombre naturel. _____

    d) Le quotient $a \div b$ est toujours un nombre naturel. _____

2. **a)** $a + b = b + a$ _____

    b) $a - b = b - a$ _____

    c) $a \times b = b \times a$ _____

    d) $a \div b = b \div a$ _____

3. **a)** $(a + b) + c = a + (b + c)$ _____

    b) $(a - b) - c = a - (b - c)$ _____

    c) $(a \times b) \times c = a \times (b \times c)$ _____

    d) $(a \div b) \div c = a \div (b \div c)$ _____

4. **a)** $a + 0 = 0 + a = a$ _____

    b) $a \times 1 = 1 \times a = a$ _____

    c) $a \times 0 = 0 \times a = 0$ _____

5. **a)** $a \times (b + c) = a \times b + a \times c$ _____

    b) $a \times (b - c) = a \times b - a \times c$ _____

    c) $a \div (b + c) = a \div b + a \div c$ _____

    d) $a \div (b - c) = a \div b - a \div c$ _____

3 Une chaîne d'opérations

Eddie et Albert travaillent dans un magasin d'électronique. Eddie travaille à un salaire horaire de 12 $ comme gérant de vente, et Albert travaille à un salaire horaire de 8 $ comme vendeur. Le mois dernier, ils ont ensemble totalisé un salaire de 2 328 $. Si Eddie a travaillé 138 heures durant ce mois, combien d'heures de travail ont-ils totalisé ensemble?

_____

4 Des abonnements

Jessica travaille dans une compagnie qui vend des abonnements annuels pour recevoir des livres, des magazines et des journaux. Pour chaque vente d'abonnement à des livres, elle reçoit un montant de 15 $; à un magazine, un montant de 12 $; et à un journal, un montant de 8 $. Le mois dernier, Jessica a reçu un salaire de 846 $ et elle a vendu 30 abonnements à des livres et 25 à des magazines. Combien d'abonnements a-t-elle vendu en tout?

_____

5 Les caractères de divisibilité

Trouve une règle qui te permet de déterminer quand un nombre naturel est divisible par:

a) 2: _____

b) 3: _____

c) 4: _____

d) 5: _____

e) 6: _____

f) 9: _____

g) 10: _____

h) 12: _____

_____

i) 25: _____

6 Les deux horloges

Dans une maison de campagne, il y a 2 horloges, l'une sonne toutes les 12 minutes, l'autre sonne toutes les 15 minutes. Il est 6 h du matin lorsque les 2 horloges sonnent en même temps pour la 1re fois. À quelle heure sonneront-elles de nouveau en même temps pour la 6e fois?

_____

1.1 Nombres naturels

Activité 1 — Un ensemble de nombres

On considère les nombres:
$$-8\,;\,1\,;\,7\,;\,0{,}5\,;\,0\,;\,-2{,}5\,;\,\frac{4}{3}\,;\,9\,;\,-12\,;\,14\,;\,-\frac{1}{2}\,;\,3.$$

a) Dans la région bleue, place les nombres naturels.

b) À l'extérieur de la région bleue, place les nombres qui ne sont pas naturels.

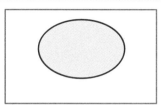

NOMBRES NATURELS

- L'ensemble des **nombres naturels** est: $\mathbb{N} = \{0, 1, 2, 3,\ldots\}$.
  L'ensemble des nombres naturels non nuls est: $\mathbb{N}^* = \{1, 2, 3,\ldots\}$.
  2 appartient à l'ensemble des nombres naturels. On écrit: $2 \in \mathbb{N}$.
  –5 n'appartient pas à l'ensemble des nombres naturels. On écrit $-5 \notin \mathbb{N}$.

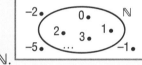

- L'ensemble des nombres naturels est représenté sur l'**axe numérique** de la façon suivante:

Le nombre naturel 5 est repéré par le point P sur l'axe numérique. On dit que le point P a pour **abscisse** 5.

Le point O, **origine** de l'axe numérique, a pour abscisse 0.

---

1. Sur chacun des axes numériques suivants, trouve l'abscisse des points représentés.

a)

A: _____ B: _____ C: _____ D: _____ E: _____

b)

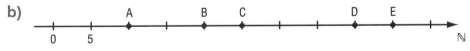

A: _____ B: _____ C: _____ D: _____ E: _____

c)

A: _____ B: _____ C: _____ D: _____ E: _____

2. Sur chacun des axes numériques suivants, choisis une graduation appropriée et place les points A, B, C et D, leur abscisse étant donnée.

a)

0 ℕ

A: 4   B: 12   C: 20   D: 32

b)

0 ℕ

P: 15   Q: 45   R: 50   S: 0

c)

0 ℕ

M: 80   N: 120   O: 0   P: 20

COMPARAISON DE NOMBRES

● Pour **comparer** deux nombres, on utilise les symboles $=, <, >, \leq, \geq, \neq$

	Signification	Représentation sur la droite numérique
$a = 2$	a égal à 2	0 1 ℕ
$a < 2$	a inférieur à 2	0 1 ℕ
$a > 2$	a supérieur à 2	0 1 … ℕ
$a \leq 2$	a inférieur ou égal à 2	0 1 ℕ
$a \geq 2$	a supérieur ou égal à 2	0 1 … ℕ
$a \neq 2$	a n'est pas égal à 2	0 1 … ℕ

---

3. Complète par le symbole $<$ ou $>$ qui convient:

   a) 123   231   b) 2345   2435   c) 12 124   11 241

4. Trouve l'ensemble des nombres naturels et représente-les sur l'axe numérique.

   a) inférieurs à 4 :_____   0 1

   b) inférieurs ou égaux à 4 : _____   0 1

   c) supérieurs à 2 : _____   0 1

   d) supérieurs ou égaux à 2 : _____   0 1

   e) supérieurs à 1 et inférieurs à 4 :_____   0 1

   f) supérieurs à 2 et inférieurs ou égaux à 5 : _____   0 1

5. a) Sur l'axe numérique ci-dessous, place en rouge les points ayant une abscisse paire inférieure à 10.

b) Si a désigne un nombre naturel pair, les nombres suivants sont-ils pairs ou impairs ?

1. $a + 1$ _____ 2. $a - 1$ _____ 3. $a + 2$ _____

6. Remplace la variable a par le plus grand nombre naturel qui convient.

a) $a \leq 43$ _____ **b)** $a < 28$ _____ **c)** $334 > a$ _____ **d)** $134 \geq a$ _____

7. Remplace chaque case par le ou les chiffres qui conviennent. Donne toutes les solutions possibles.

a) $5\square < 54$ _____ **b)** $13\square < 145$ _____

c) $3\square7 < 336$ _____ **d)** $63\square < 630$ _____

8. Le tableau ci-dessous indique les superficies et les populations des différentes provinces ou territoires du Canada en 2001.

Province ou territoire	Population	Superficie (en km²)
Terre-Neuve	512 930	370 502
Île-du-Prince-Édouard	135 294	5 684
Nouvelle-Écosse	908 007	52 917
Nouveau-Brunswick	729 498	71 356
Québec	7 237 479	1 357 743
Ontario	11 410 046	907 656
Manitoba	1 119 583	551 938
Saskatchewan	978 933	586 561
Alberta	2 974 887	639 987
Colombie-Britannique	3 907 738	926 492
Yukon	28 674	474 707
Territoires du Nord-Ouest	37 360	1 141 108
Nunavut	26 745	1 925 460

a) Quelle est la province ou quel est le territoire qui a :

1. la plus grande population ? _____

2. la plus petite population ? _____

3. la plus grande superficie ? _____.

4. la plus petite superficie ? _____

b) Nomme les provinces ou territoires qui ont :

1. une population supérieure à 730 000 habitants et inférieure à 1 200 000 habitants ;

_____

2. une superficie supérieure à 500 000 km² et inférieure à 920 000 km² ;

_____

3. une population d'environ 1 000 000 d'habitants ; _____

4. une superficie d'environ 900 000 km² : _____

Activité 2 Les arrondis

Le cirque «Sous le Soleil» est en ville. À la dernière représentation, 12 850 personnes étaien
présentes et les recettes ont été de 199 250 $. Les profits nets de cette soirée ont été de 25 590 $.

a) De quel nombre, en millier de personnes, le nombre de spectateurs présents est-il le plu
proche?

_____

b) De quel nombre, en millier de dollars, les recettes de la soirée sont-elles le plus proche? _____

c) Arrondis le profit net de la soirée à l'unité de mille près._____

ARRONDISSEMENT D'UN NOMBRE

- Pour arrondir un nombre à la centaine près, on observe le chiffre situé à droite de celui des
  centaines.
  - Si celui-ci est supérieur ou égal à 5 on augmente de 1 le chiffre des centaines.
  - Si celui-ci est inférieur à 5 on ne change pas le chiffre des centaines.

  On remplace ensuite tous les autres chiffres situés à droite par des 0.

  Ex.: 3 4⑥8 est arrondi à 3500 à la centaine près car 6 ⩾ 5

  3 4④8 est arrondi à 3400 à la centaine près car 4 < 5.

- Cette procédure se généralise:
  Ex.: 783 567 est arrondi à:
  - 783 600 à la centaine près.
  - 784 000 à l'unité de mille près.
  - 780 000 à la dizaine de mille près.

9. Dans chacune des situations suivantes, indique s'il s'agit d'un nombre arrondi ou d'un nombr‹
exact.

a) Dans l'assistance d'un match de hockey, on a compté 12 384 spectateurs. _____

b) En 1990, la ville de Mexico comptait 26 300 000 habitants. _____

c) Le mont McKinley est le plus haut sommet des États-Unis, il mesure 6 194 m. _____

d) 1 km^2 correspond à 1 000 000 m^2. _____

10. À quelle unité devrais-tu arrondir

a) le prix de ton lecteur de CD? _____

b) le nombre de CD sur ton étagère? _____

c) le prix d'une voiture? _____

d) le nombre de spectateurs à un concert rock? _____

11. Arrondis les nombres suivants à l'unité de grandeur demandée.

Nombre	À la dizaine près	À la centaine près	À l'unité de mille près
4 538			
12 753			
64 537			
135 999			

12. Quels nombres, lorsqu'ils sont arrondis à la dizaine près, donnent le nombre :

a) 70 _____

b) 150 _____

13. Cinq compagnons de voyage veulent escalader le mont Saint-Elias situé au Canada. La hauteur de ce mont est de 5 489 mètres. Arrondis cette hauteur à l'unité de mille près.

_____

14. Dans une ville les taxes foncières sont établies selon l'évaluation des propriétés arrondie à l'unité de mille près tel que l'indique la table ci-dessous.

Valeur	75 000 $ à 79 999 $	80 000 $ à 84 999 $	85 000 $ à 89 999 $	90 000 $ à 94 999 $	95 000 $ à 99 999 $	100 000 $ à 105 000 $
Taxes à payer	950 $	1 025 $	1 100 $	1 185 $	1 275 $	1 400 $

Quel est le montant des taxes que devront payer les propriétaires d'une maison de cette ville si leur maison est évalué à :

a) 74 800 $ _____ b) 84 890 $ _____ c) 85 250 $ _____

d) 94 355 $ _____ e) 94 840 $ _____ f) 99 999 $ _____

15. Le tableau ci-dessous donne la hauteur (en mètres) de 5 des sommets du massif du Mont-Blanc situé dans les Alpes françaises. Arrondis chacun de ces sommets à l'unité demandé.

Sommet	Hauteur	À la dizaine près	À la centaine près
Aiguille de la persévérance	2899 m		
Aiguille de l'index	2595 m		
Aiguille du Pouce	2873 m		
Aiguilles Crochues	2840 m		
Chapelle de Glière	2663 m		

1.2 Addition et soustraction de nombres naturels

ACTIVITÉ 1 Les propriétés de l'addition

On appelle somme le résultat d'une addition et différence le résultat d'une soustraction.

a) 1. La somme de deux nombres naturels est-elle un nombre naturel? _____

    2. La différence de deux nombres naturels est-elle un nombre naturel?

    Dans la négative donne un contre-exemple. _____

b) Choisis au hasard deux nombres naturels. Désigne le premier par a et le deuxième par b.
La somme $a + b$ est-elle égale à la somme $b + a$? _____

c) Choisis au hasard trois nombres naturels. Désigne les par a, b et c.
La somme $(a + b) + c$ est-elle égale à la somme $a + (b + c)$? _____

d) Quelle est la somme du nombre naturel a et de 0? _____

PROPRIÉTÉS DE L'ADDITION

On considère l'ensemble des nombres naturels $\mathbb{N}$.

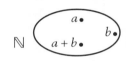

- La somme de deux nombres naturels est un nombre naturel.
  Pour tout nombre naturel a et b, $a + b \in \mathbb{N}$.

- L'addition est une opération commutative.
  Pour tout nombre naturel a et b, $\boxed{a + b = b + a}$

- L'addition est une opération associative.
  Pour tout nombre naturel a, b et c, $\boxed{(a + b) + c = a + (b + c)}$

- Le nombre naturel 0 est l'élément neutre de l'addition.
  Pour tout nombre naturel a, $\boxed{a + 0 = 0 + a = a}$

---

1. Vérifie la propriété de la commutativité de l'addition $a + b = b + a$ à l'aide des nombres suivant$

   a) $a = 234$ et $b = 97$ _____

   b) $a = 2\ 547$ et $b = 884$ _____

   c) $a = 14\ 875$ et $b = 6\ 487$ _____

Vérifie cette propriété avec deux nombres naturels de ton choix.

2. a) Si a et b sont deux nombres naturels distincts tels que la différence $a - b$ est un nombr
naturel, la différence $b - a$ est-elle un nombre naturel?

_____

   b) La soustraction est-elle une opération commutative? Dans la négative, donne un contr
exemple.

_____

3. Vérifie la propriété de l'associativité de l'addition $(a + b) + c = a + (b + c)$ à l'aide des nombres suivants.

   a) $a = 24$, $b = 58$ et $c = 73$ _____

   _____

   b) $a = 134$, $b = 269$ et $c = 378$ _____

   _____

Vérifie la propriété de l'associativité à l'aide de trois nombres de ton choix.

4. Montre à l'aide d'un exemple que la soustraction n'est pas une opération associative.

_____

5. Indique la propriété de l'addition illustrée dans chacun des cas suivants.

   a) $25 + 18 = 25 + 25$ _____

   b) $0 + 14 = 14$ _____

   c) $3 + (4 + 9) = (3 + 4) + 9$ _____

   d) $(6 + 4) + 7 = (4 + 6) + 9$ _____

   e) $57 + (7 - 7) = 37$ _____

   f) $5 + (3 + a) = 8 + a$ _____

   g) $(3 + 7) + (5 + 8) = (5 + 8) + (3 + 7)$ _____

   h) $2 + (5 + 9) + 4 = (2 + 5) + (9 + 4)$ _____

6. Vrai ou faux? Dans le cas où l'énoncé est faux, justifie par un contre-exemple.

   a) L'addition est une opération commutative. _____

   b) La soustraction est une opération commutative. _____

   c) 1 est l'élément neutre de l'addition. _____

   d) L'addition est une opération associative. _____

   e) La différence de deux nombres naturels est toujours un nombre naturel. _____

7. Vrai ou faux?

   a) La somme de deux nombres naturels consécutifs est toujours un nombre naturel. _____

   b) La somme de deux nombres naturels pairs est un nombre naturel pair. _____

   c) La somme de deux nombres naturels impairs est un nombre naturel impair. _____

   d) Si la somme de deux nombres est paire, alors chaque nombre est pair. _____

   e) La somme de deux nombres naturels consécutifs est toujours un nombre impair. _____

CALCUL MENTAL

On a souvent recours aux propriétés de l'addition pour calculer mentalement des expressions numériques.

Ex.: $46 + 48 = 46 + (40 + 8)$
$\qquad\qquad = (46 + 40) + 8$
$\qquad\qquad = 86 + 8$
$\qquad\qquad = 94$

$125 + 28 + 35 = 125 + 35 + 28$
$\qquad\qquad\qquad = 160 + 28$
$\qquad\qquad\qquad = 188$

8. En utilisant les propriétés de l'addition, effectue mentalement les calculs suivants.

a) $28 + 18 =$ _____

b) $76 + 35 =$ _____

c) $234 + 96 =$ _____

d) $325 + 28 + 25 =$ _____

e) $138 + 76 + 22 =$ _____

f) $346 + 68 + 54 =$ _____

g) $352 + 54 + 148 =$ _____

h) $3\ 125 + 2\ 675 =$ _____

i) $5\ 834 + 166 =$ _____

9. Utilise les propriétés de l'addition pour évaluer les expressions suivantes si $a = 24$, $b = 18$, $c = 12$ et $d = 36$.

a) $(a + b) + c =$ _____

b) $(a + b) + (c + d) =$ _____

c) $(c + d) + a =$ _____

d) $(a + d) + b =$ _____

e) $(b + c) + d =$ _____

f) $c + (b + a) =$ _____

10. Trouve la valeur de m dans chacun des cas suivants.

a) $m - 526 = 134$ _____

b) $334 - m = 27$ _____

c) $m + 238 = 526$ _____

d) $48 + m = 74$ _____

e) $m - 176 = 324$ _____

f) $67 - m = m + 25$ _____

11. On considère la somme suivante: $728 + 1\ 489 + 857$.

a) Estime cette somme en arrondissant chacun des termes de la somme
  – à la centaine près: _____
  – à l'unité de mille près: _____

b) Calcule la somme exacte et détermine laquelle des deux estimations se rapproche le plus de la somme exacte.

_____

12. Estime chacune des sommes ou des différences suivantes en arrondissant chacun des termes à un même ordre de grandeur selon le cas.

a) $45 + 78 =$ _____

b) $89 - 42 =$ _____

c) $124 - 76 =$ _____

d) $423 + 274 =$ _____

e) $789 + 156 =$ _____

f) $568 - 326 =$ _____

13. Estime les sommes suivantes en regroupant les termes de façon appropriée.

Ex.: $32 + 58 + 64 + 40 = 32 + 64 + 58 + 40 = 100 + 100 = 200$

a) $27 + 44 + 72 + 147 =$ _____

b) $145 + 38 + 65 + 155 =$ _____

c) $18 + 456 + 139 + 83 =$ _____

d) $1\ 234 + 720 + 435 + 3\ 564 =$ _____

14. Nathalie achète une robe à 48 $, une chemise à 23 $ et un collier à 16 $. Estime la somme dépensée par Nathalie pour ces achats.

___

15. Un représentant en produits pharmaceutiques voyage durant trois jours pour vendre ses produits. Le 1er jour, il parcourt 238 km, le 2e, 479 km, le 3e, 356 km. Estime le nombre de kilomètres qu'il a parcourus après ces trois jours de voyage.

___

16. Un employé d'une entreprise gagne un salaire de 2 567 $ par mois. Il dépense 875 $ pour son loyer, 430 $ pour sa nourriture, 270 $ pour ses loisirs et le reste pour ses autres dépenses.

a) Estime combien d'argent il consacre à ses autres dépenses. _____

b) Trouve la valeur exacte de ce montant. _____

17. Pour fêter leur anniversaire de mariage, José et Maria s'achètent un téléviseur à 679 $, un lecteur de DVD à 325 $ et une chaîne stéréo à 259 $. (Tous les prix incluent les taxes).

a) Estime le montant total de leurs achats. _____

b) Trouve la valeur exacte de leurs achats. _____

18. Calcule le périmètre de la figure ci-contre.

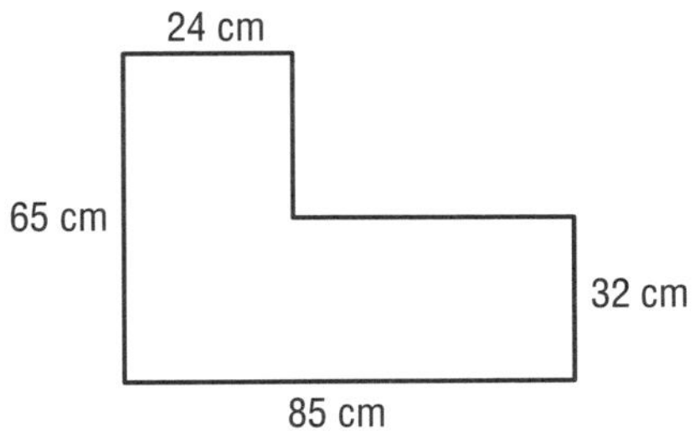

24 cm

65 cm

32 cm

85 cm

19. Samantha a 128 $ d'économies. Elle achète un appareil photo valant 56 $ et un sac à main valant 39 $ de moins que l'appareil photo. Combien lui reste-t-il d'argent après ces achats? (Les taxes sont incluses dans les prix).

___

20. La mère de Claire a 7 ans de moins que son père. À eux deux, ils ont 69 ans. Quel est l'âge respectif de chacun?

___

1.3 Multiplication et division de nombres naturels

ACTIVITÉ 1 Les propriétés de la multiplication

On appelle **produit** le résultat d'une multiplication et **quotient** le résultat d'une division.

a) 1. Le produit de deux nombres naturels est-il un nombre naturel? _____

   2. Le quotient de deux nombres naturels est-il un nombre naturel?
      Dans la négative donne un contre-exemple. _____

b) Choisis au hasard deux nombres naturels. Désigne le premier par a et le deuxième par b.
   Le produit $a \times b$ est-il égal au produit $b \times a$? _____

c) Choisis au hasard trois nombres naturels. Désigne les par a, b et c.
   Le produit $(a \times b) \times c$ est-il égal au produit $a \times (b \times c)$? _____

d) Quel est le produit du nombre naturel a et de 1? _____

e) Quel est le produit du nombre naturel a et de 0? _____

ACTIVITÉ 2 La distributivité de la multiplication

a) Dans leur jardin, Martin et Gina possèdent un potager de forme rectangulaire qu'ils ont partag
pour cultiver des légumes et des fruits.

Trouve deux façons différentes de calculer l'aire totale du potager. Exprime chacune des façon
par une expression numérique et calcule-la.

_____

_____

b) a, b et c désignent les dimensions de la figure ci-dessous.

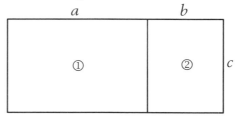

On propose deux façons de calculer l'aire totale de la figure.
1re façon: $(a + b) \times c$ 2e façon: $a \times c + b \times c$
Explique dans tes propres termes
– la 1re façon de procéder: _____
– la 2e façon de procéder: _____

PROPRIÉTÉS DE LA MULTIPLICATION

On considère l'ensemble des nombres naturels $\mathbb{N}$.

- Le produit de deux nombres naturels est un nombre naturel.
  Pour tout nombre naturel a et b, $a \times b \in \mathbb{N}$

- La multiplication est une opération **commutative**.
  Pour tout nombre naturel a et b,
  $$\boxed{a \times b = b \times a}$$

- La multiplication est une opération **associative**.
  Pour tout nombre naturel a, b et c,
  $$\boxed{(a \times b) \times c = a \times (b \times c)}$$

- Le nombre naturel 1 est l'**élément neutre** de la multiplication.
  Pour tout nombre naturel a,
  $$\boxed{a \times 1 = 1 \times a = a}$$

- Le nombre naturel 0 est l'**élément absorbant** de la multiplication.
  Pour tout nombre naturel a,
  $$\boxed{a \times 0 = 0 \times a = 0}$$

- La multiplication est une opération **distributive** sur l'**addition** et la **soustraction**.
  Pour tout nombre naturel a, b et c,
  $$\boxed{\begin{array}{l} a \times (b + c) = a \times b + a \times c \\ a \times (b - c) = a \times b - a \times c \end{array}}$$

1. Vérifie la propriété de la commutativité de la multiplication $a \times b = b \times a$ à l'aide des nombres suivants.

   a) $a = 125$ et $b = 43$ _____

   b) $a = 276$ et $b = 32$ _____

   c) $a = 1\ 235$ et $b = 18$ _____

   Vérifie cette propriété avec deux nombres naturels de ton choix.

2. **a)** La division est-elle une opération commutative? Donne un exemple. _____

   b) Vérifie à l'aide de deux nombres de ton choix. _____

3. Vérifie la propriété de l'associativité de la multiplication $(a \times b) \times c = a \times (b \times c)$ à l'aide des nombres suivants.

   a) $a = 12$, $b = 24$ et $c = 8$ _____
   _____

   b) $a = 124$, $b = 18$ et $c = 35$ _____
   _____

   c) $a = 36$, $b = 24$ et $c = 100$ _____
   _____

   Vérifie la propriété de l'associativité à l'aide de trois nombres de ton choix.

4. Explique pourquoi la division n'est pas une opération associative.

_____

5. Utilise la propriété de la distributivité de la multiplication sur l'addition et la soustraction e calcule de deux façons différentes les expressions suivantes.

a) $12 \times (8 + 5) =$ _____

 = _____

b) $(24 + 6) \times 5 =$ _____

 = _____

c) $8 \times (14 - 6) =$ _____

 = _____

d) $(50 - 36) \times 2 =$ _____

 = _____

6. Vrai ou faux?

a) Le produit de deux nombres naturels consécutifs est toujours un nombre pair. _____

b) Le produit de deux nombres pairs est pair. _____

c) Le produit de deux nombres impairs est toujours impair. _____

d) Si le produit de deux nombres est pair alors chaque nombre est pair. _____

ACTIVITÉ 3 Mise en évidence simple

Les chambres de Mélanie et de Sarah sont séparées par un mur de 3 m de long, comme l'indique la figure ci-dessous.

Aire = 12 m²	Aire = 18 m²
3 m	
Chambre de Mélanie	Chambre de Sarah

a) Quelle est la longueur de la chambre de Mélanie? _____

b) Quelle est la longueur de la chambre de Sarah? _____

c) Dans l'égalité suivante, le nombre 3, qui représente la largeur commune des deux chambres, été mis en évidence.

1. Complète l'égalité: $12 + 18 = 3 \times (\square + \square)$

2. Que représente l'expression écrite entre parenthèses? _____

3. Que représente chaque membre de l'égalité? _____

MISE EN ÉVIDENCE SIMPLE

• La **mise en évidence simple** permet d'écrire une somme de termes en un produit de facteurs.

Ainsi, la multiplication étant distributive sur l'addition on a:

Ex.: La somme $10 + 15$ est composée de 2 termes 10 et 15.

– On décompose chaque terme en un produit de 2 facteurs
$$10 + 15 = 5 \times 2 + 5 \times 3$$

– Le facteur 5, commun aux 2 termes, est mis en évidence.
$$10 + 5 = 5 \times (\dots)$$

– On déduit le 2e facteur
$$10 + 15 = 5 \times (2 + 3)$$

 1er terme 2e terme 1er facteur 2e facteur

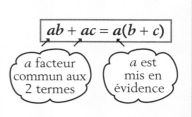

$$ab + ac = a(b + c)$$

a facteur commun aux 2 termes

a est mis en évidence

7. Complète les égalités suivantes en appliquant la propriété de la distributivité de la multiplication sur l'addition.

a) $24 + 36 = 3 \times (\square + \square)$

b) $24 + 36 = 4 \times (\square + \square)$

c) $24 + 36 = \square \times (12 + 18)$

d) $24 + 36 = \square \times (2 + 3)$

8. On considère l'expression suivante : $12 + 18$.
Mets en évidence un facteur commun aux deux termes de la somme. Donne toutes les réponses possibles et trouve le plus grand facteur commun qui a été mis en évidence.

_____

9. Trouve le plus grand facteur commun aux deux termes de chacune des sommes suivantes et mets-le en évidence.

a) $25 + 35 =$ _____

b) $24 + 18 =$ _____

c) $32 + 48 =$ _____

d) $45 + 72 =$ _____

e) $90 + 105 =$ _____

f) $54 + 135 =$ _____

g) $50 + 75 + 100 =$ _____

h) $40 + 56 + 32 =$ _____

10. Trouve le plus grand facteur commun aux deux termes de chacune des sommes suivantes et mets-le en évidence.

a) $2 \times a + 2 \times 3 =$ _____

b) $15 \times m + 45 =$ _____

c) $6 \times a + 12 =$ _____

d) $5 \times a + 20 =$ _____

e) $9 \times p + 54 =$ _____

f) $4 \times c + 4 \times d =$ _____

11. Indique la propriété de la multiplication illustrée dans chacun des cas suivants.

a) $5 \times 8 = 8 \times 5$ _____

b) $0 \times 4 = 0$ _____

c) $3 \times (7 \times 9) = (3 \times 7) \times 9$ _____

d) $(8 \times 7) \times 9 = (7 \times 8) \times 9$ _____

e) $17 \times 1 = 17$ _____

f) $5 \times (3 + 7) = 15 + 35$ _____

g) $(3 + 9) \times (6 + 7) = (6 + 7) \times (3 + 9)$ _____

h) $(7 \times 1) \times 5 = 7 \times (1 \times 5)$ _____

i) $2 \times (3 + 0) = (3 + 0) \times 2$ _____

j) $5 \times (8 \times 7) \times 2 = (5 \times 8) \times (7 \times 2)$ _____

k) $(9 - 2) \times 3 = 27 - 6$ _____

l) $4 \times 1 + 8 \times 1 = 4 + 8$ _____

m) $36 + 24 = 6 \times (6 + 4)$ _____

12. Vrai ou faux? Dans le cas où l'énoncé est faux, justifie par un contre-exemple.

    a) La multiplication est une opération commutative. _____

    b) La division est une opération associative. _____

    c) 1 est l'élément absorbant de la multiplication. _____

    d) La multiplication est une opération associative. _____

    e) Le produit de deux nombres naturels est toujours un nombre naturel. _____

    f) 1 est l'élément neutre de la multiplication. _____

    g) L'addition est une opération distributive sur la multiplication. _____

CALCUL MENTAL

Pour calculer **mentalement** des expressions numériques, on peut utiliser les propriétés de la multiplication.

Ex.:

15×30	$125 \times 5 \times 8$	25×54	34×98
$= 15 \times (3 \times 10)$	$= 125 \times 8 \times 5$	$= 25 \times (50 + 4)$	$= 34 \times (100 - 2)$
$= (15 \times 3) \times 10$	$= 1\ 000 \times 5$	$= 25 \times 50 + 25 \times 4$	$= 34 \times 100 - 34 \times 2$
$= 45 \times 10$	$= 5\ 000$	$= 1\ 250 + 100$	$= 3\ 400 - 68$
$= 450$		$= 1\ 350$	$= 3\ 332$

---

13. En utilisant les propriétés de la multiplication, effectue mentalement les calculs suivants.

    a) $72 \times 20 =$ _____
  b) $40 \times 38 =$ _____
  c) $300 \times 54 =$ _____

    d) $217 \times 0 \times 54 =$ _____
  e) $20 \times 34 \times 5 =$ _____
  f) $25 \times 18 \times 4 =$ _____

    g) $125 \times 14 \times 8 =$ _____
  h) $48 \times 25 =$ _____
  i) $95 \times 24 =$ _____

    j) $204 \times 9 =$ _____
  k) $198 \times 6 =$ _____
  l) $125 \times 32 =$ _____

14. Utilise les propriétés de la multiplication pour évaluer les expressions suivantes si $a = 20$, $b = 5$ $c = 25$ et $d = 4$.

    a) $(a \times d) \times c =$ _____
  b) $a \times b + c \times d =$ _____
  c) $d \times (b + c) =$ _____

    d) $(a + b) \times d =$ _____
  e) $(c + d) \times b =$ _____
  f) $c \times a \times b =$ _____

15. Trouve la valeur de a dans chacun des cas suivants.

    a) $a \times 18 = 450$ _____
  b) $360 \div a = 24$ _____
  c) $a \times 25 = 600$ _____

    d) $48 \div a = 4$ _____
  e) $36 \times a = 252$ _____
  f) $36 \div a = a \times 4$ _____

16. Trouve deux nombres naturels tels que le produit P et la somme S sont donnés.

    a) P = 24, S = 11 _____
  b) P = 84, S = 19 _____

    c) P = 200, S = 30 _____
  d) P = 90, S = 21 _____

17. Dans un camp de vacances, chaque groupe est constitué de 3 adolescents et de 12 enfants. 7 groupes vont en sortie. Calcule de deux façons différentes le nombre de jus dont ils auront besoin si chacun en prend un.

_____

18. On considère le produit suivant : $728 \times 2\ 189$.

    a) Estime ce produit en arrondissant chacun des facteurs du produit.

       – à la centaine près : _____

       – à l'unité de mille près : _____

    b) Calcule le produit exact et détermine laquelle des deux estimations se rapproche le plus du produit exact. _____

19. Estime chacun des produits suivants en arrondissant chacun des facteurs à un même ordre de grandeur.

    a) $9 \times 34 =$ _____
  b) $12 \times 76 =$ _____
  c) $45 \times 56 =$ _____

    d) $195 \times 78 =$ _____
  e) $39 \times 98 =$ _____
  f) $59 \times 123 =$ _____

20. Estime les produits suivants en regroupant les facteurs de façon appropriée.

    a) $25 \times 128 \times 4 =$ _____
  b) $50 \times 75 \times 2 =$ _____

    c) $125 \times 48 \times 8 \times 2 =$ _____
  d) $325 \times 12 \times 2 =$ _____

    e) $8 \times 780 \times 125 =$ _____
  f) $4 \times 134 \times 75 = 3$ _____

21. Estime chacun des quotients suivants.

    a) $234 \div 39 =$ _____
  b) $1\ 556 \div 82 =$ _____
  c) $11\ 628 \div 274 =$ _____

    d) $786 \div 83 =$ _____
  e) $6\ 237 \div 208 =$ _____
  f) $1\ 089 \div 15 =$ _____

22. Estime le montant approximatif qu'un groupe de 148 étudiants devra payer s'il assiste à une représentation théâtrale dont le coût est de 12 $ par étudiant.

_____

23. Estime la dépense de Sylvia dans un grand magasin si elle achète 3 robes à 38 $, 2 pantalons à 75 $ et 5 blouses à 21 $.

_____

24. Un sac de 198 billes pèse 595 g. Estime la masse d'une bille. _____

25. Une salle de spectacle contient 12 rangées de 48 sièges chacune.

    a) Estime le nombre total de sièges dans la salle. _____

    b) Estime l'argent amassé lors d'un concert si la salle est complète et que chaque billet s'est vendu 23 $.

_____

1.4 Chaînes d'opérations de nombres naturels

ACTIVITÉ 1 — Une chaîne d'opérations

Rémi est membre d'un club de pêche où le coût est de 10 $ pour passer la journée sur le site et d[e] 4 $ par poisson pêché.

a) Calcule le montant total payé par Rémi à la fin de la journée. _____

b) La chaîne d'opérations : $10 + 4 \times 5$ permet de calculer le montant total payé par Rémi.

1. Si tu effectues cette chaîne dans l'ordre où les opérations se présentent, obtiens-tu l[e] montant total payé par Rémi?

_____

2. Dans une chaîne d'opérations où apparaît une addition et une multiplication, quelle es[t] l'opération que l'on doit effectuer en premier?

_____

CHAÎNES D'OPÉRATIONS

Pour calculer la valeur d'une **chaîne d'opérations**, on respecte l'ordre de priorité suivant.
1. On effectue d'abord les opérations à l'intérieur des parenthèses.
2. On effectue les multiplications et les divisions dans l'ordre où elles se présentent.
3. On effectue les additions et les soustractions dans l'ordre où elles se présentent.

Ex.: $3 + 5 \times (12 - 9) + 24 \div (15 - 9) \times 2$
$= 3 + 5 \times 3 + 24 \div 6 \times 2$ (1)
$= 3 + 15 + 8$ (2)
$= 26$ (3)

Avant d'effectuer une parenthèse, il faut tenir compte de la priorité des opérations à l'intérieur de la parenthèse.

Ex.: $(8 - 2 \times 3) \times (12 + 4 \times 2)$
$= (8 - 6) \times (12 + 8)$
$= 2 \times 20$
$= 40$

---

1. Calcule la valeur des chaînes d'opérations suivantes.

a) $2 \times 12 \div 6 =$ _____   **b)** $24 \div (9 - 6) =$ _____   **c)** $5 + 6 \times 4 =$ _____

d) $8 \times (7 - 2) =$ _____   **e)** $9 - 18 \div 6 =$ _____   **f)** $12 \div (10 - 6) =$ _____

g) $14 - 16 \div 4 =$ _____   **h)** $56 \div 8 + 11 =$ _____   **i)** $(7 - 4) \times 9 =$ _____

2. Calcule la valeur des chaînes d'opérations suivantes.

a) $2 + 3 \times (4 - 2) =$ _____   **b)** $(6 + 3) \times (9 - 4) =$ _____   **c)** $6 \times (9 - 7) \div 2 =$ _____

d) $(8 + 4) \div 4 \times 3 =$ _____   **e)** $24 - 6 \times (9 - 5) =$ _____   **f)** $(2 + 6) \times 4 \div 16 =$ _____

g) $2 + 4 \times (8 - 3) \div 2 =$ ___   **h)** $(10 - 6) \times 2 - 2 \times 3 =$ ___   **i)** $(4 + 3 \times 2) \div 2 =$ _____

3. Calcule la valeur des chaînes d'opérations suivantes.

a) $(2 + 5) \times (12 - 4 \times 2) =$ _____

b) $4 \times (12 - 5 \times 2) + 18 \div 9 =$ _____

c) $(4 \times 3 + 8) \div (12 - 2 \times 4) =$ _____

d) $3 \times (2 + 4 \times 3 - 3 \times 2) =$ _____

e) $3 + 4 \times (9 - 4) + 20 \div 4 =$ _____

f) $(2 + 6) \times (8 - 3 \times 2) \div 2 =$ _____

g) $(4 \times 5 + 2 \times 10) \div (9 - 1) =$ _____

h) $9 \times (7 - 2) + 4 \times 9 \div 3 =$ _____

i) $18 \div (6 + 3) + 2 \times (4 + 8) =$ _____

j) $7 + 4 \times (8 - 2 \times 3) + 20 \div (7 - 3) =$ _____

4. Calcule la valeur des chaînes d'opérations suivantes.

a) $[20 - (8 - 4) \times 2] \div 3 =$ _____

b) $[(4 + 8) \times 3 - 6] \div (2 + 3) =$ _____

c) $8 - [8 - (8 - 8)] =$ _____

d) $22 - 5 \times [8 - (16 - 4 \times 3)] =$ _____

e) $5 + [4 + 8 \times 3 \div 6] =$ _____

f) $28 \div [4 + 3 \times (2 - 1)] =$ _____

g) $5 \times 4 + [8 \times 2 + (4 - 5 \times 0)] =$ _____

h) $6 + 3 \times [4 + 3 \times (6 - 2)] =$ _____

i) $(8 + 6 \times 2) \times (12 - 3 \times 2) =$ _____

j) $[4 + 3 \times (2 + 6)] \div (10 - 2 \times 3) =$ _____

5. Introduis des parenthèses de façon à obtenir le résultat demandé.

a) $8 + 3 - 2 \times 9 = 17$

b) $28 \div 4 + 3 \times 4 + 3 = 28$

c) $5 \times 3 + 2 \times 6 \div 3 = 50$

d) $6 \times 9 - 4 + 3 - 3 \times 4 = 30$

e) $5 \times 3 + 2 \times 6 \div 3 = 19$

f) $5 \times 3 + 2 \times 6 \div 3 = 25$

6. Trouve la valeur de a dans chacune des chaînes suivantes.

a) $8 + a \times 4 = 20$ _____

b) $2 \times a + 4 \div 4 = 17$ _____

c) $6 + 3 \times a = 18$ _____

d) $9 \div a + 8 = 17$ _____

e) $(8 + a) \times 5 = 50$ _____

f) $a \times 5 + 2 \times 9 = 38$ _____

7. En utilisant les nombres 3, 5, 8 et 10 une fois chacun, complète les boîtes de façon à obtenir le résultat demandé.

a) $\boxed{} \times \boxed{} + \boxed{} \times \boxed{} = 95$

b) $\boxed{} + \boxed{} \times \boxed{} - \boxed{} = 78$

c) $\boxed{} + \boxed{} \div \boxed{} \times \boxed{} = 19$

d) $(\boxed{} + \boxed{}) \times \boxed{} + \boxed{} = 73$

e) $\boxed{} \times (\boxed{} + \boxed{}) - \boxed{} = 37$

f) $(\boxed{} \div \boxed{}) \times (\boxed{} + \boxed{}) = 55$

8. Le résultat de chacune des chaînes d'opérations suivantes est 0. Utilise les opérations +, −, ×, ÷ (au plus une seule fois) pour compléter les égalités suivantes. Utilise des parenthèses si nécessaire.

a) $2 \quad 2 \quad 2 \quad 2 = 0$

b) $2 \quad 2 \quad 2 \quad 2 = 0$

c) $2 \quad 2 \quad 2 \quad 2 = 0$

d) $2 \quad 2 \quad 2 \quad 2 = 0$

9. Écris les signes d'opération nécessaires et introduis des parenthèses, s'il y a lieu, dans chacun des cas suivants.

a) $5 \quad 8 \quad 3 \quad 9 = 50$

b) $12 \quad 6 \quad 2 \quad 10 \quad = 14$

c) $4 \quad 5 \quad 6 \quad 10 = 24$

d) $7 \quad 4 \quad 6 \quad 9 \quad 7 = 16$

e) $4 \quad 9 \quad 6 \quad 2 = 52$

f) $45 \quad 5 \quad 9 \quad 3 \quad 7 = 102$

10. À l'aide des cinq nombres donnés dans la colonne de gauche que tu utiliseras une fois chacun, écris une chaîne d'opérations qui permet d'obtenir le nombre donné dans la deuxième colonne.

Nombres	Nombre à trouver	Chaîne d'opérations
a) 1, 3, 4, 7, 8	60	
b) 4, 5, 8, 10, 12	22	
c) 2, 7, 8, 9, 10	103	
d) 2, 5, 6, 8, 11	18	
e) 1, 5, 8, 12, 15	111	

11. Trouve la valeur de chacune des chaînes d'opérations suivantes si $a = 3$, $b = 5$ et $c = 6$.

a) $a + b \times c =$ _____
b) $(a + b) \times c =$ _____
c) $c \div a + b =$ _____

d) $(c - a) \times b =$ _____
e) $b \times c \div a =$ _____
f) $(a + b) \times (a + c) =$ _____

Pour chacun des problèmes suivants, écris la chaîne d'opérations qui convient et calcule la valeur de la chaîne d'opérations afin de répondre à la question posée.

12. Nathalie achète 3 porte-clés à 8 $ chacun et 2 stylos à 4 $ chacun. Elle paye avec un billet de 50 $. Quel montant d'argent la caissière lui remettra-t-elle?

_____

13. Véronique est membre d'un club de tennis où elle paye 100 $ par année et 8 $ par partie jouée. Combien aura-t-elle payé en tout pendant l'année où elle aura joué 24 parties?

_____

14. Éric achète un cellulaire d'une valeur de 295 $. Il fait un dépôt de 60 $ et paye le reste en 5 versements égaux. Quel est le montant de chaque versement?

_____

15. Un moniteur veut distribuer des billes à ses campeurs. Il possède 8 paquets de 12 billes et 9 paquets de 15. S'il y a 6 garçons et 5 filles dans son groupe, calcule le nombre de billes que chacun recevra.

_____

16. Dans le cadre d'activités parascolaires, une école organise une sortie à un parc aquatique. Le coût est de 8 $ pour les élèves de moins de 13 ans et de 12 $ pour les 13 ans et plus.

a) Si 32 élèves participent à cette sortie et que 14 d'entre eux ont moins de 13 ans, quelle est la somme dépensée par l'école?

_____

b) Si la somme totale dépensée est de 408 $ et qu'il y a 18 élèves de 13 ans et plus, combien de moins de 13 ans ont participé à la sortie?

_____

17. Caroline vend des tablettes de chocolat pour ramasser des fonds pour son club de natation. Elle vend 2 $ chaque tablette au caramel et 3 $ chaque tablette aux amandes. Combien a-t-elle vendu de tablettes en tout, sachant qu'elle a vendu 12 tablettes au caramel et qu'elle a amassé 78 $?

_____

1.5 Relation d'égalité

ACTIVITÉ 1 Égalité entre deux expressions

a) Trouve la valeur de l'expression numérique : $8 + 4 \times 7$. _____

b) Trouve la valeur de l'expression numérique : $(4 + 8) \times 3$. _____

c) Que peux-tu dire de ces deux expressions numériques ? _____

ACTIVITÉ 2 Propriétés des égalités

Audrey, Laure et Sylvie sont trois amies en deuxième secondaire.

a) Peut-on affirmer qu'Audrey a le même âge qu'Audrey ? _____

b) Complète : Si Audrey a le même âge que Laure alors Laure a le même âge que : _____

c) Complète : Si Audrey a le même âge que Laure et Laure a le même âge que Sylvie alors :

_____

RELATION D'ÉGALITÉ

Deux expressions numériques sont égales si elles représentent le même nombre.

Ex. : $3 \times 4 + 8 = 10 + 2 \times 5$

La relation d'égalité possède les propriétés suivantes :
- Elle est réflexive.
  Pour tout nombre naturel a, $\boxed{a = a.}$
- Elle est symétrique.
  Pour tout nombre naturel a et b, $\boxed{\text{si } a = b \text{ alors } b = a.}$
- Elle est transitive.
  Pour tout nombre naturel a, b et c, $\boxed{\text{si } a = b \text{ et } b = c \text{ alors } a = c.}$

---

1. On considère les expressions numériques suivantes :

$$a = 2 \times (9 - 5) \qquad b = 18 \div 6 \times 2 + 2 \qquad c = 4 + 2 \times (8 - 3 \times 2)$$

a) Calcule la valeur de chacune de ces expressions. _____

b) Le nombre a est-il égal à lui-même ? _____

c) Si a est égal à b, peut-on affirmer que b est égal à a ? _____

d) Si a est égal à b et que b est égal à c, peut-on affirmer que a est égal à c ? _____

2. Indique la propriété de la relation d'égalité dans chacun des cas suivants.

a) $2 + 6 \times 5 = 2 + 6 \times 5$ _____

b) Si $a = 8$ et $8 = b$ alors $a = b$ _____

c) Si $a - 3 = b$ alors $b = a - 3$ _____

d) Si $a + b = c$ et $c = 4$ alors $a + b = 4$ _____

3. Trouve la valeur de a de façon à avoir une égalité entre les expressions suivantes.

a) $a + 6 = 12 - a$ _____

b) $3 \times a = 27 \div a$ _____

c) $a - 6 = 8 - a$ _____

d) $3 \times a - 9 = a + 3$ _____

e) $2 \times a + 5 = 9$ _____

f) $3 \times a - 5 = 7$ _____

g) $8 + 3 \times a = a \times 5$ _____

h) $a + 60 = (9 + 2) \times a$ _____

i) $8 \times a = 2 \times a + 12$ _____

Activité 3 Addition d'un même nombre

a) La balance ci-contre est en équilibre.
   1. Si on ajoute une masse de 50 g dans le plateau de gauche, la balance reste-t-elle en équilibre? _____
   2. Que doit-on faire sur le plateau de droite pour rétablir l'équilibre? _____

b) Soit 2 nombres a et b tels que $a = b$. Si on additionne un même nombre c à chaque membre de l'égalité, obtient-on une égalité vraie? _____

   L'égalité $a + c = b + c$ est-elle alors vraie ou fausse? _____

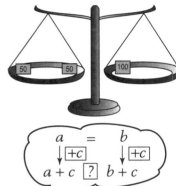

Activité 4 Soustraction d'un même nombre

a) La balance ci-contre est en équilibre.
   1. Si on retranche une masse de 50 g du plateau de gauche, la balance reste-t-elle en équilibre? _____
   2. Que doit-on faire sur le plateau de droite pour rétablir l'équilibre? _____

b) Soit 2 nombres a et b tels que $a = b$. Si on retranche un même nombre c à chaque membre de l'égalité, obtient-on une égalité vraie? _____

   L'égalité $a - c = b - c$ est-elle alors vraie ou fausse? _____

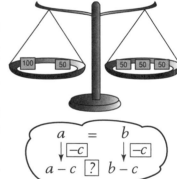

Activité 5 Multiplication par un même nombre

a) Soit l'égalité: $3 + 5 = 6 + 2$.
   1. Si on multiplie par 2 un seul des deux membres de l'égalité, obtient-on une égalité vraie? _____
   2. Si on multiplie par 2 le membre de gauche, que doit-on faire au membre de droite pou obtenir une égalité vraie? _____

b) Soit 2 nombres a et b tels que $a = b$. Si on multiplie chaque membre de l'égalité par un même nombre c, obtient-on une égalité vraie? _____

   L'égalité $a \times c = b \times c$ est-elle alors vraie ou fausse? _____

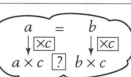

Activité ⑥ Division par un même nombre

a) Soit l'égalité : $3 \times 4 = 6 \times 2$.

   1. Si on divise un seul des deux membres de l'égalité par 3, obtient-on une égalité vraie? _____

   2. Si on divise le membre de gauche par 3, que doit-on faire au membre de droite pour obtenir une égalité vraie? _____

b) Soit 2 nombres a et b tels que $a = b$. Si on divise chaque membre de l'égalité par le même nombre non nul c, obtient-on une égalité vraie? **_Oui_**

   L'égalité $a \div c = b \div c$ est-elle alors vraie ou fausse? _____

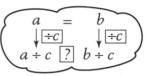

PROPRIÉTÉS DE LA RELATION D'ÉGALITÉ

À partir d'une égalité donnée, les propriétés suivantes permettent d'obtenir une nouvelle égalité.

Propriété	Description	Exemple
Si $a = b$ alors $a + c = b + c$	Si on additionne un même nombre aux deux membres d'une égalité, on obtient une nouvelle égalité.	$3 \times 2 = 6$ $3 \times 2 + 4 = 6 + 4$
Si $a = b$ alors $a - c = b - c$	Si on retranche un même nombre aux deux membres d'une égalité, on obtient une nouvelle égalité.	$3 \times 4 = 12$ $3 \times 4 - 2 = 12 - 2$
Si $a = b$ alors $a \times c = b \times c$	Si on multiplie par un même nombre les deux membres d'une égalité, on obtient une nouvelle égalité.	$2 + 3 = 5$ $(2 + 3) \times 4 = 5 \times 4$
Si $a = b$ alors $a \div c = b \div c$	Si on divise par un même nombre non nul les deux membres d'une égalité, on obtient une nouvelle égalité.	$3 \times 4 = 6 \times 2$ $3 \times 4 \div 2 = 6 \times 2 \div 2$

4. Indique la propriété de la relation d'égalité qui permet de déduire l'égalite ② à partir de l'égalité ①.

  a) $x - 5 = 3$ ①   **b)** $2x = 10$ ①
         $x = 8$ ② $x = 5$ ②

  _____   _____

  c) $x + 4 = 10$ ①   **d)** $\dfrac{x}{5} = 2$ ①
         $x = 6$ ② $x = 10$ ②

  _____   _____

5. Complète.

  a) Si $x + 3 = 2$ **b)** Si $x - 8 = 5$ **c)** Si $\dfrac{x}{2} = 5$ **d)** Si $6x = 24$

     alors $x =$ _____   alors $x =$ _____   alors $x =$ _____   alors $x =$ _____

1.6 Puissance d'un nombre naturel

Activité 1 Une chaîne d'amitié

Karen veut démarrer une chaîne d'amitié. Elle décide d'écrire à trois de ses meilleurs amis, auxquel[s] elle demande d'écrire à leur tour à trois de leurs meilleurs amis (différents des trois premiers) et ains[i] de suite…

Si Karen correspond au niveau 0 et que la réception des trois premières lettres correspond au niveau 1 combien de lettres sont reçues au :

a) 4e niveau de la chaîne : _____   b) 5e niveau de la chaîne : _____

Activité 2 Dans un laboratoire

Lors d'une expérience, un biologiste développe des bactéries dans un laboratoire. Le nombre d[e] bactéries double à chaque heure.

Si, au début de l'expérience, il y avait une seule bactérie, complète la table ci-dessous qui permet d[e] déterminer le nombre de bactéries qui se sont développées selon le temps écoulé.

Temps écoulé	2 heures	4 heures	5 heures	8 heures
Nombre de bactéries				

NOTATION EXPONENTIELLE

La notation exponentielle du produit $3 \times 3 \times 3 \times 3 \times 3$ est 3^5.

3^5 est appelé puissance. 3 est la base et 5 est l'exposant. On lit: «3 exposant 5» ou «3 à la puissance 5».

Ainsi, pour tout nombre naturel n supérieur à 1, $a^n = \underbrace{a \times a \times \ldots \times a}_{n \text{ fois}}$

Si $n = 1$, $\boxed{a^1 = a}$

Si $n = 0$, $\boxed{a^0 = 1}$ $(a \neq 0)$

Ex.: $5^3 = 5 \times 5 \times 5 = 125$ 5^3 se lit 5 «au cube»
      $3^2 = 3 \times 3 = 9$ 3^2 se lit 3 «au carré»

1. On considère le carré représenté ci-contre.

a) Combien de carrés de 1 cm de côté a-t-on besoin pour recouvrir ce carré?

_____

b) Trouve l'expression numérique qui correspond à l'aire de ce carré puis calcule l'aire de ce carré.

_____

5 cm

c) Utilise la notation exponentielle pour exprimer cette aire. _____

2. On considère le cube représenté ci-contre.

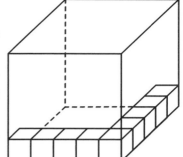

    a) Combien de petits cubes de 1 cm de côté peut-on placer à l'intérieur de ce cube?

    _____

    b) Trouve l'expression numérique qui correspond au volume de ce cube puis calcule ce volume.

    _____

    c) Utilise la notation exponentielle pour exprimer ce volume. _____

3. Écris les produits suivants en utilisant la notation exponentielle.

    a) $3 \times 3 =$ _____
    b) $2 \times 2 \times 2 =$ _____

    c) $5 \times 5 \times 5 \times 5 \times 5 =$ _____
    d) $7 \times 7 \times 7 \times 7 \times 7 \times 7 =$ _____

4. Écris les puissances suivantes sous la forme d'un produit de facteurs égaux à la base et calcule ce produit.

    a) $2^5 =$ _____
    b) $3^4 =$ _____
    c) $5^2 =$ _____

5. Écris chacun des nombres suivants comme une puissance de 2.

    a) $8 =$ _____
    b) $16 =$ _____
    c) $32 =$ _____

    d) $128 =$ _____
    e) $256 =$ _____
    f) $512 =$ _____

6. Écris chacun des nombres suivants comme une puissance de 3.

    a) $9 =$ _____
    b) $81 =$ _____
    c) $243 =$ _____

7. Écris chacun des nombres suivants comme une puissance de 10.

    a) $100 =$ _____
    b) $10\,000 =$ _____
    c) $1\,000\,000 =$ _____

8. Écris le nombre 64 comme une puissance d'un nombre naturel. Donne toutes les réponses possibles.

_____

9. Un nombre est un carré parfait s'il est le carré d'un nombre naturel. Donne la suite des carrés parfaits inférieurs ou égaux à 100.

_____

10. Un nombre est un cube parfait s'il est le cube d'un nombre naturel. Donne la suite des cubes parfaits inférieurs ou égaux à 1 000.

_____

11. Calcule les puissances suivantes.

    a) $2^4 =$ _____
    b) $3^2 =$ _____
    c) $5^3 =$ _____

    d) $7^2 =$ _____
    e) $11^0 =$ _____
    f) $17^1 =$ _____

12. Trouve la valeur du nombre naturel m dans chacun des cas suivants.

a) $2^m = 16$ _____

b) $m^2 = 64$ _____

c) $2^4 = m$ _____

d) $m^5 = 1$ _____

e) $3^m = 243$ _____

f) $8^m = 1$ _____

g) $m^4 = 81$ _____

h) $4^m = 4$ _____

i) $m^3 = 125$ _____

CHAÎNES D'OPÉRATIONS AVEC PUISSANCES

Dans une chaîne d'opérations comportant des puissances, le calcul des puissances a priorité sur le calcul des parenthèses, si une puissance est à l'intérieur des parenthèses. Dans le cas où une parenthèse est élevée à une puissance, le calcul de la parenthèse se fait en premier lieu.

Ex.: $(6 + 2 \times 3^2) \div (3^2 - 5^0)$

$= (6 + 2 \times 9) \div (9 - 1)$

$= (6 + 18) \div 8$

$= 24 \div 8$

$= 3$

Ex.: $2 \times (3 + 4)^2 + (8 - 2 \times 3)^3$

$= 2 \times 7^2 + (8 - 6)^3$

$= 2 \times 7^2 + 2^3$

$= 2 \times 49 + 8$

$= 98 + 8$

$= 106$

---

13. Effectue les calculs suivants.

a) $2^2 \times 3^2 =$ _____

b) $3 \times 2^3 =$ _____

c) $(2 \times 3)^3 =$ _____

d) $(3 + 2)^2 =$ _____

e) $2 \times 3^2 \times 5 =$ _____

f) $3^2 + 4^3 =$ _____

14. Calcule la valeur des chaînes d'opérations suivantes.

a) $2 + 3 \times 5^2 =$ _____

b) $2^3 \times 3 + 5^2 =$ _____

c) $(2 + 1)^3 \times 2 =$ _____

d) $3^2 \times 5 + 2 \times 3^2 =$ _____

e) $(2 + 3 \times 2^2)^2 =$ _____

f) $5 \times 3 + 5^0 =$ _____

g) $2 \times (3 - 1)^5 =$ _____

h) $5 + 2 \times (5 - 2)^3 =$ _____

i) $2 \times 3^2 \div (9 - 2 \times 3)^2 =$ _____

j) $(2 \times 3)^2 - 2 \times 3^2 =$ _____

k) $5 + 3 \times (5 - 4)^5 =$ _____

l) $8 \times (5 - 2)^2 \div 6^2 =$ _____

m) $2^6 - 2 \times 5^2 - 5^0 =$ _____

n) $(2^3 + 5^0)^2 \div 3^3 =$ _____

o) $1^5 + 3 \times (5 - 3)^2 =$ _____

15. Calcule la valeur des chaînes d'opérations suivantes.

a) $5^3 + 2 \times (5 - 2)^2 \div 3^2 =$ _____

b) $5 + 3 \times 2^2 - (2 \times 3^2 - 2^4) =$ _____

c) $4 \times 5^2 - (2 \times 3)^2 + 5^0 =$ _____

d) $2^3 \times (12 - 6) - 9^2 \div 3^2 =$ _____

e) $3 + 3^2 \times 5 + (4 \times 5^0) =$ _____

f) $5 + 2 \times (21 - 2 \times 3^2)^2 =$ _____

g) $8 \times (3^2 - 2 \times 3^0) - (3 + 2 \times 5^2) =$ _____

h) $5 + (8 - 5)^2 \times (5 - 4^0)^2 =$ _____

16. Calcule la valeur des chaînes d'opérations suivantes.

a) $5 \times [3 \times (8 - 6)^2] =$ _____

b) $3 + 5 \times [3 + (5 + 1)^2] =$ _____

c) $[3 + 2 \times (7 - 5)^2] \times [8 - 2 \times (6 - 3^1)] =$ _____

d) $[2 + (2^5 - 3^3)] \times 2 \times (3 + 2)^2 =$ _____

e) $[(5 + 2) \times (8 - 3)^2] \div (25 - 2 \times 3^2) =$ _____

f) $[(1 + 2^3 \times 3)] \div [25 \div (8 - 4^0 \times 3)] =$ _____

17. Trouve la valeur de a dans chacun des cas suivants.

a) $a^3 \times 5 + 3^2 = 49$ _____

b) $5 + 3 \times 2^a = 53$ _____

c) $a \times 2^3 + 5^2 = 65$ _____

d) $3^2 + 2 \times a^2 = 107$ _____

e) $5 \times a^2 - 3 \times 2 = 39$ _____

f) $(3 + a^2) \times 5 = 95$ _____

g) $20 - 2 \times 3^a = 2$ _____

h) $3 + 2 \times a^5 = 5$ _____

Activité 3   Un terrain à clôturer

M. Hétu veut clôturer son terrain ayant la forme d'un carré. L'aire du terrain est 36 m².

a) Quelle mesure te permet de trouver le périmètre du terrain? _____

b) Si chaque mètre de clôture coûte 15 $, quel sera le coût que M. Hétu devra payer? _____

36 m²

RACINE CARRÉE

La **racine carrée** d'un nombre naturel a est le nombre **unique** b, tel que le carré de b est égal à a.
On note la racine carrée de a: $\sqrt{a}$
Ex.: $\sqrt{25} = 5$ car $5^2 = 25$ $\sqrt{8} \notin \mathbb{N}$

18. Trouve les racines carrées suivantes.

a) $\sqrt{49} =$ _____

b) $\sqrt{81} =$ _____

c) $\sqrt{0} =$ _____

d) $\sqrt{1} =$ _____

e) $\sqrt{100} =$ _____

f) $\sqrt{225} =$ _____

19. Trouve la valeur du nombre naturel a dans chacun des cas suivants.

a) $a^2 = 4$ _____

b) $a^2 = 16$ _____

c) $\sqrt{10\ 000} = a$ _____

d) $a = \sqrt{400}$ _____

e) $a^2 = 0$ _____

f) $a^2 = 144$ _____

20. a) Trouve la valeur des expressions suivantes.

1. $(\sqrt{9})^2$ _____ 2. $(\sqrt{25})^2$ _____ 3. $(\sqrt{100})^2$ _____

b) Quelle est la valeur de $(\sqrt{a})^2$? _____

21. a) Calcule

1. $\sqrt{16} + \sqrt{9} =$ _____ 2. $\sqrt{16+9} =$ _____

b) Complète par le symbole = ou ≠ qui convient. $\sqrt{a} + \sqrt{b}$ __ $\sqrt{a+b}$

c) Calcule

1. $\sqrt{16} \times \sqrt{9} =$ _____ 2. $\sqrt{16 \times 9} =$ _____

d) Complète par le symbole = ou ≠ qui convient. $\sqrt{a} \times \sqrt{b}$ __ $\sqrt{a \times b}$?

e) Calcule $\sqrt{5^2}$ _____

f) Si a est un nombre naturel, est-il vrai d'affirmer que $\sqrt{a^2} = a$? _____

1.7 Multiples et diviseurs d'un nombre naturel

ACTIVITÉ 1 Les nombres premiers

Procède par élimination pour déterminer tous les nombres inférieurs à 50 qui admettent exactement deux diviseurs : 1 et le nombre lui-même.

0	1	2	3	4	5	6	7	8	9
10	11	12	13	14	15	16	17	18	19
20	21	22	23	24	25	26	27	28	29
30	31	32	33	34	35	36	37	38	39
40	41	42	43	44	45	46	47	48	49

NOMBRES PREMIERS ET NOMBRES COMPOSÉS

- Un nombre naturel est premier s'il admet exactement deux diviseurs : 1 et lui-même.
  Ex. : 17 est un nombre premier, car ses seuls diviseurs sont 1 et 17.
- Un nombre naturel est composé s'il admet plus de deux diviseurs.
  Ex. : 12 est un nombre composé car il admet plus de deux diviseurs : 1, 2, 3, 4, 6, 12.

Les nombres naturels 0 et 1 ne sont ni premiers ni composés.

1. a) Existe-t-il un nombre pair qui soit premier ? Si oui, lequel ? _____

b) Existe-t-il deux nombres naturels consécutifs qui soient premiers ? Si oui, lesquels ?

_____

c) Combien y a-t-il de nombres premiers inférieurs à 10 : _____

d) Quels sont les nombres premiers inférieurs à 100 dont le chiffre des unités est 3 ?

_____

e) Donne la suite des nombres premiers inférieurs à 30. _____

f) Donne la suite des nombres composés inférieurs à 100 dont le chiffre des unités est 3.

_____

CARACTÈRES DE DIVISIBILITÉ

Un nombre naturel est divisible par :
- 2 s'il est pair ;
- 3 si la somme de ces chiffres est divisible par 3 ;
- 4 si le nombre formé par le chiffre des dizaines et celui des unités est divisible par 4 ;
- 5 si le chiffre des unités est 0 ou 5 ;
- 6 s'il est pair et que la somme de ses chiffres est divisible par 3 ;
- 9 si la somme de ces chiffres est divisible par 9 ;
- 10 si le chiffre des unités est 0 ;
- 12 si le nombre formé par le chiffre des dizaines et celui des unités est divisible par 4 et que la somme des chiffres est divisible par 3 ;
- 25 si le nombre formé par le chiffre des dizaines et celui des unités est 00, 25, 50 ou 75.

2. Parmi les nombres suivants, détermine ceux qui sont divisibles par 3.

123, 852, 1 234, 4 356, 8 341, 9 733, 12 768, 17 564, 24 474

3. Parmi les nombres de l'exercice précédent, détermine ceux qui sont divisibles par 12.

_____

4. Complète le tableau suivant en cochant les cases appropriées.

Nombres	234	456	900	1 350	1 832	2 475	3 470
Divisible par 2							
Divisible par 3							
Divisible par 4							
Divisible par 5							
Divisible par 6							
Divisible par 9							
Divisible par 10							
Divisible par 12							
Divisible par 25							

ARBRE DES FACTEURS

Tout nombre naturel peut s'écrire comme un produit de facteurs premiers.

Pour décomposer un nombre naturel en un produit de facteurs premiers, on construit un arbre de facteurs de la façon suivante.

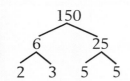

On écrit : $150 = 2 \times 3 \times 5 \times 5$
ou $150 = 2 \times 3 \times 5^2$

5. Décompose chacun des nombres suivants en un produit de facteurs premiers et écris chacune des décompositions en utilisant la notation exponentielle.

a) 18 = _____

b) 36 = _____

c) 60 = _____

d) 100 = _____

e) 360 = _____

f) 440 = _____

6. Trouve le nombre qui correspond à chacune de ces décompositions en produit de facteurs premiers.

a) $2^3 \times 3^2 =$ _____

b) $2^2 \times 3^2 \times 5 =$ _____

c) $2 \times 3^2 \times 7 =$ _____

ACTIVITÉ 2 Les multiples d'un nombre naturel

On considère la suite des nombres naturels 0, 1, 2, 3, 4, …

a) Multiplie chaque nombre naturel par le nombre 5. Quelle suite obtiens-tu ? _____
  *Cette nouvelle suite est appelée la **suite des multiples de 5**.*

b) Trouve la suite des multiples de 8. _____

ACTIVITÉ 3 Les multiples communs à deux nombres naturels

a) Trouve la suite des multiples 3. _____

b) Trouve la suite des multiples de 4. _____

c) Trouve la suite des multiples communs à 3 et à 4. _____

d) Quelle est le plus petit commun multiple non nul de 3 et de 4? _____

e) Quelle suite correspond à la suite trouvée en c)?

_____

PLUS PETIT COMMUN MULTIPLE (PPCM)

Pour trouver le plus petit commun multiple non nul (ppcm) de deux nombres naturels a et b, on utilise une des deux méthodes suivantes:

1re méthode: Recherche des multiples communs

  1. On trouve la suite des multiples de a.
  2. On trouve la suite des multiples de b.
  3. On dresse la liste des multiples communs de a et de b.
  4. On déduit le plus petit commun multiple non nul.

Ex.: ppcm (18,24)
M_{18}: 0, 18, 36, 54, 72, …
M_{24}: 0, 24, 48, 72, …
$M_{(18, 24)}$: 0, 72, 144, 216, …
ppcm (18, 24) = 72

2e méthode: Décomposition en produit de facteurs premiers.

  1. On décompose chacun des nombres en produit de facteurs premiers.
  2. On effectue le produit de tous les facteurs obtenus, chaque facteur étant affecté du plus grand exposant.

Ex.: ppcm (18, 24)
$18 = 2 \times 3^2$
$24 = 2^3 \times 3$
ppcm (18, 24) = $2^3 \times 3^2 = 72$

---

7. Trouve le ppcm des nombres 30 et 36 de deux façons:

  a) Par la recherche des multiples communs aux deux nombres.

_____

_____

  b) Par la méthode de décomposition en un produit de facteurs premiers.

_____

8. Trouve, par la méthode de ton choix, le ppcm des nombres suivants.

  a) 12 et 45 _____   **b)** 20 et 50 _____   **c)** 12, 18 et 24 _____

  d) 12, 34 et 51 _____   **e)** 24 et 32 _____   **f)** 8, 15 et 18 _____

ACTIVITÉ 4 Les diviseurs d'un nombre naturel

Les élèves d'une classe doivent faire un projet seul ou en équipe comportant autant d'élèves qu'ils le désirent. Si la classe est de 12 élèves,

a) de combien de façons ont-ils la possibilité de former les équipes? _____

b) donne toutes les possibilités.

_____

_____

ACTIVITÉ 5 Les diviseurs communs à deux nombres naturels

a) Trouve la liste des diviseurs de 24. _____

b) Trouve la liste des diviseurs de 30. _____

c) Trouve la liste des diviseurs communs de 24 et 30. _____

d) Quelle est le plus grand commun diviseur de 24 et 30? _____

e) Quelle liste correspond à la liste trouvée en c)? _____

PLUS GRAND COMMUN DIVISEUR (PGCD)

Pour trouver le **plus grand commun diviseur** (pgcd) de deux nombres naturels a et b, on peut utiliser une des deux méthodes suivantes:

1re méthode: Recherche des diviseurs communs

1. On dresse la liste des diviseurs de a.
2. On dresse la liste des diviseurs de b.
3. On dresse la liste des diviseurs communs de a et de b.
4. On déduit le plus grand commun diviseur.

Ex.: pgcd (24,36)
D_{24}: 1, 2, 3, 4, 6, 8, 12, 24
D_{36}: 1, 2, 3, 4, 6, 9, 12, 18, 36
$D_{(24, 36)}$: 1, 2, 3, 4, 6, 12
pgcd (24, 36) = 12

2e méthode: Décomposition en un produit de facteurs premiers

1. On décompose chacun des nombres en un produit de facteurs premiers.
2. On effectue le produit des facteurs premiers communs à ces nombres, chaque facteur étant affecté du plus petit exposant.

Ex.: pgcd (24, 36)
$24 = 2^3 \times 3$
$36 = 2^2 \times 3^2$
pgcd (24, 36) $= 2^2 \times 3 = 12$

---

9. Trouve le pgcd des nombres 36 et 90 de deux façons:

a) Par la recherche des diviseurs communs aux deux nombres.

_____

_____

b) Par la méthode de décomposition en un produit de facteurs premiers.

_____

10. Trouve, par la méthode de ton choix, le pgcd des nombres suivants.

a) 60 et 100 _____
b) 24 et 30 _____
c) 72 et 108 _____

d) 72, 90 et 225 _____
e) 90 et 105 _____
f) 60, 150 et 210 _____

ACTIVITÉ 6 Nombres premiers entre eux

On considère les nombres 12 et 25.

a) Par la méthode de ton choix, trouve

1. leur pgcd; _____

2. leur ppcm. _____

b) Compare le ppcm de 12 et 25 au produit de ces deux nombres. _____

Activité 7 Produit du ppcm par le pgcd

On considère les nombres 12 et 30.

a) Par la méthode de ton choix, trouve

   1. leur pgcd; _____

   2. leur ppcm. _____

b) Compare le produit du ppcm par le pgcd des deux nombres au produit des deux nombres.

_____

NOMBRES PREMIERS ENTRE EUX

- Deux nombres naturels sont premiers entre eux si leur pgcd est égal à 1.
  Ex.: 18 et 35 sont premiers entre eux car leur seul diviseur commun est 1.

  Propriété
- Pour tous nombres naturels a et b, on a l'égalité suivante:

$$\boxed{\text{pgcd } (a, b) \times \text{ppcm } (a, b) = a \times b}$$

  Ex.: Soit les nombres 18 et 24.
       pgcd (18, 24) = 6; ppcm (18, 24) = 72; $6 \times 72 = 18 \times 24$
  Si a et b sont premiers entre eux, alors ppcm $(a, b) = a \times b$.

11. Vérifie avec les nombres suivants la propriété: pgcd $(a, b) \times$ ppcm $(a, b) = a \times b$.

   a) 30 et 25 _____ b) 40 et 45 _____ c) 12 et 27 _____

12. Considère les nombres 36 et 49.

   a) Trouve leur pgcd. _____

   b) Que peux-tu dire de ces deux nombres? _____

   c) À quoi est égal leur ppcm? _____

13. Chantal et Janine se sont inscrites à un centre de conditionnement physique.
Chantal décide d'y aller tous les 3 jours et Janine tous les 4 jours.
Combien de jours après leur première rencontre vont-elles de nouveau se rencontrer?

_____

14. Valérie et Karen ont programmé leur réveil-matin pour qu'il sonne une première fois à 7 h. Le réveil de Valérie sonne de nouveau toutes les 6 minutes et celui de Karen toutes les 8 minutes

   a) Après combien de minutes les deux réveils sonneront-ils en même temps? _____

   b) Quelle heure sera-t-il lorsque les deux réveils sonneront en même temps pour la 5e fois?

_____

15. Denise possède 825 bonbons, 495 barres de chocolat et 330 paquets de gomme à mâcher. Elle veut former le plus grand nombre de sacs identiques qu'elle pourra distribuer aux enfants lors d'une fête foraine.

   a) Quel est le maximum de sacs qu'elle peut former? _____

   b) Combien de friandises de chaque sorte mettra-t-elle dans chaque sac?

_____

ÉVALUATION 1

1. Identifie la propriété illustrée dans chacune des égalités suivantes.

a) $3 + (4 + 7) = (3 + 4) + 7$ _____

b) $4 \times (9 + 2) = 4 \times 9 + 4 \times 2$ _____

c) $3 \times 4 + 3 \times 5 = 4 \times 3 + 5 \times 3$ _____

d) $4 \times 0 \times 8 = 0$ _____

e) $(3 + 0) \times 4 = 3 \times 4$ _____

f) $8 \times (2 \times 7) = (8 \times 2) \times 7$ _____

g) $7 \times (8 + 12) = (8 + 12) \times 7$ _____

h) $5 \times 6 + 8 \times 4 = 8 \times 4 + 5 \times 6$ _____

i) $(7 + 0) \times 1 = (0 + 7) \times 1$ _____

j) $(8 - 4) \times 5 = 5 \times 8 - 5 \times 4$ _____

k) $(6 \times 7) \times 4 = 4 \times (6 \times 7)$ _____

2. Mets en évidence le plus grand facteur commun aux termes de chacune des sommes suivantes.

a) $45 + 70 =$ _____
b) $24 + 32 + 40 = 8$ _____

c) $27 + 63 + 72 =$ _____
d) $70 + 175 =$ _____

3. Effectue les chaînes d'opérations suivantes.

a) $12 + 9 \times 4 - 6 \times (12 - 4) =$ _____
b) $12 + (2 + 8) \times (9 - 4) =$ _____

c) $(24 \div 8 \times 2) \times (5 + 2 \times 7) =$ _____
d) $8 + (5 \times 4 \div 2 + 3 \times 5) =$ _____

e) $(7 + 3 \times 2^3) - 3 \times 2^3 =$ _____
f) $8 \times (7 + 2) - 35 \div 5 \times 3 =$ _____

g) $[2 \times (5 - 3)^2] \times [(5 - 3 \times 4^0) + (6 + 2 \times 3)] =$ ___
h) $16 + 2 \times (9 - 2^3) \times 4 =$ _____

i) $8 \times (6 + 4) - 24 \div 6 \times 4 =$ _____
j) $3 \times (2 + 5 \times 2^2) \div (2^3 + 3) =$ _____

4. Trouve la valeur de a dans chacun des cas suivants.

a) $5 + a \times 3 = 29$ _____
b) $(a + 7) \times 8 = 72$ _____

c) $8 \times (5 + 2 \times a) = 88$ _____
d) $(7 + 3 \times a) + (a \times 2 + 5) = 117$ _____

e) $a + 2 \times (5 - 2)^2 = 23$ _____
f) $(8 - 2 \times a) \times 2^2 = 0$ _____

g) $a \times 5 + 2 \times (5 + 4) = 53$ _____
h) $(3 + 2 \times a)^2 = 121$ _____

i) $(a + 3 \times 4) \times (3 + 2) = 120$ _____
j) $[3 + 4 \times (a + 2)] \div (a + 2) = 5$ _____

5. Calcule la valeur de chacune des chaînes d'opérations si $a = 3$, $b = 2$ et $c = 5$.

a) $a + 3 \times b =$ _____
b) $(a + 3 \times b) \div a =$ _____

c) $(a + b) \times c + a^2 =$ _____
d) $2 \times a + 3 \times b - c =$ _____

e) $a \times b + (c - b) \div a =$ _____
f) $(a + b \times c)^2 =$ _____

6. Mets en évidence le plus grand facteur commun aux termes de chacune des sommes suivantes.

a) $45 + 70 =$ _____
b) $24 + 32 + 40 =$ _____

c) $27 + 63 + 72 =$ _____
d) $70 + 175 =$ _____

7. Le coût pour assister à une pièce de théâtre est de 12 $ par adulte et de 5 $ par enfant. Si le montant total enregistré en un après-midi a été de 940 $, et qu'il y avait 45 adultes, détermine le nombre d'enfants ayant assisté à la représentation. (Écris une chaîne d'opérations avant d'effectuer le calcul

_____

8. Un cirque a donné une représentation de trois heures dans un chapiteau qui contient 324 sièges À la représentation de fin de soirée, 76 sièges étaient vides, 158 étaient occupés par des enfant et le reste par des adultes. Le prix d'entrée d'un billet pour enfant est de 3 $ et celui pour adult est de 8 $. Quel montant total d'argent les organisateurs de la représentation ont-ils pu amasser

_____

9. Michael travaille le jour dans une boutique à un salaire horaire de 8 $ et dans un restaurant l soir à un salaire horaire de 11 $.

a) Si la semaine dernière, il a travaillé 24 heures à la boutique et 12 heures au restaurant, qu est en moyenne son salaire horaire?

_____

b) S'il veut recevoir un salaire de 368 $ et qu'il doit travailler 24 heures à la boutiqu combien d'heures au total devra-t-il travailler?

_____

10. Exprime les nombres suivants comme une puissance de 2.

a) 32 = _____   **b)** 128 = _____   **c)** 1 = _____   **d)** 512 = _____

11. Trouve la valeur de a dans chacun des cas suivants.

a) $a^3 = 125$ _____   **b)** $3^a = 81$ _____   **c)** $4^a = 1$ _____   **d)** $2^6 = a$ _____

12. Dans chacune des suites suivantes, trouve les 2 intrus.

a) 4, 9, 14, 16, 25, 40, 49 _____

b) 3, 12, 15, 20, 21, 28, 33 _____

c) 2, 5, 7, 9, 11, 13, 15 _____

d) 0, 1, 3, 8, 9, 27, 64 _____

13. Décompose chacun des nombres suivants en un produit de facteurs premiers.

a) 90 = _____   **b)** 120 = _____

c) 294 = _____   **d)** 396 = _____

14. Trouve le ppcm et le pgcd des nombres suivants.

a) 48 et 108 _____   **b)** 84 et 120 _____

15. Trois autobus partent d'une station à 6 h 30 du matin et prennent un itinéraire différent. L premier est de retour à la station après 45 minutes, le deuxième après 30 minutes et troisième après 20 minutes. S'ils refont leur trajet en respectant le même horaire, à quel heure les trois autobus seront de nouveau ensemble à la station?

_____

Chapitre 2

Nombres entiers

DÉFI 2 ◈

1 Les philosophes grecs Socrate, Platon et Aristote

Platon est né en 428 avant J.-C. et il est mort en 348 avant J.-C. Platon était un disciple de Socrate, lui-même âgé de 42 ans à la naissance de Platon et mort à l'âge de 71 ans. Platon a lui-même été le maître d'Aristote, mort en 322 avant J.-C. à l'âge de 62 ans.

a) Lequel a vécu le plus longtemps? _____

b) Combien d'années, après la mort de Socrate, Aristote est-il né? _____

c) Combien d'années, après la naissance de Platon, Socrate est-il mort? _____

d) Combien d'années séparent la naissance de Socrate et la mort d'Aristote? _____

e) De combien d'années Aristote était plus jeune que Platon? _____

2 Un jeu questionnaire

Élie, Solange et Albert participent à un jeu questionnaire de 25 questions pour lequel chaque bonne réponse rapporte 3 points, chaque mauvaise réponse fait perdre 2 points et chaque question non répondue fait perdre 1 point. Élie répond correctement à 12 questions, donne 5 mauvaises réponses et ne répond pas au reste. Solange répond correctement à 11 questions, donne 3 mauvaises réponses et ne répond pas au reste. Albert répond correctement à 14 questions et donne 11 mauvaises réponses. Quelle est la moyenne de leur score? _____

3 Recherche de nombres

Considère trois nombres entiers a, b et c tel que a est inférieur à b et b est inférieur à c.

Trouve ces trois nombres sachant que : $a \times b \times c = -6$ et $a + b + c = 0$. _____

4 Méli-mélo

Complète le tableau suivant en inscrivant dans la colonne de droite la réponse à la question posée dans la colonne de gauche.

	Question	Réponse
a)	Trouve la valeur de a qui vérifie l'égalité $(8 - 3 \times a) \div -7 = -2$.	
b)	Calcule la chaîne $15 + 4 \times (7 + 2 \times -5)$.	
c)	Trouve deux nombres dont le produit est -96 et la somme est -4.	
d)	Trouve les valeurs de x pour lesquelles $(x - 5)^2 = 49$.	
e)	Trouve la valeur de $a \times b - c^2$ pour $a = -5$, $b = 2$ et $c = -3$.	
f)	Trouve les valeurs de a pour lesquelles $(a + 6) \times (a - 5) = 0$.	
g)	Trouve la valeur de $(a + b)^2 - 3 \times (a - 2 \times b)^2$ pour $a = -5$ et $b = -2$.	
h)	Soit les nombres -7 et 2. Trouve le carré de leur somme diminué de leur produit.	
i)	Soit les nombres -6 et 4. Trouve la différence de leur carré augmenté de leur somme.	

2.1 Nombres entiers

Activité 1 — Des ensembles de nombres

On considère les nombres :

$$-3\,;\,0\,;\,7\,;\,-2\,;\,-\frac{5}{2}\,;\,1{,}33\,;\,4\,;\,-12$$

a) Dans la région bleue, place les nombres entiers en séparant les nombres naturels de ceux qui ne le sont pas.

b) À l'extérieur de la région bleue, place les nombres qui ne sont pas des nombres entiers.

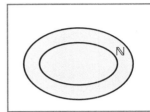

Activité 2 — Les nombres entiers

Lors d'une journée de printemps, Jessica observe les températures d'un thermomètre placé sur la terrasse de son jardin.

a) Quelles sont les températures au-dessus de 0? _____

b) Quelles sont les températures en dessous de 0? _____

c) Quelle est la température qui correspond au point de congélation? _____

d) Quelle température est opposée à +3 °C? _____

e) Quelle température est opposée à –2 °C? _____

Activité 3 — Repérage

Complète le tableau suivant après avoir observé le thermomètre ci-contre.

Niveau	A		P		R		C	
Température (en °C)		14		–4		8		–11

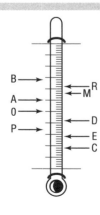

NOMBRES ENTIERS

- L'ensemble des nombres entiers est: $\mathbb{Z} = \{..., -3, -2, -1, 0, 1, 2, 3, ...\}$.
  On considère:
  - les entiers positifs.   Ex.: +4 ou 4;
  - les entiers négatifs.   Ex.: −7;
  - l'entier nul, 0.

  L'ensemble des nombres entiers non nuls est: $\mathbb{Z}^* = \{..., -3, -2, -1, 1, 2, 3, ...\}$.
  L'ensemble des entiers positifs ou nuls est: $\mathbb{Z}_+ = \{0, 1, 2, 3, ...\}$.
  L'ensemble des entiers négatifs ou nuls est: $\mathbb{Z}_- = \{..., -3, -2, -1, 0\}$.

- L'ensemble des nombres entiers est représenté sur l'axe numérique de la façon suivante:

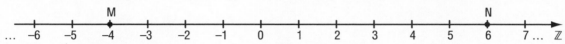

  Le point M a pour abscisse −4, le point N a pour abscisse +6.

- Deux nombres sont opposés s'ils sont composés du même nombre naturel et sont de signes contraires.
  L'opposé du nombre entier a se note opp(a).
  Ex.: −2 et 2 sont des nombres opposés. Ainsi, opp(+2) = −2 et opp(−2) = +2

1. Représente chaque énoncé suivant par un nombre entier.

a) une perte de 18 $: _____

b) 3 km nord: _____

c) un recul de 6 m: _____

d) un gain de 70 $: _____

e) le niveau de la mer: _____

f) 300 ans après J.-C.: _____

g) le 3ᵉ sous-sol: _____

h) dans 5 ans: _____

i) 2500 m d'altitude: _____

2. Le tableau ci-dessous indique les résultats de cinq élèves à un test de mathématique.

Note de l'élève	75	66	95	56	48
Écart avec la moyenne					

Calcule la moyenne des notes de ces cinq élèves et indique, dans le tableau, le nombre entier qui correspond à la différence de la note de l'élève avec la moyenne.

_____

3. Dans le diagramme ci-dessous, place à l'endroit approprié les nombres entiers suivants.

$$-12, \ +6, \ +4, \ -9, \ 0, \ -25, \ +18, \ -135, \ +56$$

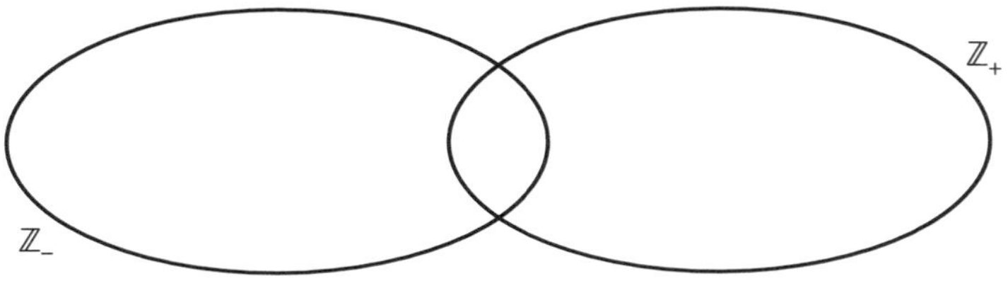

$\mathbb{Z}_+$

$\mathbb{Z}_-$

4. Sur chacun des axes numériques suivants, trouve l'abscisse des points représentés.

a)

E   A   C   D   B

0   1

A: _____   B: _____   C: _____   D: _____   E: _____

b)

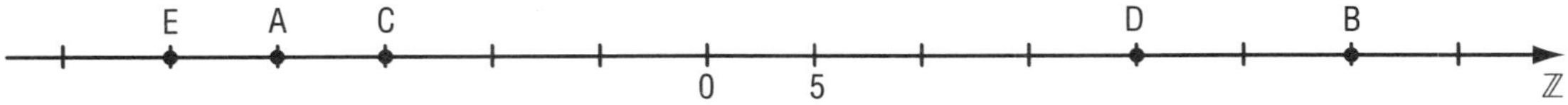

E   A   C   D   B

0   5

A: _____   B: _____   C: _____   D: _____   E: _____

c)

B   A   E   C   D

0   3

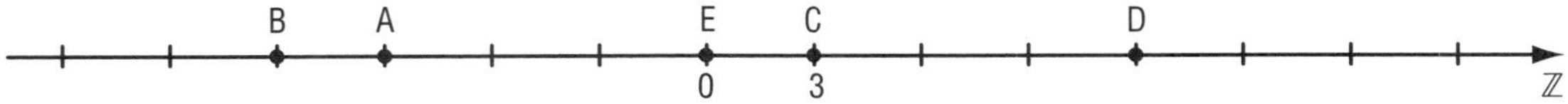

A: _____   B: _____   C: _____   D: _____   E: _____

5. Sur chacun des axes numériques suivants, choisis une graduation appropriée et place les point selon leur abscisse.

a)

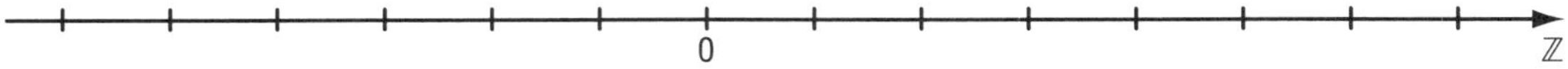

0   ℤ

A: –4   B: 12   C: –24   D: 16

b)

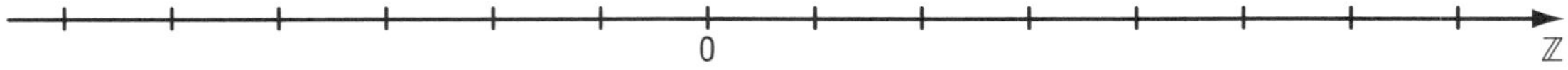

0   ℤ

P: –5   Q: 15   R: 20   S: –10

6. Place les événements historiques donnés sur l'axe numérique ci-dessous en utilisant la graduation appropriée. (Les dates sont arrondies à la dizaine près).

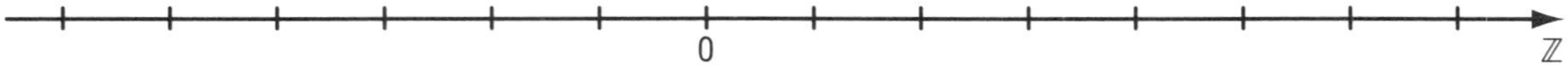

0   ℤ

A: L'invention de l'écriture (–3500)   B: La chute de l'Empire romain (480)
C: La fondation de Rome (–750)   D: La naissance du roi David (–1000)
E: Les grandes pyramides d'Égypte (–2500)   F: L'âge du fer (–4000)

7. a) Donne l'opposé de chacun des nombres suivants.
   1. –7: _____   2. 8_____   3. –6: _____   4. 0: _____

   b) Chaque nombre entier admet-il un opposé? _____

8. Complète chacun des énoncés suivants.

   a) L'opposé d'un nombre entier positif est un nombre entier _____

   b) L'opposé d'un nombre entier négatif est un nombre entier _____

   c) L'opposé du nombre entier 0 est _____

   d) Si *a* est un nombre positif, alors –*a* est _____

   e) Si *a* est un nombre négatif, alors –*a* est _____

   f) Si *a* est l'opposé de *b* alors *b* est _____

9. Considère le nombre entier $a = -9$. Trouve:

opp(a) = _____ opp(opp(a)) = _____ opp(opp(opp(a))) = _____

10. Si a est un nombre entier, simplifie:

opp(opp(a)) = _____ opp(opp(opp(a))) = _____ opp(opp(opp(opp(a)))) = _____

11. Dans chacun des cas suivants, trouve les abscisses des points M, N et P qui ont respectivement pour abscisse l'opposé des abscisses des points A, B et C.

a)

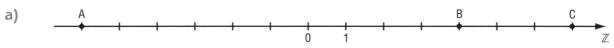

_____ _____ _____

b)

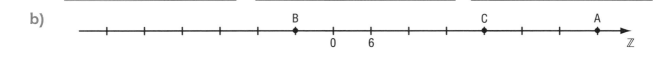

_____ _____ _____

ACTIVITÉ 4 Ordre des nombres entiers

Le tableau ci-dessous indique les températures à Gaspé, enregistrées une semaine de mars à l'heure du midi.

Jour	Lundi	Mardi	Mercredi	Jeudi	Vendredi	Samedi	Dimanche
Température	–7 °C	–4 °C	+1 °C	–2 °C	+3 °C	–10 °C	–8 °C

a) Quelle journée a-t-il fait le plus froid?

   1. Lundi ou samedi? _____ 2. Mardi ou mercredi? _____

   3. Mercredi ou vendredi? _____ 4. Lundi ou dimanche? _____

b) Range les journées selon l'ordre croissant des températures.

   _____

ORDRE DANS Z

– Quand deux nombres entiers sont positifs, le plus grand est celui qui est composé du plus grand nombre naturel. Ex.: +8 > +2

– Quand deux nombres entiers sont négatifs, le plus grand est celui qui est composé du plus petit nombre naturel. Ex.: –4 > –6

– Quand deux nombres entiers sont de signe contraire, le plus grand est celui qui est positif. Ex.: +8 > –10

– Tout nombre entier positif est supérieur à 0 et tout nombre entier négatif est inférieur à 0. Ex.: +7 > 0 et –5 < 0

---

12. Complète par le symbole > ou < qui convient.

a) –5 __ 5   b) –3 __ –7   c) 5 __ –8   d) –4 __ 0

e) 4 __ 0   f) –8 __ –2   g) –12 __ 18   h) –9 __ 3

13. Range les nombres entiers suivants par ordre de grandeur croissant.

a) 7, –6, 5, 0, –12, –18: _____

b) –32, –22, 22, –23, 12, 23: _____

c) –98, –88, 78, –99, –90, 98: _____

14. Complète chacune des suites suivantes en inscrivant les 3 termes manquants.

a) –7, –4, –1,_____   b) –16, –12, –8, _____

c) –35, –30, _____ –10, –5   d) ____ , –14, –7, ____ 7, 14, ____

15. Voici des personnages célèbres:

Vercingétorix (–72, –46) Cléopâtre (–69, –30) Auguste (–63, 14). Lequel est:

a) né le premier? _____ ; b) né le dernier? _____

c) mort en deuxième? _____ ; d) mort le dernier? _____

16. Donne la suite des nombres entiers

a) négatifs, supérieurs ou égaux à –5 : _____

b) positifs, inférieurs à 7 : _____

c) supérieurs à –4 et inférieurs ou égaux à 4 : _____

d) positifs, supérieurs à 9 : _____

e) négatifs, supérieurs à 3 : _____

17. Détermine si chacun des énoncés suivants est vrai ou faux. Dans le cas où l'énoncé est faux donne un contre-exemple.

a) Un nombre entier positif est supérieur à un nombre entier négatif. _____

b) Si deux nombres sont négatifs, le plus grand est celui composé du plus grand nombre naturel.

_____

c) Un nombre entier est toujours plus grand que son opposé. _____

d) Un nombre entier négatif est inférieur à 0. _____

18. À quelle condition, un nombre entier est-il:

a) supérieur à son opposé? _____

b) inférieur à son opposé? _____

c) égal à son opposé? _____

2.2 Addition et soustraction de nombres entiers

ACTIVITÉ 1 Sur la droite numérique

a) À l'aide de la droite numérique, effectue les additions suivantes.

1. $(+5) + (+3) =$ _____

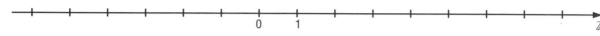

2. $(-4) + (-2) =$ _____

3. $(-6) + (+10) =$ _____

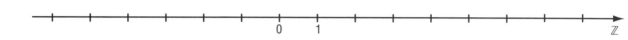

4. $(-5) + (+3) =$ _____

b) 1. Additionner un nombre positif revient à effectuer un déplacement vers la _____

2. Additionner un nombre négatif revient à effectuer un déplacement vers la _____

ACTIVITÉ 2 Des pertes et des gains

a) Un gain de 12 $ suivi d'un gain de 7 $ correspond à _____ de _____.

b) Une perte de 8 $ suivie d'une perte de 12 $ correspond à _____ de _____.

c) Un gain de 15 $ suivi d'une perte de 18 $ correspond à _____ de _____.

d) Une perte de 14 $ suivie d'un gain de 20 $ correspond à _____ de _____.

ADDITION DE NOMBRES ENTIERS

– Pour additionner deux nombres entiers positifs, on calcule la somme des nombres naturels qui les composent et cette somme est précédée du signe +.
Ex.: $(+5) + (+6) = +11$

– Pour additionner deux nombres entiers négatifs, on calcule la somme des nombres naturels qui les composent et cette somme est négative.
Ex.: $(-8) + (-5) = -13$

– Pour additionner deux nombres entiers de signe contraire, on calcule la différence des nombres naturels qui les composent et cette somme est précédée du signe de l'entier composé du plus grand nombre naturel.
Ex. $(-8) + (+7) = -1$ $(-5) + (+12) = +7$

1. Effectue les additions suivantes.

    a) $7 + {-4} =$ _____
    b) $-6 + {-7} =$ _____
    c) $-4 + 9 =$ _____
    d) $8 + {-5} =$ _____

    e) $-4 + {-4} =$ _____
    f) $4 + {-15} =$ _____
    g) $6 + {-6} =$ _____
    h) $-12 + 9 =$ _____

    i) $8 + 7 =$ _____
    j) $-6 + {-10} =$ _____
    k) $-14 + 24 =$ _____
    l) $-9 + {-15} =$ _____

2. Effectue les additions suivantes.

    a) $-4 + {-3} + 9 =$ _____
    b) $-7 + 12 + {-6} =$ _____
    c) $-5 + {-6} + {-4} =$ _____

    d) $8 + {-3} + 12 + {-4} =$ _____
    e) $-7 + {-12} + 18 =$ _____
    f) $8 + {-9} + {-7} + {-4} =$ _____

    g) $6 + {-9} + {-7} + 10 =$ _____
    h) $5 + {-7} + {-3} + 7 =$ _____
    i) $7 + {-4} + {-3} + {-11} =$ _____

3. Estime les sommes suivantes puis calcule-les.

    a) $-100 + {-35} =$ _____
    b) $-140 + 128 =$ _____
    c) $-346 + {-132} =$ _____

    d) $-245 + 348 =$ _____
    e) $156 + {-245} =$ _____
    f) $48 + {-212} =$ _____

4. On considère les deux tableaux ci-dessous.

Tableau 1

–5	–8	7	–2	–1	
–4	6	–8	4	–5	
3	–2	–7	2	–1	
5	–6	–1	–9	8	
–3	8	5	–4	9	

Tableau 2

6	5	–4	3	8	
–7	4	5	–2	–6	
– 5	–2	–8	5	6	
8	–1	–4	–8	–3	
9	0	7	–2	1	

    a) Effectue la somme des nombres entiers dans chaque rangée et inscris cette somme dans la case à droite de la rangée.

    b) Effectue la somme des nombres entiers de chaque colonne et inscris cette somme au ba de la colonne.

    c) Vérifie que la somme des résultats trouvés en a) est égale à la somme des résultats trouvé en b).

5. Complète la pyramide suivante sachant que chaque nombre inscrit dans un rectangle est égal à la somme des deux nombres entiers placés dans les deux rectangles qui le soutiennent.

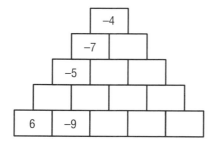
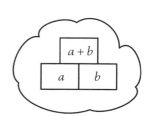

6. Trouve la valeur de a dans chacun des cas suivants.

a) $a + -7 = -4$ _____

b) $-6 + a = 0$ _____

c) $4 + a = 2$ _____

d) $-4 + a = -7$ _____

e) $5 + a = -8$ _____

f) $-6 + a = 11$ _____

g) $12 + a = 0$ _____

h) $-4 + a = 2$ _____

i) $a + -6 = -7$ _____

7. Si $a = -14$ et $b = 6$, trouve la valeur numérique des sommes suivantes.

a) $a + b =$ _____

b) $b + a =$ _____

Que peux-tu dire de l'addition de nombres entiers? _____

8. Pour a = −6, b = 8 et c = −9, trouve la valeur numérique des sommes suivantes.

a) $(a + b) + c =$ _____

b) $a + (b + c) =$ _____

Que peux-tu dire de l'addition de nombres entiers? _____

9. Vérifie les propriétés de l'addition dans $\mathbb{Z}$ à l'aide de nombres entiers de ton choix.

a) La somme de nombres entiers est un nombre entier. _____

b) L'addition est une opération commutative. _____

c) L'addition est une opération associative. _____

d) 0 est l'élément neutre de l'addition dans $\mathbb{Z}$. _____

e) La somme de deux nombres opposés est nulle. _____

10. Peut-on trouver deux nombres entiers dont la somme est 0 si ces deux nombres sont:

a) positifs? _____

b) négatifs? _____

c) de signes contraires? _____

11. Trouve, s'ils existent, deux nombres entiers consécutifs dont la somme donnée correspond à:

a) -7: _____

b) 9: _____

c) -1: _____

d) 0: _____

e) -4: _____

f) -25: _____

12. Considère les nombres entiers $a = -6$ et $b = 9$. Trouve:

a) L'opposé de la somme de ces deux nombres. _____

b) La somme de l'opposé de a et de l'opposé de b. _____

c) Complète par le symbole = ou ≠ qui convient.

opp$(a + b)$ ☐ opp(a) + opp(b)

13. Complète les tableaux suivants de façon à obtenir des carrés magiques. (La somme des lignes, des colonnes et des diagonales est toujours la même.)

3	−2	
	0	
	2	

	0	−1
	−2	
−3		

−5		−7
	−4	
		−3

14. Cléopâtre est née en 69 avant J.-C. Elle est morte à l'âge de 39 ans.

En quelle année est-elle morte ? _____

15. Le mois de février 2003 a été très froid à Montréal. Samedi le 15 février, il a fait –25 °C. Durant la semaine qui a suivi, la température est montée de 19 °C pour redescendre ensuite de 8 °C durant la fin de semaine. Quelle a été la température durant la fin de semaine ?

_____

16. André travaille comme coursier dans un immeuble de bureaux. Il débute son travail a 18ᵉ étage, descend de 9 étages, remonte de 2, descend de 13, remonte de 4, descend de 5 e finalement remonte de 8 pour aller dîner à la cafétéria de l'immeuble. À quel étage se trouv la cafétéria de l'immeuble ?

_____

Activité 3 Soustraction de nombres entiers

L'empereur romain Auguste est né en 63 avant J.-C. et il est mort en 14 après J.-C.

a) Représente sur l'axe numérique ces deux nombres et détermine le nombre d'années qu'il vécu.

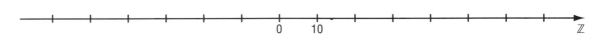

b) 1. Écris la soustraction qui permet de calculer le nombre d'années qu'il a vécu. _____
   2. Transforme cette soustraction en une addition et vérifie le résultat obtenu en a).

_____

Activité 4 Sur la droite numérique

a) À l'aide de la droite numérique, effectue les soustractions suivantes.
   1. $(+8) - (+5) =$ _____

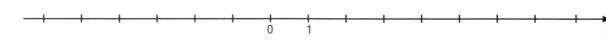

   2. $(-4) - (+6) =$ _____

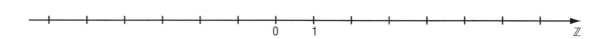

b) 1. Soustraire un nombre positif revient à effectuer un déplacement vers la _____
   2. Soustraire un nombre négatif revient à effectuer un déplacement vers la _____

SOUSTRACTION DE NOMBRES ENTIERS

Soustraire un nombre entier revient à additionner son opposé.

$$a - b = a + \text{opp}(b)$$

Ex.: $3 - (-5) = 3 + 5 = 8$ $\qquad -4 - 5 = -4 + -5 = -9$

17. Transforme chaque soustraction suivante en addition, puis effectue le calcul.

a) $-4 - 9 = $ _____

b) $5 - 9$ _____

c) $-8 - -5 = $ _____

d) $7 - 12 = $ _____

e) $-7 - 8 = $ _____

f) $9 - -12 = $ _____

18. Effectue les calculs suivants.

a) $-8 - 12 = $ _____

b) $7 - 9 = $ _____

c) $12 - -14 = $ _____

d) $-15 + 15 = $ _____

e) $-4 + 18 = $ _____

f) $-5 - 17 = $ _____

19. Effectue les calculs suivants.

a) $-7 + 12 - 14 - 9 = $ _____

b) $-7 + 4 - 9 + 14 = $ _____

c) $6 - 15 - 3 + 34 = $ _____

d) $-5 + 13 - 9 - 7 = $ _____

e) $5 - 17 + 5 - 21 = $ _____

f) $3 - 12 - 7 + 4 = $ _____

20. Effectue les calculs suivants.

a) $(3 - 9) + (-5 - 4) = $ _____

b) $(-7 + 4) - (2 - 9) = $ _____

c) $(-7 + 4 - 12) - (7 - 2) = $ ___

d) $(-8 + 4) - (9 - 3) = $ _____

e) $(-8 + 15) + (5 - 9) = $ _____

f) $(-6 + 5) - (-7 - 5) = $ _____

21. Effectue les calculs suivants.

a) $(7 - 9 + 12) + (-5 + 3 - 12) = $ _____

b) $(-6 + 18 - 25) - (4 - 9 - 5) = $ _____

c) $(2 - 8) - (34 - 25 - 7) = $ _____

d) $(-5 - 6 + 9) + (-7 - 11 + 12) = $ _____

e) $9 - (4 - 6 + 2) + (-9 + 2) = $ _____

f) $(-6 + 3 - 9) - (2 - 7 - 8) = $ _____

22. a) Trouve la valeur de chaque expression suivante si $a = -7$, $b = 4$.

1. $a - b = $ _____

2. $b - a = $ _____

b) Que peux-tu dire de la différence $a - b$ et de la différence $b - a$?
Vérifie ta réponse avec d'autres nombres entiers. _____

23. Trouve la valeur de chaque expression suivante si $a = -4$, $b = 9$ et $c = -12$

a) $(a - b) - c = $ _____

b) $a - (b - c) = $ _____

24. Détermine si chacun des énoncés est vrai ou faux. Dans le cas où l'énoncé est faux, donne un contre-exemple.

a) La différence de deux nombres entiers est un nombre entier. _____

b) La soustraction est une opération commutative. _____

c) La soustraction est une opération associative. _____

d) La différence de deux nombres entiers opposés est nulle. _____

e) La différence de deux nombres entiers positifs est positive. _____

f) Si la différence de deux nombres entiers est nulle, alors ils sont opposés. _____

25. Trouve la valeur de chacune des expressions suivantes pour $a = -7$, $b = 4$ et $c = -12$

   a) $a + b - c =$ _____   **b)** $a - b + c =$ _____   **c)** $b - a - c =$ _____

   d) $(a - b) + (b - c) =$ _____   **e)** $(a - b) - (b - c) =$ _____   **f)** $(b - c) - a =$ _____

26. Trouve la valeur de x dans chacun des cas suivants.

   a) $x - 7 = 8$ _____   **b)** $x - 3 = -7$ _____   **c)** $5 - x = -6$ _____

   d) $-7 - x = 8$ _____   **e)** $x - 7 = -2$ _____   **f)** $x - 12 = 0$ _____

27. Trouve deux nombres entiers x et y connaissant leur somme S et leur différence D.

   a) S = –1 et D = 15 _____   **b)** S = 19 et D = –5 _____

   c) S = 5 et D = 13 _____   **d)** S = –14 et D = –2 _____

28. Complète les tableaux suivants.

<table>
<tr><th colspan="4">Tableau 1</th></tr>
<tr><th>a</th><th>b</th><th>$a + b$</th><th>$a - b$</th></tr>
<tr><td>2</td><td>5</td><td></td><td></td></tr>
<tr><td>–7</td><td>–8</td><td></td><td></td></tr>
<tr><td>5</td><td>–9</td><td></td><td></td></tr>
<tr><td>–7</td><td>4</td><td></td><td></td></tr>
</table>

<table>
<tr><th colspan="4">Tableau 2</th></tr>
<tr><th>a</th><th>b</th><th>$a = b$</th><th>$a - b$</th></tr>
<tr><td>8</td><td></td><td>–9</td><td></td></tr>
<tr><td></td><td>–11</td><td></td><td>–5</td></tr>
<tr><td></td><td>6</td><td>–7</td><td></td></tr>
<tr><td></td><td>–13</td><td></td><td>4</td></tr>
</table>

29. Pendant combien d'années a vécu chacun des personnages suivants?

   a) Platon (–428, –348) _____   **b)** César (–101, –44) _____

   c) Antoine (–83, –30) _____   **d)** Alexandre le Grand (–356, –323) _____

30. Antoine est mort en l'an 30 avant J.-C. à l'âge de 53 ans. En quelle année est-il né?

_____

31. Le roi David est né en 1015 avant J.-C. et il est mort en 970 avant J.-C. L'empereur romain Auguste est né en 63 avant J.-C. et il est mort en 14 après J.-C. Lequel des deux a vécu le plus longtemps.

_____

32. La Reine Césarée est née en l'an 234 avant J.-C. et elle est morte à l'âge de 48 ans. L'empereur Romanus est mort en l'an 212 avant J.-C. à l'âge de 54 ans. Durant combien d'années ces deux personnages ont vécu en même temps?

_____

33. Il y a de très grands écarts de température entre le Grand Nord québécois et la vallée du Saint Laurent. La même journée, il a fait –48 °C dans le Grand Nord et 7 °C à Montréal.

   Quel est l'écart entre ces deux températures? _____

34. Lors d'une journée d'hiver, il a fait 2 °C le jour et –7 °C la nuit à Trois-Rivières. La même journée, on a enregistré 6 °C le jour et –5 °C la nuit à Montréal.

   a) Quelle est la ville qui a enregistré le plus grand écart de température? _____

   b) Quelle est la différence des écarts de température? _____

35. On repère les altitudes et les profondeurs par rapport au niveau de la mer. Le niveau de la mer correspond au nombre entier 0.
   Trouve la distance qui sépare un avion se trouvant à 3250 m d'altitude et un sous-marin se trouvant à 326 m sous le niveau de la mer.

_____

2.3 Multiplication et division de nombres entiers

Dans une urne, il y a autant de cubes bleus que de cubes blancs.
Un cube bleu dégage de la chaleur et fait monter la température de 1°.
Un cube blanc dégage du froid et fait baisser la température de 1°.
Complète les phrases suivantes et donne le résultat de la multiplication.

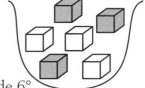

a) Ajouter 2 groupes de 3 cubes bleus fait _____ la température de 6°.

$$(+2) \times (+3) = \underline{(+6)}$$

b) Retirer 2 groupes de 3 cubes bleus fait _____ la température de 6°.

$$(-2) \times (+3) = \underline{(-6)}$$

c) Ajouter 2 groupes de 3 cubes blancs fait _____ la température de 6°.

$$(+2) \times (-3) = \underline{(-6)}$$

d) Retirer 2 groupes de 3 cubes blancs fait _____ la température de 6°.

$$(-2) \times (-3) = \underline{(+6)}$$

MULTIPLICATION DE NOMBRES ENTIERS

Pour multiplier deux nombres entiers, on effectue le produit des nombres naturels qui les composent.

Si les deux nombres sont de **même signe**, le produit est **positif**.

Si les deux nombres sont de **signe contraire**, le produit est **négatif**.

Ex.: $(+5) \times (+8) = +40$ $(-6) \times (-7) = +42$
       $(-7) \times (+4) = -28$ $(+5) \times (-9) = -45$

---

1. Effectue les multiplications suivantes.

   a) $-7 \times 5 =$ _____   b) $8 \times 6 =$ _____   c) $-3 \times -4 =$ _____   d) $3 \times -12 =$ _____

   e) $-6 \times 0 =$ _____   f) $1 \times -4 =$ _____   g) $-4 \times -4 =$ _____   h) $-1 \times -1 =$ _____

2. Complète les deux tableaux ci-dessous.

Tableau 1

×	−8	7	−2	−9
−4				
3				
5				
−2				

Tableau 2

×	5		3	
−7				
−5	−20			
			−18	
8	40			24

3. Trouve la valeur de a dans chacun des cas suivants.

a) $a \times -5 = 60$ _____

b) $7 \times a = -42$ _____

c) $-9 \times a = 0$ _____

d) $-8 \times a = -72$ _____

4. Que peut-on dire des signes de deux nombres entiers a et b si:

a) Le produit $a \times b$ est positif et que la somme est positive? _____

b) Le produit $a \times b$ est positif et que la somme est négative? _____

c) Le produit $a \times b$ est négatif? _____

5. Trouve deux nombres entiers, connaissant leur produit P et leur somme S.

a) P = -12 et S = -1 _____

b) P = -40 et S = -3 _____

c) P = 28 et S = -11 _____

d) P = -30 et S = 7 _____

MULTIPLICATION DE PLUSIEURS NOMBRES ENTIERS

Le produit de plusieurs nombres entiers est:

– positif s'il est composé d'un nombre pair de facteurs négatifs.
   Ex.: $-3 \times -4 \times 2 \times -3 \times 2 \times -1 = 144$

– négatif s'il est composé d'un nombre impair de facteurs négatifs.
   Ex.: $-2 \times -1 \times 3 \times -1 \times 2 \times -2 \times -1 = -24$

– nul si au moins un des facteurs est nul.
   Ex.: $-4 \times 3 \times -2 \times 0 \times -1 \times -2 = 0$

---

6. Effectue les multiplications suivantes.

a) $-2 \times 3 \times -2 \times 3 \times -1 \times -5 =$ _____

b) $-1 \times 3 \times -2 \times 2 \times -4 =$ _____

c) $3 \times -2 \times 4 \times 0 \times -2 =$ _____

d) $-1 \times 3 \times -2 \times 4 \times -5 \times -1 \times -3 =$ _____

7. On considère les deux tableaux ci-dessous.

Tableau 1

-1	-2	3	-1	-4	
-4	1	-2	-1	-5	
3	-2	-2	2	-1	
2	-3	-1	-3	1	
-3	-1	1	-4	2	

Tableau 2

2	3	-1	3	5	
-5	4	2	-2	-1	
-1	-2	-1	2	4	
6	-1	-4	-1	-3	
-3	0	-7	-1	1	

a) Effectue le produit des nombres entiers de chaque rangée et inscris ce produit dans la case à droite de la rangée.

b) Effectue le produit des nombres entiers de chaque colonne et inscris ce produit au bas de la colonne.

c) Vérifie que le produit des résultats trouvés en a) est égal au produit des résultats trouvés en b).

8. Complète, par trois nombres entiers, les suites de nombres entiers suivantes.

a) 3, –6, 12, –24, ☐ , ☐ , ☐

b) 5, ☐ , 45, ☐ , 405, ☐

c) –7, –21, –15, –45, –39, ☐ , ☐ , ☐

9. Détermine si chacun des énoncés suivants est vrai ou faux. Dans le cas où l'énoncé est faux, donne un contre-exemple.

a) Le produit d'un nombre entier par –1 est l'opposé de ce nombre. _____

b) Le produit d'un nombre entier non nul par son opposé est négatif. _____

c) Le produit de deux nombres opposés est nul. _____

d) Si l'un des facteurs d'un produit est nul, ce produit est nul. _____

e) Si un produit de facteurs est nul, alors tous les facteurs sont nuls. _____

10. Trouve la valeur de a dans chacun des cas suivants.

a) $-5 \times a = 0$ _____   b) $3 \times (a + 3) = 0$ _____

c) $(a - 5) \times 4 = 0$ _____   d) $2 \times (a + 6) = 0$ _____

11. Si $a = -5$ et $b = 7$, trouve la valeur numérique des produits suivants :

a) $a \times b =$ _____   b) $b \times a =$ _____

Que peux-tu dire de la multiplication de nombres entiers? _____

12. Si $a = -4$, $b = 6$ et $c = -2$, trouve la valeur numérique des produits suivants :

a) $(a \times b) \times c =$ _____   b) $a \times (b \times c) =$ _____

Que peux-tu dire de la multiplication de nombres entiers? _____

13. Vérifie les propriétés de la multiplication dans $\mathbb{Z}$ à l'aide de nombres entiers de ton choix.

a) Le produit de nombres entiers est un nombre entier. _____

b) La multiplication est une opération commutative. _____

c) La multiplication est une opération associative. _____

d) 1 est l'élément neutre de la multiplication. _____

e) 0 est l'élément absorbant de la multiplication. _____

f) La multiplication est une opération distributive sur l'addition et la soustraction. _____

14. Calcule de deux façons différentes.

a) $-5 \times (-8 + 3) =$ _____   b) $4 \times (5 - 12) =$ _____

$=$ _____ $=$ _____

c) $-7 \times (-8 + 12) =$ _____   d) $3 \times (-15 + 14) =$ _____

$=$ _____ $=$ _____

e) $-3 \times (1 - 7 + 3) =$ _____   f) $5 \times (-6 + 2 - 14) =$ _____

$=$ _____ $=$ _____

15. Trouve le plus grand facteur commun aux termes de chacune des sommes suivantes et mets le en évidence.

a) $18 - 12 =$ _____

b) $-14 - 21 =$ _____

c) $9 - 27 - 36 =$ _____

d) $-25 + 15 - 40 =$ _____

e) $4 \times a + 12 =$ _____

f) $14 \times m - 21 =$ _____

g) $-9 \times p + 54 =$ _____

h) $12 \times r - 24 =$ _____

ACTIVITÉ 2   Des puissances

a) Complète le tableau ci-dessous.

	base	exposant	calcul
5^2			
$(-5)^2$			
2^3			
$(-2)^3$			

b) Si a est un nombre entier et n un nombre naturel supérieur à 1, détermine le signe de a^n si :

1. a est positif et n est pair : _____

2. a est négatif et n est pair : _____

3. a est positif et n est impair : _____

4. a est négatif et n est impair : _____

c) Que peut-on dire de la base a et de l'exposant n lorsque a^n est négatif ?

_____

PUISSANCE D'UN NOMBRE ENTIER

La puissance a^n est négative quand la base a est négative et que l'exposant est impair. Dans tous les autres cas, elle est positive.

Ex. : $3^2 = 9$ $2^3 = 8$ $(-5)^2 = 25$ $(-4)^3 = -64$

Attention ! $(-2)^4 = 16$ et $-2^4 = -16$

---

16. Trouve la valeur de chacune des puissances suivantes.

a) $(-2)^3 =$ _____

b) $(-6)^2 =$ _____

c) $4^2 =$ _____

d) $(-8)^0 =$ _____

e) $(-3)^2 =$ _____

f) $-3^2 =$ _____

g) $-3^5 =$ _____

h) $(-3)^5 =$ _____

17. Trouve la valeur de a dans chacun des cas suivants.

a) $a^3 = -8$ _____

b) $2^a = 32$ _____

c) $a^3 = -27$ _____

d) $(-6)^a = 36$ _____

18. Effectue les calculs suivants.

a) $-2 \times 3^2 =$ _____

b) $(-4)^2 \times -3 =$ _____

c) $5 \times (-2)^3 =$ _____

d) $(-2 - 3)^2 =$ _____

e) $-5 \times (-2)^5 =$ _____

f) $(-3)^4 \times (-2)^3 =$ _____

g) $(-3 \times 4)^2 =$ _____

h) $3 \times (-2)^5 =$ _____

DIVISION DE NOMBRES ENTIERS

– Le quotient de deux nombres entiers de même signe, s'il existe, est positif.
  Ex.: $(+24) \div (+3) = +8$ $\qquad\qquad (-54) \div (-6) = 9$

– Le quotient de deux nombres de signe contraire, s'il existe, est négatif.
  Ex.: $(-45) \div (+5) = -9$ $\quad (+12) \div (-4) = -3$

19. Effectue les divisions suivantes.

a) $(-55) \div (+5) = $ ____ b) $(-48) \div (-6) = $ ____ c) $(+54) \div (-9) = $ ____ d) $(+56) \div (+8) = $ ___

20. Trouve la valeur de a dans chacun des cas suivants.

a) $a \div (-5) = 3$ _____ b) $(-63) \div a = 7$ _____

c) $(-45) \div a = -5$ _____ d) $a \div (-5) = -1$ _____

21. Trouve la valeur, si elle existe, de chacune des expressions suivantes pour $a = -24$, $b = -6$ et $c = 2$.

a) $a \div b = $ _____ b) $b \div a = $ _____

c) $(a \div b) \div c = $ _____ d) $a \div (b \div c) = $_____

22. Détermine si chacun des énoncés est vrai ou faux. Dans le cas où l'énoncé est faux, donne un contre-exemple.

a) Le quotient de deux nombres entiers est un nombre entier. _____

b) La division de deux nombres entiers est une opération commutative. _____

c) La division de deux nombres entiers est une opération associative. _____

d) Le quotient de 0 par un nombre entier non nul est 0. _____

23. Complète les tableaux suivants.

Tableau 1

a	b	$a \times b$	$a \div b$
20	5		
–16	–8		
45	–9		
–24	4		

Tableau 2

a	b	$a \times b$	$a \div b$
18	–2		–9
	–11		–5
	4	–48	
–24			4

24. Le tableau ci-contre indique la température enregistrée à 6 h du matin durant une semaine d'hiver.

Jour	Température
Lundi	–5 °C
Mardi	–12 °C
Mercredi	3 °C
Jeudi	–2 °C
Vendredi	4 °C
Samedi	–1 °C
Dimanche	–8 °C

a) Quelle a été la moyenne des températures de cette semaine?

_____

b) Pour quels jours de la semaine la température est-elle inférieure à cette moyenne?

_____

25. Le tableau ci-contre indique le bilan des journées d'un vendeur dans le stand d'un marché aux puces durant une semaine.
Trouve le bilan du vendredi si le vendeur réalise un profit moyen par jour de 80 $.

Jour	Bilan
Lundi	–45 $
Mardi	–72 $
Mercredi	124 $
Jeudi	78 $
Vendredi	x
Samedi	172 $
Dimanche	95 $

_____

2.4 Chaînes d'opérations de nombres entiers

ACTIVITÉ 1 Une chaîne de nombres entiers

Caroline participe deux fois à un jeu questionnaire à son école. Pour chaque bonne réponse, elle gagne 3 points et pour chaque mauvaise réponse, elle en perd 4. Au premier jeu, sur 20 questions, elle obtient 12 bonnes réponses et au deuxième, sur 15 questions, elle obtient 11 bonnes réponses.

a) Écris et calcule la chaîne d'opérations qui permet de trouver le nombre de points obtenus :

   1. au premier jeu. _____   2. au deuxième jeu. _____

b) Trouve l'écart des points entre le deuxième et le premier jeu. _____

CHAÎNE D'OPÉRATIONS DE NOMBRES ENTIERS

Pour calculer la valeur d'une chaîne d'opérations comportant des nombres entiers, on respecte le même ordre de priorité qu'avec les nombres naturels.

---

1. Effectue les chaînes d'opérations suivantes.

a) $(-7 + 3) \times (-8 + 5) =$ ____   b) $(-7 + 3) \times -9 =$ _____   c) $-12 \div (-13 + 7) =$ _____

d) $-2 \times (6 - 7) =$ _____   e) $4 \times (-7 + 15) \div -2 =$ ____   f) $3 - 7 \times (3 - 15) =$ _____

g) $7 + (-8 + 2) \times (6 - 9) =$ __   h) $-12 \div (5 - 9) \times -6 =$ ____   i) $6 + 9 \div -3 \times 2 =$ _____

j) $(-2 + 3 \times -4) \div -7 =$ __   k) $-2 - 8 \times (-7 + 2) =$ _____   l) $(-9 + 3) \times 4 - 3 \times 5 =$ ____

m) $-7 + 12 \div (-6 + 2) =$ ____   n) $(-5 + 3 \times -2) \times -3 =$ ____   o) $(-6 + 4) \times (5 - 2 \times 7) =$ ___

2. Effectue les chaînes d'opérations suivantes.

a) $(8 - 3 \times 4)^2 =$ _____   b) $-3 \times 2^2 + (-4 + 3)^5 =$ ____   c) $(-3)^3 \times (-8 + 6) \div (-9) =$ __

d) $-7 + 2 \times (-5)^2 =$ _____   e) $(-12 + 3 \times 5^0)^2 =$ _____   f) $(5 - 9) \div (-1)^7 \times -5 =$ ____

g) $(-8 + 5)^2 - 2 \times (4 - 3^2) =$ __   h) $126 \div (-2^4 - 2) =$ _____   i) $-7 + 3 \times (-2)^3 =$ _____

3. Effectue les chaînes d'opérations suivantes.

a) $-6 + 3 \times [-6 + 7 \times (-8 + 5)] =$ _____   b) $(-7 + 4) \times [(6 - 9)^2 + (3 - 2 \times 3^2)] =$ ___

c) $-54 \div (-19 + 5^2) + 4 \times -2^3 =$ _____   d) $(15 - 2 \times 3^2) \times (3 - 2 \times 5) =$ _____

e) $-24 \div (-8 + 2) \times 2^3 =$ _____   f) $(2 - 5)^3 - 2 \times (8 - 5 \times 6) =$ _____

4. Trouve la valeur de a dans chacune des chaînes suivantes.

a) $-3 + a \times 5 = -8$ _____   b) $(3 - 2 \times a)^2 = 25$ _____   c) $3 + 4 \times (-7 + a) = -5$ _____

d) $6 - 5 \times a = -9$ _____   e) $7 + 3 \times a \div -4 = -10$ ____   f) $8 + 3 \times (a - 5) = -28$ _____

5. Trouve la valeur de chacune des chaînes d'opérations suivantes si $a = -2$, $b = 3$ et $c = -5$.

   a) $a + b \times c =$ _____

   b) $(a + b) \times c =$ _____

   c) $a \times c + b =$ _____

   d) $(a - b) \times c =$ _____

   e) $a \times (b + c) =$ _____

   f) $a \times (b - c) =$ _____

   g) $a^2 - b \times c =$ _____

   h) $(a + b \times c)^2 =$ _____

   i) $(b - a)^2 \times c =$ _____

6. Si $a = 6$ et $b = -3$, calcule :

   a) 1. $(a + b)^2 =$ _____ 2. $a^2 + b^2 =$ _____

     Complète par le symbole = ou ≠ qui convient : $(a + b)^2 \,\square\, a^2 + b^2$

   b) 1. $(a - b)^2 =$ _____ 2. $a^2 - b^2 =$ _____

     Complète par le symbole = ou ≠ qui convient : $(a - b)^2 \,\square\, a^2 - b^2$

   c) 1. $(a \times b)^2 =$ _____ 2. $a^2 \times b^2 =$ _____

     Complète par le symbole = ou ≠ qui convient : $(a \times b)^2 \,\square\, a^2 \times b^2$

   d) 1. $(a \div b)^2 =$ _____ 2. $a^2 \div b^2 =$ _____

     Complète par le symbole = ou ≠ qui convient : $(a \div b)^2 \,\square\, a^2 \div b^2$

7. Considère les deux nombres $a = 6$ et $b = -3$. En prenant les deux nombres dans cet ordre, trouve :

   a) le double de leur produit. _____

   b) le produit de leur somme par leur différence. _____

   c) la somme de leur carré. _____

   d) le carré de leur somme. _____

   e) le carré de a augmenté du triple de b. _____

   f) la somme de leur produit et de leur quotient. _____

   g) le triple de a augmenté du carré de b. _____

   h) le double de a diminué du cube de b. _____

8. Introduis des parenthèses de façon à obtenir le résultat demandé.

   a) $-3 + 5 \times -6 + 3 = -18$

   b) $4 - 5 \times -2 + 8 = 10$

   c) $5 + 3 \times -4 + 18 \div -2 = -16$

   d) $-6 + 4 \times -2 + 10 = -4$

   e) $2 - 9 - 5 \times -3 = 14$

   f) $6 - 12 \div -3 + 4 = 6$

9. Utilise une seule fois chacun des nombres donnés dans la colonne de gauche pour écrire une chaîne d'opérations qui permet de trouver le nombre donné dans la 2ᵉ colonne.

Nombres	Nombre à trouver	Chaîne d'opérations
a) $-4, 3, 5$	-7	
b) $-8, -2, 3$	10	
c) $-9, 6, 18$	4	
d) $-8, 2, 24$	-4	
e) $-9, -4, 2$	-1	

Pour chacun des problèmes suivants, écris et calcule la chaîne d'opérations qui convient et réponds à la question posée.

10. Jonathan a 34 $ dans sa tirelire. La 1re semaine, il retire 4 fois le montant de 2 $ pour s'acheter des collations à l'école. La 2e semaine, il dépose 2 fois le montant de 3 $ qu'il a obtenu en vendant ses cartes de hockey. La 3e semaine, il s'achète un jeu électronique qu'il paye 28 $. Combien lui reste-t-il d'argent dans sa tirelire?

_____

11. Une journée d'hiver, on a observé, à 6 h du matin à Chicoutimi, une température de –32 °C. Durant les 5 heures qui ont suivi, la température est montée de 3° par heure et elle est ensuite redescendue l'heure suivante de 7°. Quelle température faisait-il à midi?

_____

12. Sonia et Maurice ont 1 800 $ dans leur compte. Au début du mois, ils effectuent un retrait de 650 $ pour payer leur loyer. Les jours suivants, ils doivent retirer 60 $ par jour pour leurs dépenses courantes. Durant combien de jours pourront-ils retirer ce montant de façon à avoir un solde positif dans leur compte?

_____

13. David et Valérie participent à un concours de Génies en herbes dans leur école. Pour chaque bonne réponse, ils gagnent 3 points, pour chaque mauvaise réponse, ils en perdent 2, et pour chaque question non répondue, ils en perdent 1.

Sur 20 questions posées, David a répondu correctement à 12 questions, a eu trois mauvaises réponses et s'est abstenu de répondre au reste. Valérie a répondu correctement à 14 questions, a eu cinq mauvaises réponses et s'est abstenue de répondre au reste. Quel est l'écart de leur score?

_____

14. Janine a 348 $ dans son compte bancaire. Durant la semaine, elle effectue 3 paiements de 78 $, dépose un chèque de 147 $ et retire un montant de 85 $. Quel sera le montant de sa dernière transaction si, à la fin de la semaine, son compte montre un solde négatif égal à –43 $?

_____

ÉVALUATION 2

1. Place les nombres entiers suivants par ordre de grandeur croissant.

   a) –5, 11, –7, –3, 0, 9 _____

   b) –111, –101, 121, –119, 11 _____

2. Complète les suites de nombres entiers suivantes.

   a) –4 ; –8 ; –6 ; –12 ; –10 ; _____ ; _____ ; _____ .

   b) –420 ; –360 ; –300 ; _____ ; _____ ; _____ .

   c) –45 ; –42 ; –38 ; –33 ; _____ ; _____ ; _____ .

3. Complète les phrases suivantes de façon à obtenir un énoncé vrai.

   a) L'opposé d'un nombre entier positif est un nombre entier _____ .

   b) La somme de deux nombres opposés est _____ .

   c) Entre deux nombres entiers de signe contraire, le plus grand est _____ .

   d) La somme de deux nombres entiers négatifs est _____ .

   e) Le produit de deux nombres entiers de même signe est _____ .

   f) La puissance d'un nombre entier est négative si la base est _____ et si l'exposant est _____ .

   g) Si le nombre de facteurs négatifs d'un produit est impair alors ce produit est _____ .

4. Trouve la propriété des opérations illustrée dans chacun des cas suivants.

   a) $2 \times 5 + 8 \times -7 = 8 \times -7 + 2 \times 5$ _____

   b) $-2 \times (5 - 8) = -10 + 16$ _____

   c) $(2 \times -5) \times 6 = 2 \times (-5 \times 6)$ _____

   d) $-8 \times 0 \times -3 = 0$ _____

5. Complète le tableau suivant.

a	b	$a + b$	$a - b$	$a \times b$	$a \div b$
6	–2				
–12					–3
15				–45	
	–4		–12		

6. Si $a = -4$, $b = -9$ et $c = 3$, trouve la valeur de chacune des expressions suivantes.

   a) $a^2 + b \times c = -11$ _____   **b)** $(a - b) \times c =$ _____   **c)** $a - 2 \times c^2 =$ _____

   d) $b \div c \times a =$ _____   **e)** $a \times c - b =$ _____   **f)** $(b - a)^2 =$ _____

7. Effectue les chaînes d'opérations suivantes.

   a) $(-8 + 3) \times -9 + 2 \times -3 =$ _____   **b)** $-12 + 9 \times -2 \div (-7 + 1) =$ _____

   c) $3 \times (8 - 10)^2 - 5 \times -4 =$ _____   **d)** $(6 - 4 \times -2) \times (2 + 3 \times -4) =$ _____

   e) $8 - 2 \times 3^2 + 4 \times (-6 + 2) =$ _____   **f)** $4 \times (3 - 9) - 2 \times (-7 + 2) =$ _____

   g) $-4 - (7 + 8 \div 4 \times 2) + 2^4 \div -8 =$ _____   **h)** $(-3 + 2 \times 5)^2 - 18 \div (-3)^2 =$ _____

   i) $(4 - 2 \times 3) \times (7 - 2 \times 2^3) =$ _____   **j)** $(-2 + 5 \times 2) \div 2^2 \times (6 - 9) =$ _____

8. Calcule de deux façons.

a) $-3 \times (-8 + 2) =$ _____

= _____

b) $2 \times (3 - 9 - 1) =$ _____

= _____

9. Mets en évidence le plus grand facteur commun aux termes des sommes suivantes et calcule ces sommes.

a) $12 + 18 - 24 =$ _____

b) $-45 + 15 - 30 =$ _____

c) $40 - 80 + 16 =$ _____

d) $-50 + 75 - 250 =$ _____

10. Trouve la valeur de m dans chacun des cas suivants.

a) $3 \times m + 5 = -7$ _____

b) $-8 + 2 \times m = -2$ _____

c) $(-12 + 4) \times m = 24$ _____

d) $-3 \times 7 - m = -17$ _____

e) $m \div 3 - 8 = -11$ _____

f) $-9 \times (-4 + m) = 9$ _____

11. Élie travaille dans un édifice à bureaux. Il quitte le bureau de Marie-Joëlle et prend l'ascenseur. Il monte de 12 étages, redescend de 8, remonte de 4, redescend de 10, puis redescend encore de 20 jusqu'au rez-de-chaussée (étage 0). À quel étage travaille Marie-Joëlle?

_____

12. Platon est né en 428 avant J.-C.; il est mort à l'âge de 80 ans. En quelle année est-il mort?

_____

13. Un guerrier romain est né en 48 avant J.-C. et il est mort en 25 après J.-C. Un guerrier turc est né en l'an 97 avant J.-C. et il est mort en l'an 25 avant J.-C. Lequel des deux a vécu le plus longtemps?

_____

14. Jonathan a 28 $ dans sa tirelire. La 1re semaine, il retire 4 fois 2 $. La 2e semaine, il dépose 5 fois 4 $. La 3e semaine, il achète un jeu électronique d'une valeur de 25 $. Combien lui reste-t-il d'argent après cet achat?

_____

15. M. Couture a 850 $ dans son compte bancaire. Durant le mois de janvier, il a effectué les opérations bancaires suivantes: deux retraits de 340 $ chacun, un dépôt de 145 $ et deux retraits de 215 $ chacun. Quel est le solde de son compte suite à ces opérations?

_____

16. Sophie possède 228 $ dans son compte bancaire. Elle effectue 3 opérations bancaires durant la semaine: la 1re est un dépôt de 145 $, la 2e, un retrait de 420 $. Quelle a été la 3e transaction si le solde de son compte est de 98 $?

_____

_____

© Guérin, éditeur ltée

Chapitre 3
Fractions

DÉFI 3

1 Une chaîne d'opérations

Trouve le résultat de la chaîne $\left(\frac{2}{3} + \frac{5}{6} \times \frac{3}{20}\right) \div \left(1 - \frac{3}{4}\right) \times \frac{4}{9}$

2 Un même nombre

Trouve la valeur du nombre naturel a tel que

$$\frac{a}{9} < \frac{7}{a} < \frac{a}{6}$$

3 Dans une classe

Dans une classe de 30 élèves, un cinquième sont des garçons ayant le français comme langue maternelle et un cinquième sont des filles n'ayant pas le français comme langue maternelle. Il y a deux fois plus de garçons que de filles dans la classe.
Combien y a-t-il d'élèves de la classe qui ont le français comme langue maternelle? _____

4 Une question de muffins

Dans la cafétéria d'une école secondaire, il s'est vendu $\frac{3}{5}$ des muffins le matin, la moitié des muffins restants à midi, et les $\frac{5}{6}$ de ce qu'il restait à 4 heures. S'il est resté 2 muffins, combien y avait-il de muffins au début de la journée? _____

5 La fraction manquante

Trouve la fraction manquante dans la chaîne d'opérations suivante.

$$\left(\frac{5}{6} + \frac{3}{4}\right) \times \frac{a}{b} + \frac{2}{5} \div \frac{6}{7} = \frac{17}{12}$$

6 Une chaîne en escalier

Calcule la chaîne suivante.

$$\cfrac{1}{1 - \cfrac{1}{1 - \cfrac{1}{1 - \frac{1}{2}}}}$$

3.1 Fractions

Pour faire un arrangement paysagiste, la famille Simard a partagé son jardin de la façon suivante. Quelle fraction du jardin représente la partie réservée

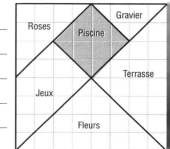

a) à la piscine? _____

b) au parterre de roses? _____

c) au parterre de fleurs? _____

d) au parterre de gravier? _____

e) à la terrasse? _____

f) à l'aire de jeux? _____

DÉFINITION

- Une fraction représente une partie d'un tout.
- Une fraction $\frac{a}{b}$ est composée de deux termes a et b.

  a est un nombre entier appelé numérateur et b est un nombre entier non nul appelé dénominateur.

- Chaque fraction est associée à un point unique sur la droite numérique.

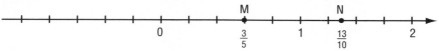

Ainsi, l'abscisse du point M est $\frac{3}{5}$ et celle du point N est $\frac{13}{10}$.

1. Exprime chacune des régions suivantes par une fraction.

a)

b)

c)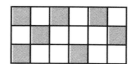

_____ _____ _____

2. Pour chacune des figures ci-dessous, colorie la partie correspondant à la fraction donnée.

a) $\frac{9}{16}$

b) 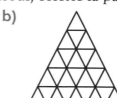 $\frac{8}{25}$

c)  $\frac{5}{18}$

3. Sur chacun des axes numériques suivants, trouve l'abscisse des points représentés.

a)

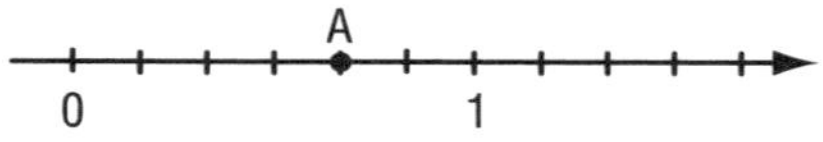

A:

b)

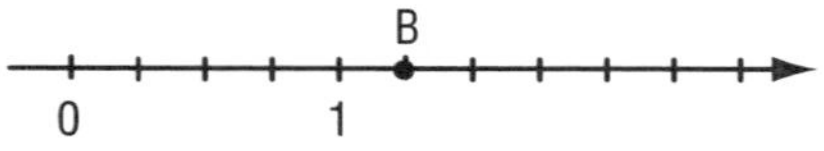

B:

c)

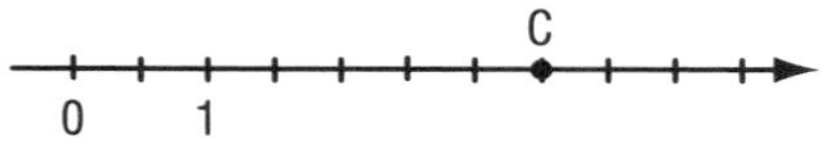

C:

d)

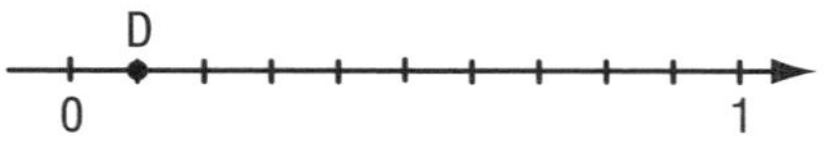

D:

4. Sur chacun des axes numériques suivants, choisis une graduation appropriée et place les points selon leur abscisse.

a)

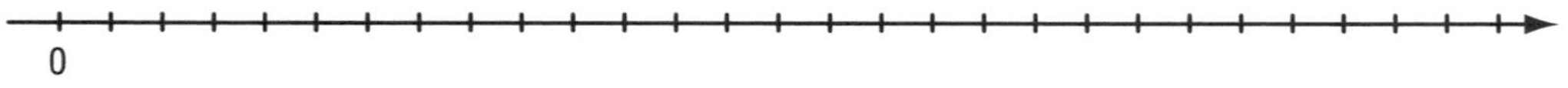

0

$A: \dfrac{1}{2}$ $\qquad\qquad$ $B: \dfrac{3}{4}$ $\qquad\qquad$ $C: \dfrac{5}{3}$ $\qquad\qquad$ $D: \dfrac{7}{6}$

b)

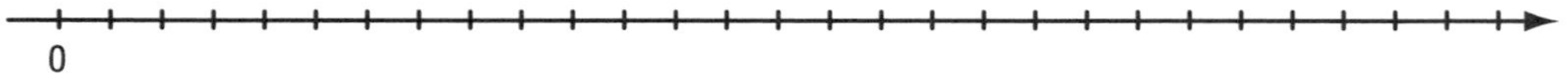

0

$P: \dfrac{1}{5}$ $\qquad\qquad$ $Q: \dfrac{9}{10}$ $\qquad\qquad$ $R: \dfrac{18}{15}$ $\qquad\qquad$ $S: \dfrac{2}{3}$

5. Sur chacune des droites numériques suivantes, place le point qui a 1 pour abscisse.

a)

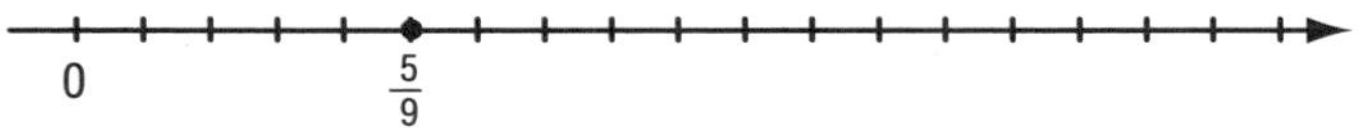

b)

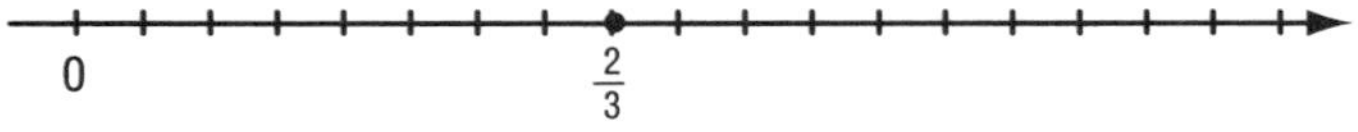

c)

6. Quatre autobus partent d'une station et prennent des routes différentes. Représente par une fraction d'une heure la durée de leur trajet.

Autobus	Durée du trajet	Fraction
Ligne 215	15 min	
Ligne 314	20 min	
Ligne 107	25 min	
Ligne 68	90 min	

Activité 2 Des fractions équivalentes

Stéphanie a deux tablettes de chocolat, une aux noisettes et une aux amandes.

Le matin elle mange $\frac{2}{5}$ de la tablette aux noisettes et l'après-midi, elle mange $\frac{4}{10}$ de la tablette aux amandes.

a) Colorie dans chaque tablette la part mangée.

b) Stéphanie a-t-elle mangé la même quantité de chocolat le matin et l'après-midi? _____

FRACTIONS ÉQUIVALENTES

- Deux fractions $\frac{a}{b}$ et $\frac{c}{d}$ sont **équivalentes** si elles représentent le même nombre.

  On écrit: $\frac{a}{b} = \frac{c}{d}$

  Ex.: Les fractions $\frac{3}{4}$ et $\frac{6}{8}$ sont équivalentes. Ainsi, $\frac{3}{4} = \frac{6}{8}$.

$\frac{3}{4}$ $\frac{6}{8}$

- On obtient une fraction équivalente à une fraction donnée en **multipliant** ou en **divisant** le numérateur et le dénominateur par un même nombre entier non nul.

  Ex.: $\frac{2}{3} = \frac{2 \times 7}{3 \times 7} = \frac{14}{21}$ $\frac{18}{24} = \frac{18 \div 6}{24 \div 6} = \frac{3}{4}$

- Si deux fractions sont équivalentes alors les **produits croisés** sont égaux.

  $$\boxed{\text{Si } \frac{a}{b} = \frac{c}{d} \text{ alors } ad = bc}$$ Ex.: $\frac{3}{4} = \frac{6}{8}$. En effet, $3 \times 8 = 4 \times 6$

- Si deux fractions ont les produits croisés égaux alors les fractions sont équivalentes.

  $$\boxed{\text{Si } ad = bc \text{ alors } \frac{a}{b} = \frac{c}{d}}$$ Ex.: $\frac{5}{6} = \frac{20}{24}$ car $5 \times 24 = 6 \times 20 = 120$

1. Trouve 3 fractions équivalentes à chacune des fractions suivantes.

a) $\frac{7}{8}$ _____ b) $\frac{8}{9}$ _____ c) $\frac{7}{11}$ _____

2. Quelle est la fraction qui n'est pas équivalente aux autres fractions?

a) $\frac{3}{4}, \frac{9}{12}, \frac{15}{20}, \frac{16}{24}$ _____ b) $\frac{16}{24}, \frac{24}{36}, \frac{28}{40}, \frac{30}{45}$ _____ c) $\frac{9}{12}, \frac{21}{28}, \frac{33}{44}, \frac{42}{48}$ _____

3. Trouve la fraction de dénominateur 36 équivalente aux fractions suivantes.

a) $\frac{3}{4} =$ _____ b) $\frac{5}{6} =$ _____ c) $\frac{7}{12} =$ _____ d) $\frac{5}{18} =$ _____ e) $\frac{2}{9} =$ _____

4. Vérifie à l'aide du produit croisé si les fractions suivantes sont équivalentes.

a) $\frac{12}{28}$ et $\frac{15}{35}$ _____ b) $\frac{10}{12}$ et $\frac{25}{30}$ _____ c) $\frac{6}{28}$ et $\frac{16}{72}$ _____ d) $\frac{8}{11}$ et $\frac{11}{8}$ _____

5. Trouve une fraction équivalente à $\frac{5}{9}$ et dont le dénominateur est 135. _____

6. Trouve une fraction équivalente à $\frac{7}{8}$ et dont le numérateur est 126. _____

7. Trouve la valeur de x dans chacun des cas suivants.

a) $\dfrac{3}{5} = \dfrac{9}{x}$ _____

b) $\dfrac{7}{11} = \dfrac{x}{132}$ _____

c) $\dfrac{4}{6} = \dfrac{10}{x}$ _____

d) $\dfrac{4}{28} = \dfrac{5}{x}$ _____

e) $\dfrac{x}{15} = \dfrac{12}{20}$ _____

f) $\dfrac{6}{x} = \dfrac{18}{24}$ _____

g) $\dfrac{8}{15} = \dfrac{x}{45}$ _____

h) $\dfrac{4}{x} = \dfrac{x}{9}$ _____

8. Trouve la valeur de a, b, c et d pour que les fractions soient équivalentes.

a) $\dfrac{3}{4}, \dfrac{a}{24}, \dfrac{27}{b}, \dfrac{c}{44}, \dfrac{45}{d}$ _____

b) $\dfrac{a}{3}, \dfrac{8}{b}, \dfrac{10}{15}, \dfrac{c}{24}, \dfrac{24}{d}$ _____

9. Trouve une fraction équivalente à chacune des fractions données de façon à ce que les nouvelles fractions aient le même dénominateur.

a) $\dfrac{3}{4}$ et $\dfrac{5}{6}$ _____

b) $\dfrac{7}{8}$ et $\dfrac{11}{12}$ _____

c) $\dfrac{5}{9}$ et $\dfrac{11}{18}$ _____

d) $\dfrac{2}{3}$ et $\dfrac{5}{7}$ _____

e) $\dfrac{1}{7}, \dfrac{9}{14}$ et $\dfrac{5}{21}$ _____

f) $\dfrac{7}{15}, \dfrac{3}{5}$ et $\dfrac{9}{10}$ _____

10. Trouve une fraction équivalente à chacune des fractions données de façon à ce que les nouvelles fractions aient le même dénominateur. Choisis comme dénominateur commun le ppcm des dénominateurs.

$\dfrac{1}{2}, \dfrac{3}{4}, \dfrac{7}{9}, \dfrac{5}{18}, \dfrac{2}{3}, \dfrac{11}{12}, \dfrac{5}{6}$ _____

11. On considère les fractions suivantes : $\dfrac{9}{45}, \dfrac{3}{39}, \dfrac{4}{20}, \dfrac{16}{56}, \dfrac{2}{26}, \dfrac{4}{14}$

Trouve les paires de fractions équivalentes. _____

12. Trouve toutes les fractions équivalentes à la fraction $\dfrac{2}{5}$, dont le dénominateur est compris entre 28 et 49.

_____

13. Trouve toutes les fractions équivalentes à la fraction $\dfrac{3}{4}$, dont le numérateur est compris entre 50 et 65.

_____

14. Trouve toutes les fractions équivalentes à la fraction $\dfrac{10}{12}$, dont le numérateur est compris entre 38 et 63.

_____

15. Le tableau suivant indique la note obtenue sur 30, par 5 élèves, à leur test de biologie. Indique dans la case appropriée la note qu'ils ont obtenue sur 100.

Élève	Note sur 30	Note sur 100
Nathalie	15	
Éric	27	
Sylvia	18	
Nathan	21	
Joseph	24	

16. Dans une école, $\dfrac{2}{5}$ des élèves participent à une sortie organisée. Sur 380 élèves, combien d'élèves ont participé à cette sortie? _____

Activité 3 Simplification d'une fraction

a) Explique chaque étape permettant de réduire la fraction $\frac{84}{126}$.

$$\frac{84}{126} \overset{①}{=} \frac{42}{63} \overset{②}{=} \frac{14}{21} \overset{③}{=} \frac{2}{3}$$

_____

_____

_____

b) Explique pourquoi la fraction $\frac{2}{3}$ ne peut pas être réduite.

_____

SIMPLIFICATION D'UNE FRACTION

- **Simplifier** ou **réduire** une fraction revient à diviser le numérateur et le dénominateur de cette fraction par un même nombre entier non nul.

  Ex.: $\frac{36}{24} = \frac{36 \div 12}{24 \div 12} = \frac{3}{2}$

- Une fraction est **irréductible** si le numérateur et le dénominateur sont premiers entre eux.

  Ex.: $\frac{15}{32}, \frac{18}{49}, \frac{20}{21}$ sont des fractions irréductibles.

17. Simplifie chacune des fractions suivantes de façon à obtenir une fraction irréductible.

a) $\frac{18}{24}$ _____

b) $\frac{30}{75}$ _____

c) $\frac{21}{36}$ _____

d) $\frac{48}{90}$ _____

e) $\frac{65}{39}$ _____

f) $\frac{84}{108}$ _____

g) $\frac{120}{180}$ _____

h) $\frac{100}{75}$ _____

18. a) Trouve le pgcd de 144 et 252. _____

b) Simplifie la fraction $\frac{144}{252}$ en divisant le numérateur et le dénominateur par leur pgcd. ____

19. Parmi les fractions suivantes, lesquelles sont irréductibles?

$\frac{12}{18}, \frac{15}{24}, \frac{24}{25}, \frac{18}{35}, \frac{42}{69}, \frac{24}{77}$ _____

20. Dans une école de 380 élèves, 140 sont des filles. Exprime par une fraction irréductible l fraction des élèves qui sont des garçons.

_____

21. Dans un camp de musique, on a séparé les 360 jeunes selon leur catégorie d'instrument : 16(ont choisi le piano, 100 le violon, 45 le violoncelle, 25 le saxophone, 18 la flûte et 12 la harpe Exprime par une fraction irréductible, la fraction des enfants qui ont choisi

a) le piano _____

b) le violon _____

c) le violoncelle _____

d) le saxophone _____

e) la flûte _____

f) la harpe _____

Activité 4 **Fraction et ordre**

Un cocktail de jus de fruits comprend $\frac{1}{2}$ litre de jus d'orange, $\frac{3}{10}$ de litre de jus de pamplemousse et $\frac{1}{5}$ de litre de mangue.

a) Sur la droite numérique ci-dessous, place les trois fractions $\frac{1}{2}$, $\frac{3}{10}$ et $\frac{1}{5}$.

b) Détermine laquelle de ces trois fractions est la plus grande. _____

c) Explique comment tu peux comparer ces trois fractions sans les placer sur la droite numérique.

_____

_____

COMPARAISON DE FRACTIONS

- Pour comparer deux fractions, on les met au même dénominateur et on compare leurs numérateurs.

  Ex. : Comparons les fractions $\frac{7}{8}$ et $\frac{11}{12}$.

  $\frac{7}{8} = \frac{21}{24}$ et $\frac{11}{12} = \frac{22}{24}$ Puisque $21 < 22$ alors $\frac{7}{8} < \frac{11}{12}$.

- Étant donné une fraction $\frac{a}{b}$ où a et b sont des nombres entiers positifs,

  $\frac{a}{b} > 1$ lorsque $a > b$ et $\frac{a}{b} < 1$ lorsque $a < b$.

---

22. Compare les fractions suivantes en utilisant les symboles $<$, $>$ ou $=$ qui conviennent.

a) $\frac{2}{3}$ $\frac{3}{4}$ b) $\frac{5}{6}$ $\frac{4}{5}$ c) $\frac{7}{8}$ $\frac{3}{4}$

d) $\frac{11}{12}$ $\frac{17}{20}$ e) $\frac{11}{14}$ $\frac{17}{21}$ f) $\frac{13}{25}$ $\frac{8}{15}$

23. Trouve le nombre naturel $\square$ tel que

$\frac{\square}{7} < \frac{6}{\square} < \frac{\square}{5}$ $\square$

24. Trouve le nombre naturel $\square$ tel que

$\frac{3}{\square} < \frac{\square}{5} < \frac{4}{\square}$ $\square$

25. Trouve le nombre naturel $\square$ tel que

$\frac{\square}{4} = \frac{9}{\square}$ $\square$

26. Range les fractions suivantes par ordre croissant.

a) $\frac{5}{6}, \frac{2}{3}, \frac{7}{8}, \frac{3}{4}, \frac{1}{2}$ _____ b) $\frac{3}{8}, \frac{7}{12}, \frac{11}{24}, \frac{5}{6}, \frac{11}{16}$ _____

c) $\frac{5}{9}, \frac{11}{18}, \frac{1}{2}, \frac{25}{36}, \frac{7}{12}$ _____ d) $\frac{11}{25}, \frac{8}{15}, 1, \frac{3}{5}, \frac{2}{3}$ _____

27. Parmi les fractions suivantes, détermine celles qui sont plus petites que 1.

a) $\dfrac{7}{12}, \dfrac{4}{3}, \dfrac{11}{10}, \dfrac{5}{6}, \dfrac{24}{15}$ _____

b) $\dfrac{8}{7}, \dfrac{6}{5}, \dfrac{9}{10}, \dfrac{4}{9}, \dfrac{13}{11}$ _____

28. Parmi les élèves de 1re secondaire, $\dfrac{3}{4}$ des élèves font de l'informatique, $\dfrac{5}{8}$ font de l'art et $\dfrac{4}{5}$ font de la musique. Dans quelle activité, le nombre d'élèves est-il le plus grand?

_____

29. Lors des élections mises en place pour choisir les deux représentants du conseil étudiant, $\dfrac{5}{6}$ des étudiants ont voté pour Yasmine, $\dfrac{7}{15}$ ont voté pour Richard, $\dfrac{2}{3}$ ont voté pour Laurent et $\dfrac{4}{5}$ ont voté pour Sarah. Quels sont les deux représentants élus?

_____

30. Geneviève a participé à un jeu-questionnaire dans plusieurs disciplines. En histoire, elle a répondu correctement à 8 questions sur 15, en géographie à 13 questions sur 25, en science à 3 questions sur 5 et en sport à 7 questions sur 10. Dans quelle discipline a-t-elle eu le meilleur pointage?

_____

31. Aux dernières élections pour la présidence du conseil étudiant, Philippe a obtenu $\dfrac{7}{12}$ des votes, Didier $\dfrac{2}{3}$ des votes et Audrey $\dfrac{7}{9}$ des votes. Lequel ou laquelle des candidats sera élu?

_____

32. Dans une recette de pâtisserie, on demande 9 g de sucre pour 24 g de farine. Monique a utilisé 11 g de sucre pour 30 g de farine. Son gâteau sera-t-il plus sucré ou moins sucré que la recette originale?

_____

33. Dans un camp musical, $\dfrac{2}{9}$ des campeurs jouent de la flûte, $\dfrac{1}{3}$ jouent du piano, $\dfrac{5}{18}$ jouent du violon et $\dfrac{1}{6}$ jouent du violoncelle. Quel instrument est joué par le plus de campeurs?

_____

34. La tasse de Karen contient $\dfrac{3}{4}$ de décilitre de café et celle de Valérie $\dfrac{5}{8}$ de décilitre. Karen ajoute dans sa tasse $\dfrac{1}{10}$ de décilitre de lait et Valérie $\dfrac{1}{5}$ de décilitre de lait. Laquelle des deux obtient le mélange le plus clair?

_____

3.2 Addition et soustraction de fractions

Activité 1 Addition et soustraction

1. Une tablette de chocolat est composée de 30 carrés.

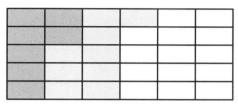

Cédric en mange 7 morceaux et Mélanie 9 morceaux.

a) Quelle est la fraction de tablette qui représente la part mangée par

1. Cédric? _____ 2. Mélanie? _____ 3. Les deux?_____

b) Quelle fraction de la tablette reste-t-il?_____

2. Audrey et sa sœur Julie veulent offrir un téléphone cellulaire à leur mère.

Pour l'acheter, Audrey donne $\frac{2}{5}$ du prix et Julie donne $\frac{1}{3}$ du prix.

a) Colorie avec des couleurs différentes la part déboursée par Audrey et celle déboursée par Julie.

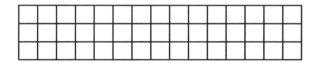

b) Quelle fraction du prix du téléphone manque-t-il pour compléter l'achat? _____

3. Le bureau d'une entreprise a été partagé en plusieurs espaces cubiques tel que l'indique la figure suivante.

$\frac{1}{3}$ est occupé par le secrétariat, $\frac{5}{18}$ par le service de comptabilité et $\frac{1}{6}$ par la direction. Quelle fraction du bureau est inoccupée?

_____

ADDITION ET SOUSTRACTION DE FRACTIONS

- Pour additionner (ou soustraire) deux fractions ayant le **même dénominateur**, on additionne (ou on soustrait) les numérateurs et on conserve le dénominateur.

  Ex.: $\frac{3}{7} + \frac{2}{7} = \frac{3+2}{7} = \frac{5}{7}$ $\qquad\qquad$ $\frac{7}{9} - \frac{2}{9} = \frac{7-2}{9} = \frac{5}{9}$

- Pour additionner (ou soustraire) deux fractions n'ayant pas le même dénominateur, on les réduit au même dénominateur et on les additionne (ou on les soustrait).

  Ex.: $\frac{5}{14} + \frac{3}{21} = \frac{15}{42} + \frac{6}{42} = \frac{21}{42} = \frac{1}{2}$ $\qquad$ $\frac{9}{12} - \frac{5}{8} = \frac{18}{24} - \frac{15}{24} = \frac{3}{24} = \frac{1}{8}$

  On convient de donner le résultat sous forme de fraction irréductible.

1. Représente chacune des additions suivantes dans les figures ci-dessous et effectue-les.

a) $\frac{1}{2} + \frac{1}{4} =$ _____

b) $\frac{3}{4} + \frac{1}{6} =$ _____

c) $\frac{1}{8} + \frac{1}{2} + \frac{1}{4} =$ _____

2. Effectue les additions ou les soustractions suivantes et donne le résultat sous forme de fraction irréductible.

a) $\frac{7}{8} + \frac{3}{8} =$ _____

b) $\frac{5}{6} + \frac{3}{4} =$ _____

c) $\frac{5}{9} + \frac{7}{6} =$ _____

d) $\frac{11}{4} - \frac{2}{7} =$ _____

e) $\frac{3}{4} - \frac{2}{3} =$ _____

f) $\frac{11}{15} - \frac{7}{10} =$ _____

3. Effectue les additions ou les soustractions suivantes et donne le résultat sous forme de fraction irréductible.

a) $\frac{3}{4} + \frac{7}{8} - \frac{5}{6} =$ _____

b) $\frac{8}{15} + \frac{7}{10} - \frac{3}{5} =$ _____

c) $\frac{8}{9} + \frac{5}{6} - \frac{3}{4} =$ _____

d) $\frac{11}{14} + \frac{3}{7} - \frac{4}{21} =$ _____

e) $\frac{7}{8} - \frac{3}{4} + \frac{11}{12} =$ _____

f) $\frac{11}{12} + \frac{7}{15} - \frac{17}{30} =$ _____

4. Effectue les additions ou les soustractions suivantes et donne le résultat sous forme de fraction irréductible.

a) $1 + \frac{2}{5} =$ _____

b) $3 - \frac{8}{9} + \frac{1}{3} =$ _____

c) $2 + \frac{1}{8} - \frac{5}{6} =$ _____

5. La procédure suivante permet d'écrire une fraction supérieure à 1 sous la forme d'un **nombre fractionnaire** : $\frac{7}{3} = \frac{6}{3} + \frac{1}{3} = 2 + \frac{1}{3} = 2\frac{1}{3}$.

Écris chacune des fractions suivantes sous la forme d'un nombre fractionnaire.

a) $\frac{28}{3} =$ _____

b) $\frac{25}{9} =$ _____

c) $\frac{35}{12} =$ _____

d) $\frac{36}{5} =$ _____

6. La procédure suivante permet d'écrire un nombre fractionnaire sous la forme d'une fraction :
$5\frac{3}{4} = 5 + \frac{3}{4} = \frac{20}{4} + \frac{3}{4} = \frac{23}{4}$.

Écris chacun des nombres fractionnaires suivants sous la forme d'une fraction.

a) $2\frac{2}{3} =$ _____

b) $5\frac{3}{7} =$ _____

c) $2\frac{7}{8} =$ _____

d) $1\frac{8}{9} =$ _____

7. Effectue les additions ou les soustractions des nombres fractionnaires suivants et donne le résultat sous forme de nombre fractionnaire.

a) $2\frac{1}{3} + 3\frac{1}{4} =$ _____

b) $3\frac{1}{4} - 2\frac{1}{2} + 1\frac{5}{6} =$ _____

c) $1\frac{7}{8} + 2\frac{3}{4} - 3\frac{5}{6} =$ _____

d) $1\frac{3}{5} + 2\frac{7}{10} - 1\frac{7}{15} =$ _____

8. Effectue les additions ou les soustractions suivantes et donne le résultat sous forme de fraction irréductible.

a) $\left(\frac{3}{4} + \frac{1}{2}\right) + \frac{7}{8} =$ _____

b) $\left(\frac{4}{5} + \frac{9}{10}\right) - \left(1 + \frac{1}{2}\right) =$ _____

c) $\left(\frac{7}{20} + \frac{4}{5}\right) - \frac{3}{4} =$ _____

d) $\left(\frac{7}{9} + \frac{2}{3}\right) - \left(\frac{5}{6} + \frac{1}{18}\right) =$ _____

e) $\left(3 + \frac{2}{3}\right) - \frac{7}{12} =$ _____

f) $\left(\frac{5}{12} + \frac{8}{9}\right) - \left(2 - \frac{3}{4}\right) =$ _____

9. Trouve la valeur de x dans chacun des cas suivants.

a) $\frac{2}{3} + x = \frac{3}{4}$ _____

b) $x - \frac{5}{6} = \frac{7}{9}$ _____

c) $\frac{7}{12} - x = \frac{5}{9}$ _____

d) $\frac{11}{14} - x = \frac{5}{7}$ _____

e) $x - \frac{4}{7} = \frac{11}{21}$ _____

f) $\frac{3}{4} - x = \frac{5}{8}$ _____

10. Complète les tableaux suivants.

+	$\frac{2}{3}$	$\frac{3}{4}$
$\frac{5}{6}$		
$\frac{7}{12}$		

+	$\frac{7}{9}$	
$\frac{7}{72}$		$\frac{43}{72}$
		$\frac{2}{3}$

11. La famille Desmers consacre $\frac{1}{4}$ de son budget mensuel au logement, $\frac{2}{9}$ à la nourriture, $\frac{5}{18}$ aux dépenses courantes, $\frac{5}{36}$ aux loisirs et le reste aux économies. Quelle est la fraction de son budget réservée aux économies? _____

12. Un héritage est partagé de la façon suivante: $\frac{3}{20}$ sont donnés à l'aîné des enfants, $\frac{1}{10}$ au cadet et $\frac{5}{12}$ au benjamin; $\frac{2}{15}$ sont partagés entre les autres membres de la famille et le reste est envoyé à des œuvres de bienfaisance.

Quelle fraction correspond à la différence entre la part réservée aux enfants et celle réservée aux œuvres de bienfaisance? _____

13. Philippe et Stéphane font partie de la ligue de hockey «Les Lions». Ils consacrent $\frac{2}{5}$ de leur temps à s'entraîner, $\frac{1}{6}$ à jouer dans des matchs et $\frac{4}{15}$ à leurs études scolaires. Quelle fraction de leurs temps reste-t-il pour leurs loisirs? _____

14. Dans une école, les activités parascolaires sont partagées de la façon suivante: $\frac{5}{24}$ d'entre elles sont des activités sportives, $\frac{1}{12}$ sont reliées à la musique, $\frac{3}{8}$ à différents clubs récréatifs et $\frac{5}{18}$ à des ligues de débat ou de *Génies en herbe*. Le reste sont reliées à des activités scientifiques. Quelle fraction des activités sont des activités scientifiques? _____

3.3 Multiplication et division de fractions

Activité 1 Fraction d'une quantité

Dans une classe de 24 élèves, $\frac{1}{3}$ des élèves sont des filles.

a) Quelle fraction de la classe sont des garçons? _____

b) Combien y a-t-il de
  1. garçons? _____ 2. filles? _____

c) On peut calculer le nombre de garçons de la classe en multipliant une fraction par un nombre. Écris et calcule ce produit. _____

d) $\frac{3}{4}$ des élèves de la classe ont les cheveux bruns. Combien cela représente-t-il d'élèves? _____

Activité 2 Produit de fractions

On considère un terrain agricole ayant la forme d'un carré.

$\frac{4}{5}$ du terrain sont réservés pour cultiver des légumes et $\frac{2}{3}$ de la partie réservée aux légumes servent à cultiver des tomates.

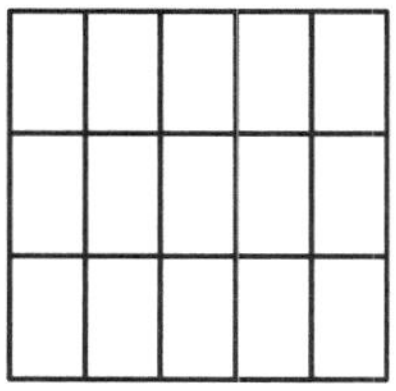

a) Aide-toi de la figure représentée ci-contre pour déterminer la portion de la superficie du terrain réservée aux tomates. _____

b) Écris l'opération qui permet de répondre à la question a) _____

MULTIPLICATION DE FRACTIONS

- Pour calculer la fraction d'une quantité, on multiplie la fraction par cette quantité.
  Ex.: Denise a parcouru les $\frac{3}{5}$ d'une distance de 30 kilomètres avant de prendre une pause. Pour déterminer la distance parcourue par Denise, on calcule le produit $\frac{3}{5} \times 30$ en effectuant la chaîne $3 \times 30 \div 5$ (ou $30 \div 5 \times 3$). Denise a donc parcouru 18 km.

- Pour multiplier une fraction par un nombre, on multiplie le numérateur par ce nombre et on conserve le dénominateur.
  Ex.: $\frac{3}{4} \times 7 = \frac{3 \times 7}{4} = \frac{21}{4}$

- Pour multiplier deux fractions entre elles, on multiplie les numérateurs entre eux et les dénominateurs entre eux.

  $$\boxed{\frac{a}{b} \times \frac{c}{d} = \frac{a \times c}{b \times d}} \qquad \text{Ex.: } \frac{2}{3} \times \frac{5}{7} = \frac{10}{21}$$

  Dans la pratique, il est préférable de simplifier l'expression obtenue avant d'effectuer le produit.

  Ex.: $\frac{4}{9} \times \frac{3}{8} = \frac{\cancel{4} \times \cancel{3}}{\cancel{9} \times \cancel{8}} = \frac{1 \times 1}{3 \times 2} = \frac{1}{6}$

1. Calcule mentalement

   a) le quart de 48. _____   **b)** le tiers de 45. _____   **c)** les trois quart de 20. _____

   d) le cinquième de 40. ____   **e)** les deux tiers de 24. ____   **f)** les trois huitièmes de 16. __

   g) les deux neuvièmes de 45. _   **h)** les trois dixièmes de 90. _   **i)** les cinq septièmes de 28. ___

2. Calcule

   a) $\dfrac{3}{4}$ de 100 litres. _____   **b)** $\dfrac{2}{5}$ de 45 km. _____   **c)** $\dfrac{5}{12}$ de 60 \$ _____

   d) $\dfrac{7}{8}$ de 240 élèves. _____   **e)** $\dfrac{5}{9}$ de 63 kg. _____   **f)** $\dfrac{3}{7}$ de 105 billes. _____

3. Dans un groupe de 435 élèves, $\dfrac{2}{5}$ sont choisis pour participer à des tournois sportifs. Combien d'élèves participent à ces tournois?

_____

4. Dans un camp de vacances de 630 campeurs, $\dfrac{3}{7}$ des campeurs sont des filles et $\dfrac{2}{5}$ des filles ont moins de 12 ans. Combien y a-t-il de filles de moins de 12 ans?

_____

5. Un lot de 36 000 \$ a été partagé entre 4 gagnants de la façon suivante. Un des participants a reçu $\dfrac{5}{12}$ de la somme, un autre en a reçu $\dfrac{7}{18}$ et le troisième $\dfrac{1}{36}$. Quel montant le quatrième gagnant a-t-il reçu?

_____

6. Un jardin rectangulaire a une longueur de 28 mètres. Sa largeur mesure $\dfrac{5}{7}$ de sa longueur. Rémi veut clôturer ce jardin. Quelle sera la longueur de la clôture?

_____

7. Chaque jour, pour se rendre à son travail, Claire doit faire $\dfrac{3}{4}$ du trajet en train, $\dfrac{1}{6}$ en autobus et le reste à pied. Si la distance entre sa maison et son travail est 24 km, quelle distance parcourt-elle à pied?

_____

8. Effectue les multiplications suivantes.

   a) $3 \times \dfrac{7}{8} =$ _____   **b)** $\dfrac{2}{5} \times \dfrac{7}{9} =$ _____   **c)** $\dfrac{2}{7} \times \dfrac{7}{11} =$ _____

   d) $\dfrac{15}{27} \times \dfrac{9}{8} =$ _____   **e)** $\dfrac{14}{25} \times \dfrac{15}{28} =$ _____   **f)** $\dfrac{16}{35} \times \dfrac{7}{24} =$ _____

9. Effectue les multiplications suivantes.

   a) $\dfrac{3}{4} \times \dfrac{5}{9} \times \dfrac{8}{15} =$ _____   **b)** $\dfrac{14}{65} \times \dfrac{39}{49} =$ _____   **c)** $\dfrac{15}{28} \times \dfrac{7}{12} \times \dfrac{16}{35} =$ _____

   d) $\dfrac{1}{2} \times \dfrac{3}{4} \times \dfrac{7}{9} \times \dfrac{24}{35} =$ ____   **e)** $\dfrac{3}{8} \times 7 \times \dfrac{16}{24} \times 8 =$ _____   **f)** $\dfrac{2}{3} \times \dfrac{7}{12} \times \dfrac{9}{14} =$ _____

10. Effectue les multiplications suivantes et écris ton résultat sous forme d'un nombre fractionnaire.

   a) $2\dfrac{1}{3} \times 3\dfrac{2}{5} =$ _____   **b)** $3\dfrac{2}{9} \times 5\dfrac{1}{3} =$ _____   **c)** $2\dfrac{5}{6} \times 4\dfrac{3}{4} =$ _____

11. Dans un groupe de touristes, $\frac{2}{3}$ sont des hommes et $\frac{3}{4}$ parlent le français. Quelle fraction du nombre de touristes sont des hommes qui parlent le français?

_____

12. Dans le jardin de Claudette, $\frac{3}{4}$ des plantes sont des fleurs, $\frac{2}{5}$ des fleurs sont des tulipes et $\frac{1}{3}$ des tulipes son rouges. Quelle fraction de toutes les plantes du jardin de Claudette sont des tulipes rouges?

_____

13. Loricia travaille dans une pâtisserie. Elle a vendu $\frac{2}{3}$ de ses gâteaux le matin et $\frac{3}{5}$ de ce qui lu reste l'après-midi. Quelle fraction de ses gâteaux a-t-elle vendue l'après-midi?

_____

14. Adeline vend des bijoux dans un marché aux puces. $\frac{5}{12}$ de ses bijoux sont des montres et $\frac{3}{4}$ de ce montres sont des montres pour filles. La première journée, Adeline vend $\frac{3}{5}$ des montres pour filles

a) Quelle est la fraction des bijoux qui représente les montres pour garçons? _____

b) Quelle est la fraction des bijoux qui représente les montres pour filles qu'il reste? _____

15. On a représenté ci-contre le diagramme à branches qui indique de quelle façon les 200 élèves d'un camp de vacances se sont partagés les activités lors d'une sortie organisée

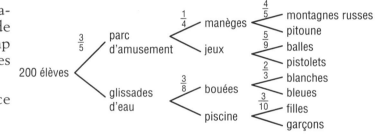

a) Complète les branches de ce diagramme.

b) Quelle fraction des élèves sont:

1. des filles dans la piscine des glissades d'eau? _____

2. aux jeux du parc d'amusement? _____

3. sur des bouées bleues aux glissades d'eau? _____

4. sur les montagnes russes? _____

c) Combien d'élèves

1. sont à la piscine des glissades d'eau? _____

2. jouent avec des balles aux jeux du parc d'amusement? _____

3. vont au parc d'amusement? _____

4. sont sur des bouées blanches aux glissades d'eau? _____

16. Une famille avec deux enfants se partagent une tarte aux fraises. Le père en prend le quart, la mère le tiers de ce qui reste, le fils prend la moitié de ce qui reste après que les deux premier se soient servis, la fille prend ce qui reste. Est-il vrai qu'un membre de la famille a pris une plu grande part que les autres?

_____

Activité 3 Puissance d'une fraction

a) Considère la puissance $\left(\dfrac{2}{3}\right)^3$.

1. Quelle est la base? _____   Quel est l'exposant? _____

2. Calcule $\left(\dfrac{2}{3}\right)^3$ en appliquant la définition d'une puissance. _____

b) Calcule:

1. $\dfrac{2^3}{3} =$ _____   2. $\dfrac{2}{3^3} =$ _____

PUISSANCE D'UNE FRACTION

Pour toute fraction $\dfrac{a}{b}$,

$$\left(\frac{a}{b}\right)^n = \frac{a^n}{b^n}$$

Ex.: $\left(\dfrac{2}{3}\right)^4 = \dfrac{2^4}{3^4} = \dfrac{16}{81}$

Notons que: $\left(\dfrac{3}{5}\right)^2 = \dfrac{9}{25}$; $\dfrac{3^2}{5} = \dfrac{9}{5}$; $\dfrac{3}{5^2} = \dfrac{3}{25}$

---

17. Calcule la valeur des expressions suivantes.

a) $\left(\dfrac{3}{5}\right)^2 =$ _____

b) $\left(\dfrac{1}{3}\right)^4 =$ _____

c) $\left(\dfrac{3}{7}\right)^0 =$ _____

d) $\left(\dfrac{3}{11}\right)^1 =$ _____

e) $\dfrac{5^2}{9} =$ _____

f) $\dfrac{7}{2^5} =$ _____

18. Effectue les calculs suivants.

a) $\left(\dfrac{1}{2}\right)^2 \times \left(\dfrac{2}{3}\right)^2 =$ _____

b) $\left(\dfrac{2}{3}\right)^3 \times \left(\dfrac{9}{4}\right)^2 =$ _____

c) $\left(\dfrac{3}{5}\right)^3 \times \left(\dfrac{10}{9}\right)^2 =$ _____

19. Trouve la valeur de m dans chacun des cas suivants.

a) $m^3 = \dfrac{8}{125}$ _____

b) $\left(\dfrac{5}{3}\right)^m = \dfrac{25}{9}$ _____

c) $\left(\dfrac{7}{11}\right)^m = 1$ _____

d) $\left(\dfrac{2}{9}\right)^3 = m$ _____

e) $m^5 = \dfrac{32}{243}$ _____

f) $\left(\dfrac{1}{2}\right)^m = \dfrac{1}{128}$ _____

RACINE CARRÉE D'UNE FRACTION

Pour toute fraction $\dfrac{a}{b}$,

$$\sqrt{\frac{a}{b}} = \frac{\sqrt{a}}{\sqrt{b}}$$

Ex.: $\sqrt{\dfrac{25}{36}} = \sqrt{\dfrac{25}{36}} = \dfrac{5}{6}$

---

20. Trouve la valeur de

a) $\sqrt{\dfrac{1}{4}} =$ _____

b) $\sqrt{\dfrac{25}{16}} =$ _____

c) $\sqrt{\dfrac{81}{49}} =$ _____

d) $\sqrt{\dfrac{16}{121}} =$ _____

e) $\sqrt{\dfrac{1}{169}} =$ _____

f) $\sqrt{\dfrac{4}{225}} =$ _____

Activité 4 Vrai ou faux?

a) $10 \div 2 = 10 \times \dfrac{1}{2}$ _____

b) $\dfrac{1}{2} \div 2 = \dfrac{1}{2} \times \dfrac{1}{2}$ _____

c) $\dfrac{a}{b} \div c = \dfrac{a}{b} \times \dfrac{1}{c}$ _____

d) $\dfrac{3}{4} \div \dfrac{3}{4} = \dfrac{3}{4} \times \dfrac{4}{3}$ _____

e) $\dfrac{6}{5} \div \dfrac{3}{10} = \dfrac{6}{5} \times \dfrac{10}{3}$ _____

f) $\dfrac{a}{b} \div \dfrac{c}{d} = \dfrac{a}{b} \times \dfrac{d}{c}$ _____

DIVISION DE FRACTIONS

- Deux nombres non nuls sont l'inverse l'un de l'autre si le produit de ces nombres est 1.

  Ex.: L'inverse de la fraction $\dfrac{3}{5}$ est la fraction $\dfrac{5}{3}$, car $\dfrac{3}{5} \times \dfrac{5}{3} = 1$.

- Pour diviser une fraction par une fraction non nulle, on multiplie la première fraction par l'inverse de la deuxième.

  Ex.: $\dfrac{3}{4} \div \dfrac{2}{5} = \dfrac{3}{4} \times \dfrac{5}{2} = \dfrac{15}{8}$

---

21. Trouve l'inverse de chacune des fractions suivantes.

a) $\dfrac{2}{5}$: _____

b) 8 : _____

c) $\dfrac{1}{4}$: _____

d) $2\dfrac{3}{7}$: _____

22. Effectue les divisions suivantes.

a) $\dfrac{3}{4} \div \dfrac{5}{7} =$ _____

b) $\dfrac{5}{11} \div \dfrac{15}{8} =$ _____

c) $\dfrac{12}{25} \div \dfrac{18}{35} =$ _____

d) $\dfrac{3}{4} \div 6 =$ _____

e) $7 \div \dfrac{14}{5} =$ _____

f) $\dfrac{3}{4} \div \dfrac{5}{8} \times \dfrac{15}{7} =$ _____

g) $\dfrac{5}{6} \times \dfrac{1}{2} \div \dfrac{10}{3} =$ _____

h) $\dfrac{2}{3} \div \dfrac{4}{9} \div \dfrac{1}{6} =$ _____

23. Trouve la fraction p dans chacun des cas suivants.

a) $p \div \dfrac{2}{9} = \dfrac{5}{6}$ _____

b) $\dfrac{3}{4} \div p = \dfrac{7}{12}$ _____

c) $p \times \dfrac{6}{7} = \dfrac{9}{14}$ _____

d) $\dfrac{8}{15} \times p = \dfrac{4}{25}$ _____

24. Il reste $\dfrac{3}{4}$ d'une bouteille d'un litre de soda. Quelle quantité recevra chacun des 3 amis qu doivent se la partager? _____

25. À des fins publicitaires, un contenant de 12 litres de détergent doit être partagé dans des flacon qui contiennent $\dfrac{3}{8}$ de litres. Combien de flacons la compagnie pourra-t-elle remplir? _____

26. On remplit un réservoir aux $\dfrac{3}{4}$ de sa capacité. Il manque 12 litres pour que le réservoir soi plein. Quelle est la capacité du réservoir? _____

27. Pour se maintenir en forme, Marilyn fait du jogging. Ce matin, elle a parcouru $\dfrac{3}{5}$ de la distanc prévue et il lui reste encore 4 km à parcourir. Quelle est la distance que Marilyn s'est fixée? _____

28. Samara vend $\dfrac{3}{4}$ de ses sacs à main le matin et $\dfrac{2}{3}$ du reste l'après-midi. S'il lui reste 8 sacs main, combien de sacs à main avait-elle au départ? _____

3.4 Chaînes d'opérations de fractions

Activité 1 Une chaîne d'opérations

Dans une bibliothèque, $\frac{2}{3}$ des livres sont en français, $\frac{1}{6}$ sont en anglais et $\frac{1}{2}$ sont pour adultes.

a) Colorie dans la table ci-dessous la partie représentant la fraction des livres pour adultes en français ou en anglais.

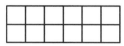

b) Quelle est la chaîne d'opérations qui correspond à la partie coloriée? _____

c) Quelle est la fraction des livres pour adultes en français ou en anglais? _____

CHAÎNES D'OPÉRATIONS DE FRACTIONS

Pour calculer la valeur d'une chaîne d'opérations comportant des fractions, on respecte le même ordre de priorité qu'avec les nombres entiers.

---

1. Effectue les chaînes d'opérations suivantes. Donne ton résultat sous la forme d'une fraction irréductible.

a) $\left(\dfrac{3}{4}+\dfrac{5}{6}\right)\times\dfrac{3}{8}=$ _____

b) $\dfrac{2}{3}+\dfrac{5}{8}\times\dfrac{4}{9}=$ _____

c) $\left(\dfrac{3}{4}-\dfrac{1}{8}\right)\times\left(2-\dfrac{5}{6}\right)=$ _____

d) $\left(\dfrac{1}{4}+\dfrac{2}{3}\right)^{2}=$ _____

e) $\left(\dfrac{4}{5}-\dfrac{2}{3}\right)\times\dfrac{5}{2}=$ _____

f) $\dfrac{3}{2}\times\dfrac{7}{9}+\dfrac{1}{4}\times\dfrac{7}{3}-\dfrac{19}{20}=$ _____

g) $\dfrac{4}{9}\times\dfrac{1}{2}+\dfrac{3}{4}=$ _____

h) $\left(\dfrac{1}{2}+\dfrac{3}{5}\right)\div\left(1-\dfrac{3}{10}\right)=$ _____

2. Effectue les chaînes d'opérations suivantes. Donne ton résultat sous la forme d'une fraction irréductible.

a) $\left(2-\dfrac{3}{4}\div\dfrac{1}{2}\right)^{2}=$ _____

b) $\left(\dfrac{5}{8}-\dfrac{2}{3}\times\dfrac{3}{8}\right)\div\dfrac{1}{2}=$ _____

c) $\left(\dfrac{3}{5}-\dfrac{1}{10}\right)\times\dfrac{2}{7}\div\dfrac{3}{14}=$ _____

d) $\left(\dfrac{3}{4}+\dfrac{2}{3}\times\dfrac{7}{8}\right)\div\dfrac{5}{12}=$ _____

e) $\dfrac{3}{4}\times\left(\dfrac{7}{8}-\dfrac{1}{2}\times\dfrac{3}{4}\right)=$ _____

f) $\dfrac{2}{7}\div\left[\left(\dfrac{9}{10}-\dfrac{3}{5}\right)+\dfrac{1}{2}\right]=$ _____

g) $\left(\dfrac{3}{4}+\dfrac{1}{2}\right)\times\left(\dfrac{5}{8}-\dfrac{1}{4}\times\dfrac{2}{3}\right)=$ _____

h) $\dfrac{3}{5}\times\left[2-\left(\dfrac{1}{2}+\dfrac{3}{4}\right)\right]=$ _____

3. Trouve la valeur des expressions suivantes pour $a=\dfrac{2}{5}$, $b=\dfrac{3}{10}$ et $c=\dfrac{4}{15}$.

a) $a^{2}+b\times c=$ _____

b) $(a+b)\times c=$ _____

c) $a+b\div c=$ _____

4. M. et Mme Matthieu ont gagné un montant d'argent à la loterie. Ils décident d'en utiliser $\frac{2}{5}$ pou investir dans l'achat d'une maison. Ils veulent utiliser $\frac{3}{10}$ de ce qui reste pour la meubler.

Quelle fraction du montant gagné reste-t-il? _____

5. Marc vend des jeux électroniques dans un stand d'un marché aux puces durant une fin d semaine. Il en vend $\frac{7}{12}$ le samedi, $\frac{3}{8}$ le dimanche matin et la moitié de ce qu'il reste le dimanch après-midi. Quelle fraction des jeux a-t-il vendue en tout? _____

6. M. Dion travaille en été comme paysagiste. $\frac{2}{5}$ de ses plantes sont des fleurs. Le reste sont de arbustes. Il utilise $\frac{2}{3}$ des fleurs et $\frac{1}{2}$ des arbustes pour faire des arrangements paysagistes dan des quartiers résidentiels. Quelle fraction des plantes reste-t-il pour faire des arrangements dan d'autres quartiers? _____

7. On partage une somme d'argent entre 3 personnes. La première en reçoit $\frac{2}{5}$ et la seconde reçoi $\frac{3}{4}$ de la part de la première personne. Quelle fraction de la somme revient à la troisièm personne?

---

8. Le réservoir d'une automobile est plein aux $\frac{3}{5}$ de sa capacité. Pour effectuer un trajet entr deux villes, un voyageur utilise $\frac{5}{12}$ de la quantité d'essence que contient le réservoir.

Quelle fraction du réservoir représente ce qui reste d'essence? _____

9. Un héritage est partagé de la façon suivante: le quart revient au conjoint de la personn décédée; la moitié de ce qu'il reste est partagée à parts égales entre les 3 enfants, mais l'aîn réserve $\frac{1}{5}$ de ce qui lui revient comme contribution à une fondation pour la guérison du cance Si l'héritage est de 60 000 $, combien d'argent sera réservé pour la fondation? _____

10. Sam et Jason veulent acheter un appareil audio d'une valeur de 140 $ à leur frère Éric. Sam peut donner $\frac{3}{7}$ du prix de l'appareil et Jason peut donner $\frac{1}{5}$.

Quel somme d'argent resterait-il à payer? _____

11. Nathalie possède une collection de 240 timbres. Elle en vend le tiers un jour et le quart de c qui lui reste le lendemain. Combien lui en reste-t-il?

---

12. Cinq amis font une excursion en montagne. Ils boivent, à eux tous, 3 bouteilles de $\frac{1}{4}$ l de ju d'orange, 2 bouteilles de $\frac{3}{5}$ l d'eau et $\frac{7}{10}$ l de punch.

Quelle quantité de liquide chacun des amis a-t-il bu? _____

ÉVALUATION 3

1. Représente, sur la droite numérique, les fractions : $\frac{1}{2}, \frac{4}{5}, \frac{7}{10}, \frac{7}{5}, \frac{11}{10}$.

0   1

2. À partir de la figure ci-contre

   a) détermine quelle fraction représente la partie coloriée. _____

   b) colorie la partie représentée par la fraction $\frac{13}{50}$.

3. Trouve la valeur de x dans chacun des cas suivants.

   a) $\frac{3}{4} = \frac{x}{16}$ _____

   b) $\frac{x}{7} = \frac{18}{21}$ _____

   c) $\frac{4}{6} = \frac{10}{x}$ _____

   d) $\frac{7}{5} = \frac{x}{20}$ _____

   e) $\frac{x}{12} = \frac{3}{4}$ _____

   f) $\frac{15}{21} = \frac{x}{28}$ _____

4. Trouve 3 fractions équivalentes à $\frac{4}{7}$ dont le dénominateur est inférieur à 45. _____

5. Réduis les fractions suivantes.

   a) $\frac{48}{84} =$ _____

   b) $\frac{90}{216} =$ _____

   c) $\frac{140}{200} =$ _____

   d) $\frac{42}{72} =$ _____

6. Compare les fractions suivantes en utilisant les symboles $<, =, >$.

   a) $\frac{47}{60}$ ____ $\frac{3}{4}$

   b) $\frac{12}{15}$ ____ $\frac{8}{10}$

   c) $\frac{5}{6}$ ____ $\frac{7}{8}$

   d) $\frac{17}{24}$ ____ $\frac{15}{18}$

7. Place les fractions suivantes par ordre croissant.

$\frac{3}{4}, \frac{7}{8}, \frac{5}{6}, \frac{1}{2}, \frac{11}{12}$ _____

8. Georges a obtenu 80 sur 100 à un test de géographie. Combien a-t-il eu de réponses correctes sur les 15 questions posées? _____

9. Dans une ferme de 250 animaux, il y a 100 vaches, 55 chevaux, 50 moutons, 40 poules et 5 coqs. Exprime par une fraction irréductible la fraction d'animaux qui sont des

   a) vaches : ____ **b)** chevaux : ____ **c)** moutons : ____ **d)** poules : ____ **e)** coqs : _____

10. Un grand prix automobile comporte 180 km. Après 30 minutes de course, le coureur A a parcouru $\frac{3}{4}$ du trajet et le coureur B a parcouru $\frac{5}{6}$ du trajet.

   a) Lequel des deux a parcouru le plus long trajet? _____

   b) Combien de kilomètres chaque coureur doit-il encore parcourir? _____

11. Effectue les calculs suivants.

   a) $\frac{5}{6} + \frac{7}{8} - \frac{11}{12} =$ _____

   b) $\frac{6}{10} \times \frac{5}{6} \times \frac{1}{4} =$ _____

   c) $\left(\frac{2}{3} + \frac{5}{6}\right) \times \left(1 + \frac{5}{3}\right) =$ _____

   d) $\frac{3}{4} + \frac{5}{6} \times \frac{7}{10} =$ _____

   e) $3 \div \left(\frac{1}{2} + \frac{3}{4}\right) =$ _____

   f) $\frac{3}{4} \times \left(\frac{5}{12} - \frac{7}{24}\right) =$ _____

   g) $\left(\frac{1}{2} + \frac{3}{4}\right)^2 =$ _____

   h) $\left(\frac{3}{2} - \frac{1}{2} \times \frac{4}{3}\right) \times \frac{9}{10} \div \frac{2}{3} =$ _____

   i) $\frac{5}{6} \times \frac{2}{3} - \left(\frac{1}{2} \div \frac{1}{3}\right) =$ _____

   j) $\frac{1}{2} + \frac{3}{4} \times \frac{4}{5} - \frac{2}{3} =$ _____

12. Trouve la valeur de ☐ dans chacun des cas suivants.

a) $\frac{2}{3} \times \boxed{} = \frac{5}{6}$

b) $\frac{1}{4} + \boxed{} = \frac{3}{8}$

c) $\frac{5}{8} \div \boxed{} = \frac{3}{4}$

d) $\frac{7}{8} - \boxed{} = \frac{3}{16}$

13. Trouve la valeur des expressions suivantes si $a = \frac{2}{3}$, $b = \frac{5}{6}$ et $c = \frac{3}{4}$.

a) $a^2 + b \times c =$ _____

b) $(a + b) \times c =$ _____

c) $a \div b \times c =$ _____

d) $(a + b) \times (b - c) =$ _____

e) $(a + b)^2 =$ _____

f) $(b - c)^2 \div a =$ _____

14. Remplace par le symbole $>$ ou $<$ qui convient.

a) $\frac{1}{2} + \frac{3}{4} \times \frac{4}{9}$ _____ $\frac{7}{10} - \frac{1}{8}$

b) $\left(\frac{3}{4} - \frac{1}{8}\right) \times \left(2 - \frac{5}{6}\right)$ _____ $\left(\frac{3}{4}\right)^2$

c) $\frac{2}{5} \times \left(\frac{3}{4} - \frac{1}{2}\right)$ _____ $\frac{5}{6} \div \frac{2}{3} \times \frac{1}{5}$

d) $\frac{3}{4} \div \frac{1}{2} \times \frac{6}{5}$ _____ $\left(2 - \frac{5}{6}\right)^2$

15. Un groupe de 80 touristes visite la région de Charlevoix. Les $\frac{5}{8}$ du groupe sont des femmes. Les $\frac{4}{5}$ des femmes parlent le français et les $\frac{3}{4}$ de ces dernières visitent la région pour la 1re fois. Les $\frac{5}{6}$ des hommes parlent le français et les $\frac{2}{5}$ de ces derniers ont déjà visité la région.

a) Trouve la fraction du groupe de touristes qui sont

1. des femmes parlant le français : _____

2. des femmes parlant le français et ayant déjà visité la région : _____

3. des hommes ne parlant pas le français : _____

4. des hommes parlant le français et ayant déjà visité la région : _____

b) Reprends les questions de a) et calcule le nombre de touristes dans chacun des cas.

1. _____ 2. _____ 3. _____ 4. _____

16. Pour s'acheter une planche à voile valant 1 350 $, trois amis se cotisent. Le 1er donne $\frac{3}{10}$ de la somme, le 2e donne $\frac{2}{9}$ et le 3e donne le reste.

a) Quelle fraction de la somme donne le 3e? _____

b) Quel est le montant de sa contribution? _____

17. Au début d'un voyage, le réservoir d'essence d'une voiture était rempli aux $\frac{3}{5}$ de sa capacité. Durant le voyage, la voiture a consommé $\frac{5}{8}$ du contenu du réservoir.

a) Quelle fraction de la capacité totale du réservoir reste-t-il après le voyage? _____

b) Si la capacité du réservoir est de 80 litres, combien de litres ont été consommés? _____

Chapitre 4

Nombres décimaux

DÉFI 4 ⬤

1 Des chaînes d'opérations

Associe chacune des chaînes d'opérations à son résultat.

a) $-3,2 \times (1,5 - 4,9) - 12,4$	**1)** $7,3984$
b) $(-3,7 + 0,2 \times 4,9)^2$	**2)** $-3,86$
c) $6,18 - [3 + 1,9 \times (3,5 - 7,3)]$	**3)** $-5,93$
d) $-7,4 + 4,248 \div (-0,2 + 1,4)$	**4)** $-1,52$
e) $3,5 - 14,4 \div 6,4 - 7,18$	**5)** $10,4$

2 Par ordre

Place les nombres suivants par ordre croissant.

$23\% ; \frac{2}{7} ; 0,225 ; \frac{1}{5} ; 0,3$ _____

3 Après les vendanges

Un marchand de vin achète un tonneau de vin de 120 litres à 2,70 $ le litre. Il veut remplir des bouteilles de 0,75 litre chacune.

Si les dépenses relatives à l'embouteillage sont de 0,80 $ par bouteille, quel est le prix de revient de chaque bouteille?

_____

_____

4 Dans un camp scout

Lors d'une journée d'été, sur 400 campeurs d'un groupe scout, 30 % participent à une recherche au trésor, 42 % font de l'escalade et le reste du canot. 60 % de ceux participant à la recherche au trésor, 25 % de ceux faisant de l'escalade et 75 % de ceux faisant du canot sont des filles. Combien y a-t-il de filles dans ce groupe scout?

_____

5 Une paire de skis

Mélissa a payé une paire de skis 206,46 $. Ce montant comprend un rabais de 15 % sur le prix marqué et une taxe de 8 %. Quel était le montant initial de la paire de skis?

_____

4.1 Nombres décimaux

Activité 1   Un nombre décimal

Considère le nombre décimal 1452,637 8.

a) Quelle est la partie entière? _____

b) Quelle est la partie décimale? _____

c) Quelle est la position du chiffre:

1? _____   2? _____   3? _____   4? _____

5? _____   6? _____   7? _____   8? _____

d) Entre quels nombres naturels consécutifs ce nombre est-il? _____

Activité 2   À la parfumerie

Tina travaille dans une parfumerie. Elle doit verser 2,564 litres de parfum dans des flacons pouvan
contenir 0,1 litre; 0,01 litre ou 0,001 litre de parfum.

Tina veut remplir le minimum de flacons. Combien de flacons doit-elle remplir si elle utilise des flacons de

a) 0,1 litre: _____

b) 0,01 litre: _____

c) 0,001 litre: _____

NOMBRE DÉCIMAL

- Un nombre décimal est un nombre composé d'une partie entière et d'une partie décimale
séparées par une virgule.

  Ex.:
$$\underset{\text{Partie entière}}{584} , \underset{\text{partie décimale}}{2037}$$

- Le tableau ci-dessous donne le nom de la **position** de chaque chiffre et la **valeur** de chacune de
ces positions.

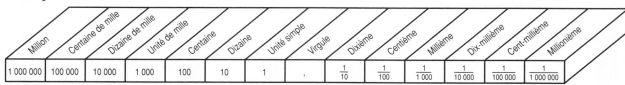

Million	Centaine de mille	Dizaine de mille	Unité de mille	Centaine	Dizaine	Unité simple	Virgule	Dixième	Centième	Millième	Dix-millième	Cent-millième	Millionième
1 000 000	100 000	10 000	1 000	100	10	1	,	$\frac{1}{10}$	$\frac{1}{100}$	$\frac{1}{1\,000}$	$\frac{1}{10\,000}$	$\frac{1}{100\,000}$	$\frac{1}{1\,000\,000}$

- Dans un nombre décimal, la valeur de position d'un chiffre dépend de la position qu'il occupe
dans ce nombre.

  Ex.: Dans le nombre 745,9208, le chiffre 2 occupe la position des centièmes et a pour valeur
  0,02 ou $2 \times \frac{1}{100}$.

- Chaque nombre décimal est associé à un point unique sur la droite numérique.

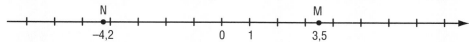

Ainsi, l'abscisse du point M est 3,5 et celle du point N est –4,2.

1. Écris en chiffres chacun des nombres décimaux suivants.

   a) Cent vingt-cinq et quarante-huit centièmes: _____

   b) Deux et trois cent quatre-vingt-dix-huit millièmes: _____

   c) Treize et cent douze dix millièmes: _____

   d) Cent deux et huit millièmes: _____

   e) Mille trois cent-millièmes: _____

2. Écris en lettres chacun des nombres décimaux suivants.

   a) 317,56: _____

   b) 203,048: _____

   c) 2 068,1003: _____

   d) 12,000 05: _____

   e) 9,002 3: _____

3. Considère le nombre 67,125 438. Donne la position et la valeur de position de chacun des chiffres suivants.

   a) 1: _____

   b) 2: _____

   c) 3: _____

   d) 4: _____

   e) 5: _____

   f) 6: _____

   g) 7: _____

   h) 8: _____

4. Sur chacun des axes numériques suivants, trouve l'abscisse approximative des points représentés.

   a)

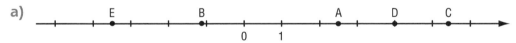

   A: _____ B: _____ C: _____ D: _____ E: _____

   b)

   A: _____ B: _____ C: _____ D: _____ E: _____

5. Sur chacun des axes numériques suivants, en tenant compte de la graduation, place les points dont l'abscisse est donnée.

   a)

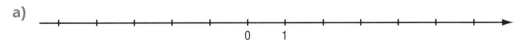

   A: –2   B: 1,5   C: –4,9   D: 3,25

   b)

   P: 2,5   Q: –1,25   R: 4,1   S: –1,7

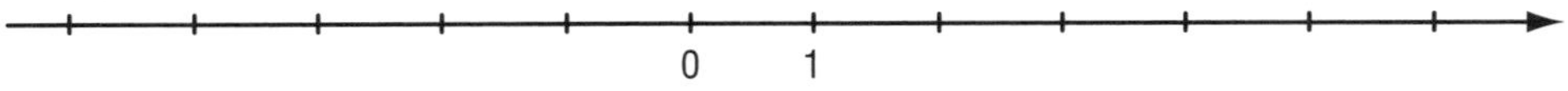

6. Vrai ou faux?

   a) Un nombre naturel est un nombre décimal. _____

   b) Un nombre entier relatif est un nombre décimal. _____

   c) Un nombre décimal est toujours positif. _____

   d) Un nombre décimal est un nombre entier. _____

DÉCOMPOSITION D'UN NOMBRE DÉCIMAL

Un nombre décimal est égal à la somme des valeurs de positions de ses chiffres.

Ainsi, le nombre décimal 267,045 8 peut être décomposé de la façon suivante :

$2 \times 100 + 6 \times 10 + 7 \times 1 + 4 \times 0,01 + 5 \times 0,001 + 8 \times 0,000\ 1$ (notation décimale)

ou $2 \times 100 + 6 \times 10 + 7 \times 1 + 4 \times \frac{1}{100} + 5 \times \frac{1}{1\ 000} + 8 \times \frac{1}{10\ 000}$ (notation fractionnaire)

ou $2 \times 10^2 + 6 \times 10^1 + 7 \times 10^0 + 4 \times \frac{1}{10^2} + 5 \times \frac{1}{10^3} + 8 \times \frac{1}{10^4}$ (notation en puissance de 10)

---

7. En utilisant la notation décimale, décompose chacun des nombres décimaux suivants.

   a) 24,128 : _____

   b) 0,045 6 : _____

   c) 5,903 87 : _____

8. En utilisant la notation en puissance de 10, décompose chacun des nombres décimaux suivants

   a) 490,56 : _____

   b) 30,045 78 : _____

   c) 0,560 089 : _____

9. Trouve le nombre décimal qui correspond à chacune des décompositions suivantes.

   a) $2 \times 1000 + 4 \times 10 + 6 \times 1 + 7 \times 0,1 + 4 \times 0,01 + 8 \times 0,0001$: _____

   b) $5 \times 100 + 3 \times 10 + 9 \times \frac{1}{100} + 2 \times \frac{1}{1\ 000} + 1 \times \frac{1}{100\ 000}$: _____

   c) $8 \times 10^3 + 4 \times 10^2 + 7 \times 10^0 + 9 \times \frac{1}{10^2} + 2 \times \frac{1}{10^3}$: _____

Activité 3 Les arrondis

La distance entre la maison de Talia et celle de son amie est de 0,735 km.

   a) De quel nombre, en dixième de kilomètre, cette distance est-elle la plus proche? _____

   b) De quel nombre, en centième de kilomètre, cette distance est-elle la plus proche? _____

   c) Arrondis cette distance à l'unité. _____

ARRONDISSEMENT D'UN NOMBRE

Pour **arrondir** un nombre décimal à une unité de grandeur, on regarde le chiffre situé à droite de cette unité. S'il est supérieur ou égal à 5, on augmente de 1 le chiffre de l'unité de grandeur donné. Sinon, on ne le change pas. On remplace ensuite tous les autres chiffres situés à droite par des 0.

Ex.: 4,785 2 est arrondi à

   4,8 au dixième près

   4,79 au centième près

   4,785 au millième près

10. Arrondis les nombres suivants à l'unité de grandeur demandé.

Nombre	Au dixième près	Au centième près	Au millième près
5,638 4			
2,359 9			
0,175 4			
0,997 8			

11. Le tableau ci-dessous indique les dépenses de Mme Fréchette au supermarché. Le coût de chaque article inclut les taxes.

Articles	Coût	Arrondis
Beurre d'arachide	2,87 $	
Savon à vaisselle	4,25 $	
Pâtes alimentaires	1,59 $	
Thon	1,19 $	
Céréales	3,74 $	

Elle veut estimer le montant de sa facture. Aide-la en arrondissant chacun des montants à l'unité près dans la colonne appropriée.

_____

12. Nathalie fait du ski de fond. Elle a le choix entre cinq pistes. Elle décide de prendre la piste dont la distance en kilomètres, arrondie au dixième près, a comme chiffre 7 (son chiffre chanceux) à la position des dixièmes.

Piste	Distance
du castor	3,598 km
de la belette	2,772 km
du renard	1,679 km
de la moufette	3,798 km
du chevreuil	2,625 km

mouffette ou moufette

Quelle piste a-t-elle choisi? _____

TRANSFORMATION DE LA NOTATION DÉCIMALE À LA NOTATION FRACTIONNAIRE

- Une fraction décimale est une fraction dont le dénominateur est une puissance entière positive de 10. Ex.: $\frac{7}{10}, \frac{19}{100}, \frac{27}{1\,000}$

- Pour transformer un nombre décimal de la notation décimale à la notation fractionnaire, on écrit le nombre en fraction décimale et on réduit cette fraction si possible. Ex.: $0,24 = \frac{24}{100} = \frac{6}{25}$ $\qquad 1,8 = \frac{18}{10} = \frac{9}{5}$

13. Écris les nombres décimaux sous la forme d'une fraction décimale.

a) $0,57 =$ _____ b) $1,9 =$ _____ c) $3,107 =$ _____

14. Transforme les nombres décimaux suivants en une fraction irréductible.

a) $0,18 =$ _____ b) $0,4 =$ _____ c) $0,125 =$ _____

d) $0,8 =$ _____ e) $0,375 =$ _____ f) $0,25 =$ _____

g) $1,2 =$ _____ h) $3,25 =$ _____ i) $15,5 =$ _____

TRANSFORMATION DE LA NOTATION FRACTIONNAIRE À LA NOTATION DÉCIMALE

- Pour transformer une fraction en nombre décimal, on peut:
  - soit écrire la fraction sous forme de fraction décimale (si c'est possible) et exprimer la fraction en nombre décimal.
    Ex.: $\frac{3}{5} = \frac{6}{10} = 0,6$ $\qquad \frac{7}{20} = \frac{28}{100} = 0,28$ $\qquad \frac{3}{8} = \frac{375}{1\,000} = 0,375$
  - soit diviser le numérateur par le dénominateur.
    Ex.: $\frac{7}{16} = 0,4375$ $\qquad \frac{2}{3} = 0,6666\ldots$

  Certaines fractions ont une représentation décimale limitée, d'autres une partie décimale illimitée.

15. Écris les fractions décimales suivantes en notation décimale.

a) $\frac{17}{100} =$ _____ b) $\frac{138}{1\,000} =$ _____ c) $\frac{45}{10\,000} =$ _____ d) $\frac{48}{10} =$ _____

16. Écris les fractions suivantes en notation décimale.

a) $\frac{3}{4} =$ _____ b) $\frac{1}{2} =$ _____ c) $\frac{2}{5} =$ _____ d) $\frac{1}{4} =$ _____

e) $\frac{5}{4} =$ _____ f) $\frac{5}{8} =$ _____ g) $\frac{1}{8} =$ _____ h) $\frac{3}{16} =$ _____

i) $\frac{1}{160} =$ _____ j) $\frac{48}{20} =$ _____ k) $\frac{1}{25} =$ _____ l) $\frac{9}{5} =$ _____

17. Transforme les fractions suivantes en notation décimale et arrondis ton résultat au millième près.

a) $\frac{13}{3} =$ _____ b) $\frac{5}{6} =$ _____ c) $\frac{3}{11} =$ _____ d) $\frac{1}{9} =$ _____

e) $\frac{7}{3} =$ _____ f) $\frac{4}{11} =$ _____ g) $\frac{11}{6} =$ _____ h) $\frac{4}{27} =$ _____

18. Exprime les nombres fractionnaires suivants en notation décimale.

a) $2\frac{1}{2} =$ _____ b) $3\frac{1}{4} =$ _____ c) $16\frac{5}{8} =$ _____ d) $9\frac{2}{5} =$ _____

19. Exprime les nombres fractionnaires suivants en notation décimale et arrondis ton résultat au dixième près.

a) $3\frac{2}{3} =$ _____

b) $1\frac{5}{6} =$ _____

c) $4\frac{2}{11} =$ _____

d) $5\frac{1}{27} =$ _____

20. Complète le tableau suivant.

Notation fractionnaire	$\frac{1}{4}$		$\frac{7}{10}$		$\frac{2}{5}$		$\frac{5}{3}$		$\frac{7}{5}$
Notation décimale		0,333...		0,125		0,18		0,875	

21. Dans chacune des situations suivantes, transforme la notation décimale en notation fractionnaire et vice-versa.

a) La dépense effectuée a représenté les 0,75 des économies : _____

b) Trois élèves sur cinq ont été sélectionnés pour un concours : _____

c) Cinq touristes sur quatre-vingts ont été transportés à l'hôpital : _____

d) 0,8 litre de peinture a été utilisé pour repeindre une chambre : _____

NOMBRES RATIONNELS

- Les nombres décimaux et les fractions sont appelés **nombres rationnels**. On désigne par $\mathbb{Q}$ l'ensemble des nombres rationnels.

- Tout nombre naturel est rationnel.

- Tout nombre entier est rationnel.

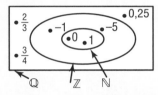

---

22. Place les nombres rationnels suivants dans la région appropriée.

-2; 10; $\frac{5}{4}$; $0,18$; $1,333...$; $\frac{7}{9}$; -10

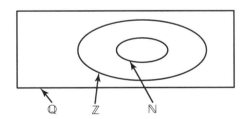

23. Complète par le symbole $\in$ ou $\notin$ qui convient.

a) $-2,5$ _____ $\mathbb{Z}$

b) $\frac{3}{5}$ _____ $\mathbb{Q}$

c) -5 _____ $\mathbb{Q}$

d) $\frac{10}{2}$ _____ $\mathbb{N}$

e) -10 _____ $\mathbb{N}$

f) $\frac{-12}{4}$ _____ $\mathbb{Z}$

g) $0,333...$ _____ $\mathbb{Z}$

h) $1,28$ _____ $\mathbb{Q}$

Activité 4 Comparaison de nombres décimaux

Considère les nombres $a = 3,457$, $b = 3,345\,6$, $c = 3,35$

a) Quel chiffre est à la position des dixièmes pour les nombres

a: _____ b: _____ c: _____

Lequel des trois nombres est le plus grand? _____

b) Quel chiffre est à la position des centièmes pour les nombres

b: _____ c: _____

Lequel des nombres b ou c est le plus grand? _____

COMPARAISON DE NOMBRES DÉCIMAUX

- Si deux nombres décimaux n'ont pas la même partie entière, le plus grand est celui qui a la plus grande partie entière.

  Ex.: 32,46 > 15,275 car 32 > 15.

- Si deux nombres décimaux ont la même partie entière, le plus grand est celui qui a le plus grand nombre de dixièmes et, en cas d'égalité, le plus grand nombre de centièmes, etc.

  Ex.: 2,57 > 2,565 car 7 > 6.

---

24. Complète par le symbole <, = ou > qui convient.

a) 3,54 _____ 1,97   b) 4,27 _____ 4,3   c) 5,6 _____ 5,60   d) 0,427 _____ 0,429

e) 1,2 _____ 1,195   f) 7,18 _____ 7,2   g) 2,35 _____ 2,325   h) 1,107 _____ 1,017

25. Écris les nombres décimaux suivants par ordre croissant de grandeur.

a) 2,35 ; 2,28 ; 2,175 ; 2,085 : _____

b) 17,14 ; 15,235 ; 16,18 ; 17,2 : _____

c) 4,3 ; 4,303 ; 4,33 ; 4,333 : _____

d) 2,17 ; 2,5 ; 2,175 ; 2,168 : _____

26. Parmi les nombres décimaux suivants: 2,28 ; 2,33 ; 2,346 ; 2,35, lesquels sont situés entre:

a) 2,3 et 2,4 : _____   b) 2,34 et 2,36 : _____   c) 2,345 et 2,348 : _____

27. Trouve tous les nombres décimaux ayant 2 chiffres dans la partie décimale qui sont compris entre 4,5 et 4,6.

_____

28. Entre quels nombres naturels consécutifs se situent les nombres décimaux suivants?

a) 5,4? _____   b) 0,345? _____   c) 7,18? _____   d) 34,107? _____

29. Un professeur d'éducation physique a relevé chez 5 de ses élèves leur poids (en kg) et la longueur (en m) atteinte lors d'une compétition de lancer du javelot.

Range les élèves par ordre croissant de grandeur selon

Élève	Poids (en kg)	Longueur (en m)
Matthieu	57,5	24,2
Marc	49	19,85
Alphonse	51,2	22,58
Josua	47,8	24,18
Karim	50,6	23,5

a) leur poids : _____

_____

b) leur performance au javelot : _____

COMPARAISON DE NOMBRES DÉCIMAUX ET DE FRACTIONS

- Pour comparer un nombre décimal et une fraction, on transforme :
  - le nombre décimal en fraction et on compare les 2 fractions ;

  ou
  - la fraction en nombre décimal et on compare les 2 nombres décimaux.

  Ex. : pour comparer $0,75$ et $\frac{5}{8}$, on compare $\frac{3}{4}$ et $\frac{5}{8}$ ou $0,75$ et $0,625$.

  Ainsi, $0,75 > \frac{5}{8}$.

30. Complète par le symbole <, = ou > qui convient.

a) $0,25$ _____ $\frac{1}{4}$ b) $0,34$ _____ $\frac{2}{5}$ c) $\frac{2}{3}$ _____ $0,66$ d) $\frac{3}{4}$ _____ $0,75$

e) $\frac{5}{6}$ _____ $0,8$ f) $3\frac{1}{4}$ _____ $3,242$ g) $0,12$ _____ $\frac{3}{25}$ h) $0,49$ _____ $\frac{1}{2}$

31. Range les nombres rationnels suivants par ordre croissant de grandeur.

a) $\frac{3}{4}$; $\frac{5}{6}$; $0,8$; $0,84$; $\frac{7}{8}$ _____

b) $\frac{1}{2}$; $0,6$; $\frac{2}{3}$; $\frac{2}{5}$; $\frac{12}{25}$ _____

c) $0,7$; $\frac{3}{4}$; $0,749$; $\frac{1}{2}$; $\frac{4}{5}$ _____

d) $\frac{5}{6}$; $\frac{3}{5}$; $0,59$; $\frac{1}{2}$; $0,575$ _____

32. Un marchand a relevé par intervalle de 10 minutes la quantité de café vendue durant la première heure au kiosque du marché du Nord.

a) Dans quel intervalle de temps a-t-il vendu la plus petite quantité de café ?

_____

b) Dans quel intervalle de temps a-t-il vendu la plus grande quantité de café ?

_____

c) Range les quantités de café par ordre croissant.

Temps	Quantité
9 h - 9 h 10	$\frac{3}{4}$ kg
9 h 10 - 9 h 20	0,6 kg
9 h 20 - 9 h 30	$\frac{5}{8}$ kg
9 h 30 - 9 h 40	0,85 kg
9 h 40 - 9 h 50	$\frac{4}{5}$ kg
9 h 50 - 10 h	0,55 kg

4.2 Addition et soustraction de nombres décimaux

Activité 1 Une randonnée

Le tableau ci-contre donne la longueur de différentes pistes de randonnée d'un parc de la nature.

Piste	Longueur
des cigales	14,345 km
des libellules	7,18 km
des pivoines	19,47 km
des gazelles	9,498 km
des lilas	3,675 km

a) Lyvia veut marcher près de 25 km sans les dépasser. Donne un exemple de pistes qu'elle peut emprunter.

_____

b) Nina a pris la piste des gazelles, puis celle des lilas et a terminé par la piste des libellules. Combien de kilomètres a-t-elle parcourus?

_____

ADDITION ET SOUSTRACTION DE NOMBRES DÉCIMAUX

- Pour additionner (ou soustraire) des nombres décimaux:
  1. On place les chiffres occupant la même position les uns sous les autres et on aligne les virgules.
  2. On additionne (ou soustrait) sans tenir compte de la virgule.
  3. On place la virgule du résultat sous les autres virgules.

  Ex.: Effectuons l'addition
  $235,7 + 18,276 + 1\,085,88$.

  $$\begin{array}{r} 235,7 \\ +\ 18,276 \\ \underline{1\,085,88} \\ 1\,339,856 \end{array}$$

  Effectuons la soustraction
  $345,5 - 285,87$.

  $$\begin{array}{r} 345,50 \\ -\ 285,87 \\ \hline 59,63 \end{array}$$

---

1. Estime le résultat de chaque opération suivante en arrondissant chaque nombre à l'unité, puis effectue le calcul pour donner la réponse exacte.

	Opération	Estimation	Réponse exacte
a)	45,28 + 27,87		
b)	34,87 + 18,24		
c)	28,218 – 14,85		
d)	45,37 – 28,18		

2. Effectue chacune des opérations suivantes.

a) $23,45 + 48,15 =$ _____

b) $235,98 + 19,54 =$ _____

c) $185,96 - 29,85 - 158,27 =$ _____

d) $-345,63 + 198,748 - 24,18 =$ _____

e) $2\,436,74 + 385,179 =$ _____

f) $386,75 + 75,867 =$ _____

g) $-347,68 + 146,37 =$ _____

h) $624,18 - 245,34 =$ _____

3. Si $a = 45,39$, $b = 27,14$ et $c = 9,45$, trouve la valeur de:

a) $a + b + c =$ _____

b) $(a - b) + c =$ _____

c) $(a - b) - c =$ _____

d) $a + (b - c) =$ _____

e) $a - (b + c) =$ _____

f) $a - (b - c) =$ _____

4. Complète le tableau suivant.

+		36,18	
18,45			56,47
	45,36		48,38

5. Trouve la valeur de x dans chacun des cas suivants.

a) $x + 25,18 = 48,32$ _____

b) $x - 35,48 = 84,18$ _____

c) $146,36 - x = 184,29$ _____

d) $138,47 + x = 256,42$ _____

6. Vrai ou faux? Dans le cas où l'énoncé est faux, donne un contre-exemple.

a) La somme de deux nombres décimaux est un nombre décimal. _____

b) La différence de deux nombres décimaux est un nombre décimal. _____

c) L'addition de nombres décimaux est une opération commutative. _____

d) L'addition de nombres décimaux est une opération associative. _____

e) La soustraction de nombres décimaux est une opération commutative. _____

f) La soustraction de nombres décimaux est une opération associative. _____

7. Mme Lavallée vend des sacs à main dans un marché aux puces 4 jours par semaine. Elle a recueilli les recettes suivantes en dollars. Complète le tableau.

	Jeudi	Vendredi	Samedi	Dimanche	Total
Matin	346,75		245,20		
Après-midi		324,87	472,75	1 425,85	
Total	854,18	648,20		2 030,51	

8. M. Karim désire clôturer son terrain ayant la forme représentée ci-contre.
Quelle sera la longueur de la clôture?

_____

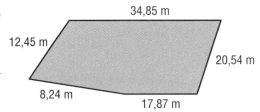

34,85 m

12,45 m

20,54 m

8,24 m

17,87 m

9. Trouve la largeur du rectangle représenté ci-contre si son demi-périmètre est égal à 84,28 m.

_____

54,28 m

10. Maryse achète à l'occasion de Noël, des cadeaux à ses amies: un stylo à 9,45 $, un pot à fleur à 8,48 $, un assortiment de savons à 7,28 $ et une cassette à 9,26 $. Si elle remet à la caissière un billet de 50 $, combien recevra-t-elle de monnaie?

_____

11. Marine a cueilli 2,75 kg de framboises, 1,85 kg de fraises et 1,3 kg de bleuets pour faire une confiture. Quelle quantité de sucre doit-elle ajouter si elle a besoin d'une quantité égale à celle du poids des fruits?

_____

4.3 Multiplication et division de nombres décimaux

Activité 1 Multiplication par une puissance de 10

Samantha travaille dans un magasin et gagne un salaire horaire de 9,56 $.

a) Cette semaine, elle a travaillé seulement 10 heures. Quel a été son salaire? _____

b) Le mois dernier, elle a travaillé un total de 100 heures. Quel a été son salaire? _____

MULTIPLICATION PAR DES PUISSANCES DE 10

- Pour multiplier un nombre décimal par 10, 100 ou 1 000, il suffit de déplacer la virgule de respectivement 1, 2 ou 3 rangs vers la droite.
  Ex.: $3,458 \times 100 = 345,8$ $0,005\,674 \times 10\,000 = 56,74$
- Pour multiplier un nombre décimal par 0,1, 0,01 ou 0,001 il suffit de déplacer la virgule de respectivement 1, 2 ou 3 rangs vers la gauche.
  Ex.: $456,3 \times 0,1 = 45,63$ $4,29 \times 0,001 = 0,004\,29$

1. Effectue les multiplications suivantes.

a) $3,5 \times 1000 = $ _____   b) $245,1 \times 100 = $ _____   c) $0,003\,56 \times 10\,000 = $ ____

d) $0,257 \times 10 = $ _____   e) $1,2 \times 100\,000 = $ _____   f) $0,000\,86 \times 1\,000\,000 = $ __

2. Effectue les multiplications suivantes.

a) $8,9 \times 0,001 = $ _____   b) $34,789 \times 0,01 = $ _____   c) $123,4 \times 0,0001 = $ _____

d) $0,45 \times 0,1 = $ _____   e) $743,8 \times 0,0001 = $ _____   f) $12\,580 \times 0,000\,001 = $ __

Activité 2 Au marché

Dans un marché public, madame Larochelle a acheté 6,2 kg de tomates à 4,19 $ le kilogramme et madame Lafayette 3,4 kg de pommes de terre à 2,98 $ le kilogramme.

a) Estime le montant de l'achat de madame Larochelle. _____

b) Quel est le montant exact de son achat? _____

c) Estime le montant de l'achat de madame Lafayette. _____

d) Quel est le montant exact de son achat? _____

MULTIPLICATION DE NOMBRES DÉCIMAUX

- Pour multiplier 2 nombres décimaux.
  1. On effectue la multiplication sans tenir compte des virgules.
  2. On détermine le nombre total de chiffres dans les parties décimales des 2 facteurs.
  3. On compte autant de chiffres à partir de la droite du résultat et on place la virgule.

Ex.:
$$
\begin{array}{r}
35,18 \\
\times \quad 4,7 \quad \leftarrow \text{3 chiffres} \\
\hline
24626 \\
14072 \\
\hline
165,346 \quad \leftarrow \text{3 chiffres}
\end{array}
$$

3. Estime le résultat de chaque multiplication en arrondissant chaque facteur à l'unité, puis effectue le calcul pour donner la réponse exacte.

	Multiplication	Estimation	Réponse exacte
a)	$43,56 \times 5$		
b)	$3,417 \times 4,8$		
c)	$6,1 \times 19,79$		
d)	$24,2 \times 6,8$		

4. Effectue chacune des multiplications suivantes.

a) $3,6 \times 5 = $ _____

b) $0,4 \times 1,2 = $ _____

c) $2,5 \times 4 = $ _____

d) $4,2 \times 0,3 = $ _____

e) $-14,8 \times -0,5 = $ _____

f) $0,8 \times 0,7 = $ _____

g) $-5,8 \times 0,02 = $ _____

h) $1,18 \times 0,4 = $ _____

i) $-5 \times 4,5 = $ _____

j) $4,25 \times 0,8 = $ _____

k) $3,45 \times 1,8 = $ _____

l) $-2,4 \times -0,05 = $ _____

5. Si $a = 3,18$, $b = 4,9$, $c = 2,76$, trouve la valeur de :

a) $a \times b = $ _____

b) $a \times c = $ _____

c) $b \times c = $ _____

d) $a \times b \times c = $ _____

6. Complète le tableau suivant.

$\times$	3,5	0,5	1,42
0,24			
23,8			
0,08			

7. Calcule de deux façons différentes.
1. En appliquant l'ordre de priorité des opérations.
2. En appliquant la propriété de la distributivité de la multiplication sur l'addition ou la soustraction.

a) $3,2 \times (1,4 + 5,6) = $ _____
= _____

b) $-1,2 \times (3,75 - 2,4) = $ _____
= _____

c) $-4,56 \times (1,2 - 7) = $ _____
= _____

d) $2,5 \times (0,45 + 1,2) = $ _____
= _____

8. Mets en évidence le plus grand facteur commun des sommes ou différences suivantes et effectue le calcul.

a) $3,8 \times 6 - 3,8 \times 4 = $ _____

b) $2,4 \times 7 + 2,4 \times 3 = $ _____

c) $4,2 \times 7 + 4,2 \times 5 - 4,2 \times 9 = $ _____

d) $7 \times 6,8 + 7 \times 3,2 = $ _____

e) $3,2 + 4,8 = $ _____

f) $2,4 + 4,8 - 3,6 = $ _____

9. Calcule les puissances suivantes.

a) $(0,3)^2 = $ _____

b) $(0,05)^2 = $ _____

c) $(1,2)^3 = $ _____

d) $(1,4)^0 = $ _____

e) $(2,18)^1 = $ _____

f) $(0,9)^3 = $ _____

g) $(2,8)^2 = $ _____

h) $(0,8)^4 = $ _____

10. Effectue les calculs suivants.

a) $(4,2)^2 \times (0,08)^2 =$ _____

b) $(3,8)^1 \times (0,5)^3 =$ _____

c) $(0,75)^2 \times (0,8)^2 =$ _____

d) $(1,2)^3 \times 0,25 =$ _____

11. Trouve la valeur de a dans chacun des cas suivants.

a) $a^2 = 0,25$ _____

b) $(0,4)^a = 0,0256$ _____

c) $(2,5)^3 = a$ _____

d) $a^4 = 0,0016$ _____

e) $(0,08)^a = 0,0064$ _____

f) $(4,18)^a = 1$ _____

12. Martin travaille dans un dépanneur certains soirs de la semaine. Son salaire horaire est d 7,25 $. Quel salaire recevra-t-il la semaine où il a travaillé 4 soirs à raison de 3,5 h par soir?

_____

13. Mme Legault achète au supermarché 2,25 kg de tomates à 1,48 $ le kilogramme. Combien lu coûtera cet achat?

_____

14. Une famille de cinq personnes assiste à une représentation d'un cirque. Chaque billet d'entré est de 24,95 $. Combien cette famille payera-t-elle?

_____

15. M. Desrosiers a mis 20,8 litres d'essence dans son réservoir, à raison de 0,65 $ le litre. Combie d'argent a-t-il payé?

_____

16. Aux États-Unis, l'essence s'achète en gallons.
1 gallon = 3,785 litres et 1 gallon vaut 1,15 $US.
Monsieur Scott achète 14,2 gallons d'essence.

a) Quel est ce volume d'essence en litres? _____

b) Combien monsieur Scott doit-il payer
  1. en dollars américain? _____
  2. en dollars canadien si 1 $US = 1,32 $CAN? _____

17. Un mécanicien gagne 23,60 $ par heure. Quel sera son salaire s'il travaille 7,5 h par jour et ce 5 jours par semaine?

_____

18. En moyenne, un puits de pétrole produit 24,5 barils de pétrole par jour. Quelle est l production en litres, d'un tel puits pendant une période de 24 jours, s'il y a approximativemer 175,45 l dans un baril?

_____

Activité 3 Division par une puissance de 10

Les employés d'une grande compagnie participent à une loterie dont le prix est de 2450 $. Combien chacun recevra-t-il s'il y a

a) 10 gagnants. _____

b) 100 gagnants. _____

DIVISION DE NOMBRES DÉCIMAUX PAR DES PUISSANCES DE 10

- Pour diviser un nombre décimal par 10, 100 ou 1 000, il suffit de déplacer la virgule de respectivement 1, 2 ou 3 rangs vers la gauche.

  Ex.: $35,2 \div 10 = 3,52$ $\qquad\qquad$ $54,4 \div 100 = 0,544$

- Pour diviser un nombre décimal par 0,1 ; 0,01 ou 0,001, il suffit de déplacer la virgule de respectivement 1, 2 ou 3 rangs vers la droite.

  Ex.: $8,75 \div 0,1 = 87,5$ $\qquad\qquad$ $0,16 \div 0,001 = 160$

---

19. Effectue les divisions suivantes.

a) $35,1 \div 10 =$ _____

b) $0,038 \div 0,01 =$ _____

c) $350 \div 1\ 000 =$ _____

d) $456 \div 0,1 =$ _____

e) $0,5 \div 0,001 =$ _____

f) $46,8 \div 100 =$ _____

20. M. Lopez a reçu un salaire de 245,50 $ pour 10 heures de travail. Quel est son salaire horaire?

_____

21. Josiane et Louis ont vendu un terrain de 1 000 m² à 43 500 $. Quel est le prix de vente de ce terrain par mètre carré?

_____

Activité 4 À la cueillette de pommes

Janine a payé 10,03 $ pour 3,4 kilogrammes de pommes et Claudine a payé 7,28 $ pour des pommes valant 2,80 $ le kilogramme.

a) Quel est le prix d'un kilogramme des pommes que Janine a acheté? _____

b) Quel est le poids des pommes que Claudine a acheté? _____

c) Laquelle des deux a fait le meilleur achat? _____

DIVISION D'UN NOMBRE DÉCIMAL PAR UN NOMBRE ENTIER

- Pour diviser un nombre décimal par un nombre entier, on procède de la façon suivante.

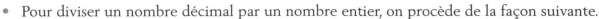

	①	②	③	④

146,85 | 5
−10 | 2
4

① 146,85 | 5
−10↓ | 29
46
−45
1

② 146,85 | 5
−10 | 29,3
46
−45↓
1 8
−1 5
3

③ 146,85 | 5
−10 | 29,37
46
−45
18
−15↓
3 5
−3 5
0

La division précédente finit par un reste égal à 0.

Certaines divisions ne finissent jamais.

Ex.: $22 \div 27 = 0,814\ 814\ldots$

Dans ce cas, on peut exprimer le quotient en l'arrondissant à l'unité près (1), au dixième près (0,8), au centième près (0,81), au millième près (0,815), etc.

22. Effectue les divisions suivantes.

a) $46,75 \div 5 =$ _____   b) $32,4 \div 4 =$ _____   c) $0,048 \div 24 =$ _____

d) $45,24 \div 4 =$ _____   e) $204,8 \div 8 =$ _____   f) $1,488 \div 12 =$ _____

23. Maria a travaillé 24 heures durant la semaine dans un magasin à rayons. Si elle a reçu un salaire de 245,76 $, quel a été son salaire horaire?

_____

24. Un groupe de 18 étudiants assiste à une représentation de théâtre. Si le coût pour cette représentation a été de 233,10 $, combien chaque étudiant a-t-il payé?

_____

DIVISION D'UN NOMBRE DÉCIMAL PAR UN NOMBRE DÉCIMAL

- Pour diviser un nombre décimal par un nombre décimal, on multiplie le dividende et le diviseur par une même puissance de 10 afin que le diviseur soit un nombre entier, puis on effectue la division. *naturel*

Ex.: $8,25 \div 0,6 = 82,5 \div 6 = 13,75$

25. Effectue chacune des divisions suivantes après l'avoir transformée en une division par un nombre naturel.

a) $0,49 \div 0,14 =$ _____   b) $8,65 \div 2,5 =$ _____   c) $3,328 \div 3,2 =$ _____

d) $2,542 \div 1,24 =$ _____   e) $198,94 \div 24,5 =$ _____   f) $0,204 \div 4,25 =$ _____

g) $0,024\ 96 \div 0,16 =$ _____   h) $8,772 \div 2,15 =$ _____   i) $0,007\ 44 \div 0,06 =$ _____

26. Complète le tableau suivant.

$\times 2,5$
$\div 1,6$

5,24			0,012
	4,18		
		7,45	

27. Trouve la valeur de x dans chacun des cas suivants.

a) $x \times 3,4 = 9,52$ _____

b) $x \div 5,2 = 4,08$ _____

c) $17,8 \times x = 4,45$ _____

d) $9,072 \div x = 2,24$ _____

28. Vrai ou faux? Dans le cas où l'énoncé est faux, donne un contre-exemple.

a) La multiplication de deux nombres décimaux est un nombre décimal. _____

b) Le quotient de deux nombres décimaux est un nombre décimal. _____

c) La multiplication de nombres décimaux est une opération commutative. _____

d) La multiplication de nombres décimaux est une opération associative. _____

e) La division de nombres décimaux est une opération commutative. _____

f) La division de nombres décimaux est une opération associative. _____

29. Trouve le prix d'un kilogramme de clémentines si 3,45 kg coûtent 17,94 $.

_____

30. On veut partager 18 m de tissu en des morceaux de 0,75 m de largeur chacun. Combien pourra-t-on avoir de morceaux de ce tissu?

_____

31. Mathilde a reçu un salaire de 297,50 $ durant la semaine de Noël. Si elle reçoit un salaire horaire de 8,50 $, pendant combien d'heures a-t-elle travaillé?

_____

32. Mireille a acheté un paquet de 6 bouteilles d'eau de 1,2 litre chacune pour 2,88 $.

a) Quel est le coût d'une bouteille d'eau? _____

b) Quel est le coût d'un litre d'eau? _____

33. Au supermarché, Claudine a le choix entre un paquet de 12 oranges à 3,88 $ ou 3 oranges pour 0,99 $. Quel est l'achat le plus avantageux?

_____

34. Combien Simone payera 5 citrons si le prix de 8 citrons est de 1,92 $?

_____

35. Pierre a produit 3,75 kg de confiture qu'il a partagés dans des bocaux de capacité 0,75 kg chacun. Combien de bocaux a-t-il remplis entièrement?

_____

4.4 Chaînes d'opérations de nombres décimaux

Activité 1 Au club de tennis

Claude est membre d'un club de tennis où l'abonnement annuel est de 195,50 $. Le coût est de 9,50 $ pour passer la journée.

a) Calcule le montant payé par Claude cette année. _____

b) La chaîne d'opérations $195,50 + 12 \times 9,50$ permet de calculer le montant total payé par Claude

1. Si tu effectues cette chaîne dans l'ordre où les opérations se présentent, obtiens-tu le montant total payé par Claude? _____

2. Dans une chaîne d'opérations où apparaît une addition et une multiplication, quelle est l'opération que l'on doit effectuer en premier?

_____

CHAÎNES D'OPÉRATIONS DE NOMBRES DÉCIMAUX

Pour calculer la valeur d'une **chaîne d'opérations** comportant des nombres décimaux, on respecte le même ordre de priorité qu'avec des fractions.

---

1. Effectue les chaînes d'opérations suivantes.

a) $3,5 \times (0,2 - 1,18) =$ _____

b) $4,2 \times 1,5 - 2,24 \times 0,4 =$ _____

c) $7,2 + 0,8 \times 4,2 =$ _____

d) $3,45 - 0,05 \times 12,4 =$ _____

e) $(4,5 + 3,8) \times (-7,2 + 6,8) =$ _____

f) $4,5 + 3,6 \div 0,12 \times 4,2 =$ _____

g) $1,5 + 3 \times (8,24 - 5,8) =$ _____

h) $-7,8 + 0,8^2 \times 9,5 =$ _____

2. Effectue les chaînes d'opérations suivantes.

a) $7,2 - [4 - 3,8 \times (1,2 + 0,8)] =$ _____

b) $(4,5 \div 0,5 + 3,4) - 6,48 =$ _____

c) $4,5 \times [1 + 2,5 \times (0,6 - 1,2)] =$ _____

d) $7,18 - 4,6 \div (1,5 + 0,1) =$ _____

3. Trouve la valeur de a dans chacune des chaînes suivantes.

a) $a \times 2,5 + 1,18 = 9,18$ _____

b) $(a - 2,14) \times 0,4 = 7,89$ _____

c) $2,8 + 3,4 \times a = -1,28$ _____

d) $(3,5 - a) \times 4,5 = 50,85$ _____

4. Évalue chacune des expressions suivantes pour $a = 3,5$, $b = -2,8$ et $c = 0,4$

a) $a^2 + b \times c =$ _____

b) $(a + b) \times c =$ _____

c) $(a - b) \times c =$ _____

d) $a \times b + b \times c =$ _____

Pour chacun des problèmes suivants, écris la chaîne d'opérations qui convient et calcule la valeur de la chaîne d'opérations pour répondre à la question.

5. Une famille composée de 2 adultes et de 3 enfants passe une journée aux glissades d'eau. Le prix d'un billet d'adulte est de 19,95 $ et celui d'un billet d'enfant est de 13,49 $. Combien la journée aux glissades d'eau coûtera-t-elle à cette famille?

_____

6. M. Hamel désire entourer son terrain rectangulaire d'une clôture qui coûte 6,50 $ le mètre. Si la longueur du terrain est de 24,5 m et la largeur du terrain de 18,65 m, combien lui coûtera cette clôture?

_____

7. Trouve la longueur d'un rectangle sachant que la largeur est égale à 12,48 m et le périmètre est égal à 72,84 m.

_____

8. Lors d'une grande vente d'entrepôt, Mme Agnelli a acheté 2 lampes à 34,95 $ chacune, 1 fauteuil à 256,28 $ et 3 tables à café à 54,50 $ chacune. Elle fait un dépôt de 125 $ et paiera le solde du compte en 3 versements égaux. Quel est le montant de chaque versement?

_____

9. Pour la rentrée des classes, Carrie a fait des achats comme l'indique la facture ci-dessous. Quel est le montant de cette facture? (Tous les prix donnés incluent les taxes).

Article	Quantité	Coût
cahiers	8	1,85 $
crayons	12	0,45 $
stylos	6	1,15 $
gommes à effacer	2	0,87 $
règles	2	0,34 $

_____

10. Six amis mangent ensemble au restaurant. Ils ont tous choisi le menu du jour. Ils commandent en plus un jus pour chacun coûtant 1,25 $ et six cafés coûtant 0,95 $ chacun. Si le montant total de la facture s'élève à 48,30 $, quel est le coût du menu du jour?

_____

11. Une voiture mesure 4,10 m de long et 1,65 m de large. Elle est stationnée dans un garage de 6,50 m de long et 3,40 m de large. Quelle est l'aire inoccupée du garage?

_____

12. André achète au marché 2 kg de raisins à 5,60 $ le kilogramme et 3 kg de pommes à 2,70 $ le kilogramme. Quel montant d'argent lui sera remis s'il paye avec un billet de 20 $?

_____

4.5 Pourcentage

Activité 1 Représentation d'un pourcentage

Colorie la partie qui correspond au pourcentage donné.

a)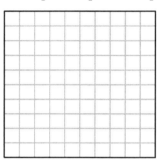

25 %

b)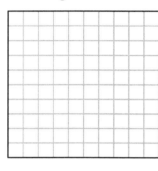

12 %

c)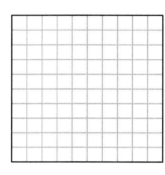

64,5 %

POURCENTAGE

- Un rapport dont le 2e terme est 100 est un **pourcentage**.

  Ex.: $\frac{35}{100}$ est un pourcentage. On le note 35 % et on lit: «35 pour cent».

1. Exprime les énoncés suivants par un pourcentage.

    a) 2 km² sur 100 km² de la superficie du Canada sont occupés par des glaciers : _____

    b) 70 Amérindiens sur 100 vivent dans des réserves : _____

    c) En 1984, 12,8 personnes sur 100 étaient au chômage : _____

    d) Au Canada, 15 terres sur 100 sont cultivables : _____

2. Un terrain a été découpé en quatre parcelles ①, ②, ③ et ④ pour quatre enfants d'une mêm
famille.

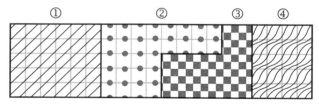

    Gaétane a hérité 20 % du terrain, Éli a hérité 30 %, Sarah a hérité 22 % et Harie
28 %.

    a) Associe chaque parcelle à chaque héritier. _____

    b) Qu'obtient-on en additionnant les quatre pourcentages? _____

3. Un groupe de touristes visitent la Gaspésie, 32 % des touristes sont québécois, 23 % sont ontariens, 30 % sont français et le reste sont américains. Utilise le quadrillage ci-dessous et représente la répartition des touristes selon leur origine. (Utilise des couleurs différentes et identifie chaque secteur.)

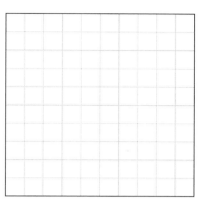

Activité 2 Pourcentage, nombre décimal et fraction

Considère les graphiques suivants.

Associe chaque nombre à l'illustration qui lui correspond.

a) 75 %

b) 0,2

c) $\dfrac{3}{5}$

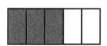

POURCENTAGE ET NOMBRE DÉCIMAL

- Pour transformer un pourcentage en nombre décimal, on exprime le pourcentage en fraction décimale et on divise le numérateur par le dénominateur.

  Ex.: $35\% = \dfrac{35}{100} = 0,35$ $12,5\% = \dfrac{12,5}{100} = \dfrac{125}{1\,000} = 0,125$

- Pour transformer un nombre décimal en pourcentage, on multiplie le nombre décimal par la fraction $\dfrac{100}{100}$ et on exprime la fraction obtenue en pourcentage.

  Ex.: $0,25 = 0,25 \times \dfrac{100}{100} = \dfrac{0,25 \times 100}{100} = \dfrac{25}{100} = 25\%$

  $0,008 = 0,008 \times \dfrac{100}{100} = \dfrac{0,008 \times 100}{100} = \dfrac{0,8}{100} = 0,8\%$

---

1. Transforme chaque pourcentage suivant en un nombre décimal.

a) 40 % = _____ **b)** 25 % = _____ **c)** 3 % = _____ **d)** 12 % = _____

e) 100 % = _____ **f)** 1 % = _____ **g)** 125 % = _____ **h)** 250 % = _____

5. Écris chaque nombre décimal en pourcentage.

a) 0,8 = _____   **b)** 0,04 = _____   **c)** 0,25 = _____   **d)** 0,018 = _____

e) 1,2 = _____   **f)** 0,125 = _____   **g)** 0,45 = _____   **h)** 1 = _____

6. Complète le tableau suivant.

Nombre décimal	0,4		0,035		0,28		0,07
Pourcentage		23 %		8,5 %		0,3 %	

7. Dans chacune des situations suivantes, exprime le pourcentage en un nombre décimal ou nombre décimal en pourcentage.

a) Le cerveau représente 2 % du poids du corps. _____

b) Il faut au moins 0,5 % de sucre dans une solution pour qu'elle donne une impression sucré. _____

c) Les chats ont des besoins en protides supérieurs de 0,25 à ceux du chien. _____

d) Chez l'adulte, le sommeil lent représente 0,8 de la durée totale du sommeil. _____

POURCENTAGE ET FRACTION

• Pour transformer un pourcentage en fraction, on exprime le pourcentage par un rapport dont le 2e terme est 100. Si le résultat obtenu n'est pas une fraction, on multiplie les 2 termes du rapport par une puissance adéquate de 10 afin d'obtenir une fraction.

Ex.: $25 \% = \frac{25}{100} = \frac{1}{4}$ $12,5 \% = \frac{12,5}{100} = \frac{125}{1\ 000} = \frac{1}{8}$

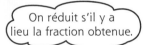
On réduit s'il y a lieu la fraction obtenue.

• Pour transformer une fraction en pourcentage
– on trouve une fraction équivalente dont le dénominateur est 100 et on l'écrit sous forme de pourcentage.
Ex.: $\frac{2}{5} = \frac{40}{100} = 40 \%$

ou

– on divise le numérateur par le dénominateur pour l'écrire sous la forme d'un nombre décimal et on l'exprime en pourcentage.
Ex.: $\frac{17}{40} = 0,425 = 42,5 \%$

---

8. Transforme la fraction en pourcentage ou le pourcentage en fraction et retiens ceux qui sont le plus courants.

a)
F	P
$\frac{1}{8}$	
	37,5 %
$\frac{5}{8}$	
	87,5 %

b)
F	P
$\frac{1}{5}$	
	40 %
$\frac{3}{5}$	
	80 %

c)
F	P
$\frac{1}{4}$	
	75 %

d)
F	P
$\frac{1}{3}$	
	$66\frac{2}{3}$ %

e)
F	P
$\frac{1}{2}$	

9. Exprime chacun des pourcentages suivants en fraction irréductible.

a) $10\% =$ _____ b) $8\% =$ _____ c) $100\% =$ ____ d) $30\% =$ ____ e) $70\% =$ _____

f) $120\% =$ ____ g) $12\% =$ ____ h) $5\% =$ _____ i) $4\% =$ _____ j) $45\% =$ _____

k) $2,5\% =$ _____ l) $0,2\% =$ ___ m) $12,5\% =$ ____ n) $0,5\% =$ ___ o) $0,3\% =$ _____

10. Un sondage montre que 24 % des parents des élèves d'une école sont en faveur de l'uniforme scolaire. Quelle est la fraction des parents qui sont contre?

_____

11. Transforme les fractions suivantes en pourcentage.

a) $\dfrac{3}{20} =$ _____ b) $\dfrac{7}{10} =$ _____ c) $\dfrac{9}{25} =$ _____ d) $\dfrac{9}{10} =$ _____ e) $\dfrac{7}{4} =$ _____

f) $\dfrac{17}{40} =$ _____ g) $\dfrac{11}{50} =$ _____ h) $\dfrac{23}{100} =$ _____ i) $\dfrac{37}{50} =$ _____ j) $\dfrac{11}{40} =$ _____

12. Exprime chaque fraction par un pourcentage.

a) $\dfrac{3}{125} =$ _____ b) $\dfrac{5}{16} =$ _____ c) $\dfrac{143}{625} =$ _____ d) $\dfrac{11}{8} =$ _____ e) $\dfrac{11}{16} =$ _____

13. Exprime chaque fraction par un pourcentage et arrondis le pourcentage au dixième près.

a) $\dfrac{3}{7} \approx$ _____ b) $\dfrac{7}{11} \approx$ _____ c) $\dfrac{11}{12} \approx$ _____ d) $\dfrac{8}{21} \approx$ _____ e) $\dfrac{11}{18} \approx$ _____

14. Complète le tableau suivant.

Pourcentage	75 %				40 %		140 %		12,5 %	
Fraction		$\dfrac{7}{20}$		$\dfrac{5}{8}$				$\dfrac{2}{3}$		
Nombre décimal			0,6			0,02				0,45

15. Dans une classe de 20 élèves, 6 ont choisi le club d'échec, 13 ont choisi le club sportif et 1 élève a choisi le club de photographie. Quel est le pourcentage des élèves de la classe qui ont choisi :

a) le club d'échec? _____ b) le club sportif? _____ c) le club de photographie? ___

16. Une enquête a été effectuée auprès des employés d'une entreprise pour connaître leur situation familiale. Complète le tableau ci-contre en indiquant le pourcentage des employés dans chaque catégorie.

Situation familiale	Nombre d'employés	Pourcentage
Célibataire	32	
Marié	15	
Divorcé	8	
Veuf	4	
Autre	20	
Total		

Activité 3 Pourcentage d'un nombre

a) Dans un groupe de 80 touristes, 40 % parlent le français.

1. Quelle opération te permet de savoir le nombre de touristes parlant le français?

   _____

2. Combien y a-t-il de touristes ne parlant pas le français? _____

b) Calcule les pourcentages des nombres suivants.

   1. 35 % de 100 est égal à _____
   2. 15 % de 200 est égal à _____
   3. 25 % de 600 est égal à _____
   4. 50 % de 1 600 est égal à _____

POURCENTAGE D'UN NOMBRE

• Pour calculer le pourcentage d'un nombre, on multiplie ce nombre par le pourcentage exprimé en fraction ou en nombre décimal.

   Ex.: Jean a parcouru les 30 % d'une distance de 40 km. Pour calculer la distance parcourue, on effectue le calcul:

   $40 \times \frac{30}{100} = 12$ km ou $40 \times 0,3 = 12$ km.

---

17. Calcule mentalement les pourcentages suivants.

   a) les 25 % de 400 élèves: _____
   b) les 10 % de 426 $: _____
   c) les 50 % de 250 litres: _____
   d) les 12,5 % de 80 km: _____
   e) les 60 % de 40 filles: _____
   f) les $33\frac{1}{3}$ % de 420 touristes: _____
   g) les 2 % de 20 kg: _____
   h) les 75 % de 800 animaux: _____

18. Calcule.

   a) 40 % de 85 $: _____
   b) les 65 % de 720 litres: _____
   c) 96 % de 500 personnes: _____
   d) 15 % de 94,8 kg: _____
   e) $33\frac{1}{3}$ % de 243 filles: _____
   f) 12 % de 15,50 $: _____
   g) 3,75 % de 320 km: _____
   h) 10 % de 540 voyageurs: _____

19. Dans une école de 600 élèves, 45 % sont des garçons. Combien y a-t-il de garçons dans l'école?

   _____

20. Sur 450 personnes interrogées, 90 % sont contre la chasse aux phoques. Combien de personnes sont pour ou s'abstiennent?

   _____

21. Dans une compagnie de 120 employés, 40 % sont mariés, 6 % sont veufs et 14 % sont divorcés. Combien d'employés ne font pas partie de ces trois catégories?

_____

22. Une famille a un revenu mensuel de 2 800 $.
20 % sont consacrés à la nourriture, 25 % au loyer, 15 % aux dépenses courantes, 10 % aux loisirs, et le reste aux économies. Quel est le montant mensuel économisé?

_____

23. Un vendeur d'appareils ménagers reçoit 8 % de commission sur le prix de chaque appareil vendu. S'il a vendu un total de 9 500 $ en une semaine, quel montant recevra-t-il?

_____

24. M. Armando a perdu 5 % de sa clientèle à la suite de l'ouverture d'un magasin concurrent. Si le nombre de clients était de 720, combien de clients a-t-il à présent?

_____

25. Dans une bibliothèque qui possède 2 400 ouvrages, il y a 58 % de romans et biographies, 35 % de livres scientifiques, et le reste sont des bandes dessinées. Combien y a-t-il de bandes dessinées?

_____

26. Sur les 200 élèves d'une école de musique, 70 % apprennent le piano, 25 % apprennent le violon et le reste, un autre instrument. 40 % des élèves apprenant le piano, 48 % des élèves apprenant le violon et 60 % des élèves apprenant un autre instrument participent à un concours interélèves. Combien d'élèves de l'école

a) apprennent le piano? _____

b) apprennent le violon? _____

c) apprennent un autre instrument? _____

d) ont participé au concours de piano? _____

e) ont participé au concours d'un autre instrument? _____

f) n'ont pas participé au concours de violon? _____

27. Marilyn a obtenu 20 % de rabais à l'achat d'une robe. Si la robe était marquée à 58 $, combien Marilyn l'a-t-elle payée?

_____

28. Josette a fait les achats suivants. Complète le tableau suivant qui indique le prix que Josette a payé chaque article si le magasin paye toutes les taxes.

Article	Coût	Pourcentage du rabais	Montant du rabais	Montant à payer
Lampe	45 $	10 %		
Livre	30 $	25 %		
Parfum	60 $	30 %		
Cravate	28 $	60 %		

29. Lors d'une vente, Michel achète 5 DC à 12,95 $ chacun, 2 livres à 18,20 $ chacun et un affiche à 7,80 $. Il reçoit un rabais de 20 %. Combien a-t-il payé ses achats? (Les taxes son comprises dans le prix)

30. Olga a acheté une chaîne stéréo au coût de 128,56 $. Si elle doit payer une taxe de 15 % su cette chaîne stéréo, quel sera le montant de sa facture?

31. Paula a effectué des achats dans un grand magasin. Complète le tableau suivant et trouve l montant total payé par Paula.

Article	Coût	Pourcentage de la taxe	Montant de la taxe	Total
Couvre-lit	86,45 $	7 %		
Verres	23,70 $	15 %		
Pyjama	34,99 $	7,5 %		
Ceinture	18,95 $	15 %		

32. Le prix d'un téléviseur est de 645,95 $. Si le magasin offre un rabais de 20 %, quel sera le pri du téléviseur si la taxe sur les ventes est de 15 %?

33. Une boutique d'articles de sport fait une vente de rénovation et offre un rabais de $33\frac{1}{3}$ % su tous les articles en magasin. Combien Roger paiera-t-il son ensemble de ski marqué à 186 $ si la taxe sur les ventes est de 7 %?

34. Sylvie, Johanne et leur frère David ont vendu 80 disques compacts lors d'une vente de garag 25 % des disques appartiennent à David, $\frac{2}{5}$ appartiennent à Sylvie et le reste appartient Johanne. Sylvie a vendu chacun de ses DC 3,25 $, Johanne a vendu chacun de ses DC 2,80 David a obtenu autant d'argent que Sylvie et Johanne réunies. Combien David a-t-il vend chacun de ses DC?

35. Stéphanie vend des t-shirts pour ramasser de l'argent pour sa graduation. Elle vend chaqu t-shirt 7,80 $ sur lequel elle fait un profit net de 40 %. Elle décide de donner le $\frac{1}{3}$ de son prof à son école. Si elle a vendu 115 t-shirts, combien d'argent a-t-elle remis à l'école?

ÉVALUATION 4

1. On considère le nombre décimal 1 395,486 2.

a) Quelle est la position du chiffre?

9: _____ 8: _____ 2: _____ 6: _____

b) Quelle est la valeur de position du chiffre?

1: _____ 8: _____ 9: _____ 6: _____

c) Arrondis ce nombre

1. à la dizaine près: _____ 2. au centième près: _____

3. au millième près: _____ 4. à l'unité près: _____

2. Place sur la droite numérique les nombres 4,5; 5,2; 6,45; 4,72.

```
|————————————|————————————|————————————————→
4            5            6
```

3. Complète le tableau suivant.

Nombre décimal	Fraction	Pourcentage
0,54	$\frac{27}{50}$	
	$\frac{3}{5}$	
	$\frac{1}{40}$	2,5 %
0,08	$\frac{2}{25}$	
	$\frac{7}{8}$	
	$\frac{3}{25}$	12 %
0,045	$\frac{9}{200}$	
	$\frac{1}{16}$	
	$\frac{5}{4}$	125 %

4. Écris les nombres suivants par ordre croissant.

a) 0,8; $\frac{2}{3}$; 0,6; $\frac{1}{2}$; $\frac{7}{8}$: _____

b) 1,2; $\frac{9}{5}$; 0,7; $\frac{3}{4}$; 0,685: _____

c) 23 %; 0,19; $\frac{3}{5}$; 0,2; 17,5 %; $\frac{1}{4}$: _____

d) 0,43; $\frac{1}{8}$; 30 %; $\frac{2}{5}$; 22,5 %: _____

5. Effectue les chaînes d'opérations suivantes.

  a) $3,2 + 4,5 \times 0,3$ _____
  b) $(5,8 - 2,84) \times 1,2$ _____
  c) $1,9 \times 4,2 \div 0,16$ _____

  d) $4,32 + 17,2 \times (4,5 - 3,48)$ _____
  e) $1,78 \div 0,02 \times (4,2 + 1,8)$ _____

6. Trouve la valeur de x dans chacun des cas suivants.

  a) $x + 5,18 = 6,4$
  b) $7,8 \times x = 27,3$
  c) $6,4 - x = 2,38$

  d) $x \div 4,2 = 12,936$
  e) $0,164 \div x = 0,05$
  f) $x - 7,18 = 2,3$

7. Trouve la valeur de chacune des expressions si $a = 0,48$; $b = 0,2$; $c = 2,5$.

  a) $a + b \times c$ _____
  b) $(a - b) \times c$ _____
  c) $a \div b + c^2$ _____

  d) $a \times b + a \times c$ _____
  e) $a - b \div c$ _____
  f) $b^2 + a \div c$ _____

8. Valérie a gardé des enfants pendant les vacances d'été. La 1re semaine, elle a gagné 56,50 \$. La 2e semaine, elle a doublé ce montant. La 3e semaine, elle a gagné autant que les 2 premières semaines. Combien a-t-elle gagné d'argent en tout?

_____

_____

9. Cinq amis vont au restaurant. Trois d'entre eux commandent une pointe de pizza à 3,45 \$ la pointe et deux autres commandent du spaghetti à 5,25 \$ le plat. Quel sera le montant total de la facture?

_____

_____

10. Dans un collège, il y a 250 élèves, dont 75 filles. Quel est le pourcentage de garçons?

_____

11. Sur 60 élèves finissants d'une école secondaire, 40 % ont choisi de faire des sciences, 15 % ont choisi d'aller en commerce, 25 % ont choisi les arts, et le reste ont choisi une autre carrière. Combien d'élèves sont allés:

  a) en sciences? _____
  b) en commerce? _____
  c) en arts? _____

12. Marilyn a acheté 2 paires de bottes à 87,50 \$ chaque paire et 3 paquets de chaussettes à 14,95 \$ le paquet. Si elle obtient un rabais de 30 % sur ces articles et que la taxe sur les ventes est de 15 %, quel montant total devra-t-elle payé?

_____

13. Roger et Monique vont au restaurant. La facture s'élève à 36,50 \$. Si la taxe est de 15 % et qu'un pourboire de 10 % doit être ajouté sur le montant total de la facture, quel montant d'argent recevront-ils s'ils donnent un billet de 50 \$?

_____

Chapitre 5

Droites et angles

DÉFI 5

1 Reproduire un triangle

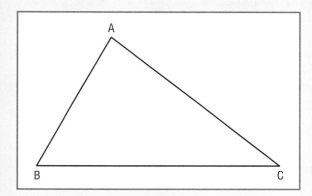

a) Utilise un compas et une règle non graduée pour reproduire exactement le triangle ABC.

b) Utilise les instruments de géométrie nécessaires pour compléter le tableau ci-contre qui donne la mesure de chaque angle et de chaque côté du triangle ABC.

	Mesure
Angle A	
Angle B	
Angle C	
Côté AB	
Côté BC	
Côté AC	

2 Reproduire un quadrilatère

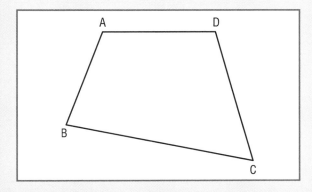

Utilise une règle graduée et un rapporteur d'angle pour reproduire exactement le quadrilatère ABCD.

3 Droites et positions

a) Lorsqu'on trace deux droites dans un plan, on distingue 3 situations possibles. Représente et décris chaque situation. Laquelle des 3 situations observe-t-on le plus souvent?

	Situation 1	Situation 2	Situation 3
Figure			
Description			

b) Lorsqu'on trace trois droites dans un plan, on distingue différentes situations. Représente et décris chaque situation. Laquelle des situations observe-t-on le plus souvent?

Figure				
Description				

4 Un nombre calculable de droites

a) Combien de droites peut-on faire passer par 2 points distincts? _____

b) Combien de droites peut-on faire passer par 2 points choisis parmi:

1. 3 points distincts. _____

2. 4 points distincts. _____

3. 5 points distincts. _____

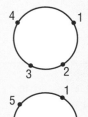

5.1 Droites et segments

Activité 1 — Droite – Segment – Distance

a) Combien de droites passent par 2 points A et B distincts? _____

b) Sous quelle condition une droite passe-t-elle par 3 points distincts? _____

c) 1. Quelle figure géométrique représente le plus court chemin entre les points A et B? •A

_____

2. Représente cette figure.

3. Calcule la distance entre les points A et B. _____
•B

ÉLÉMENTS DE BASE DE GÉOMÉTRIE

- Un **point** est une figure géométrique qui n'a pas de dimension.
  On désigne un point par une lettre majuscule.
  •A

- Une **droite** est une figure géométrique que l'on ne peut mesurer, car elle est illimitée dans les deux sens.

  On la note: droite d ou droite AB.

- Une **demi-droite** est une figure géométrique que l'on ne peut mesurer, car elle est illimitée dans un sens seulement.

  On la note: demi-droite AB.

  A est l'**origine** de la demi-droite AB.

- Un **segment**: Deux points A et B sur une droite déterminent un segment que l'on peut mesurer.

  On le note: $\overline{AB}$ ou segment AB.

  – A et B sont appelés les **extrémités** du segment. La droite d est le **support** du segment.
  – La longueur du segment AB se note $m\overline{AB}$. On a: $m\overline{AB} = 2,6$ cm.

- On appelle **distance** entre 2 points la longueur du segment qui joint ces 2 points.
  La distance entre les points A et B est donc égale à 2,6 cm.

---

1. On considère les points suivants. Trace :

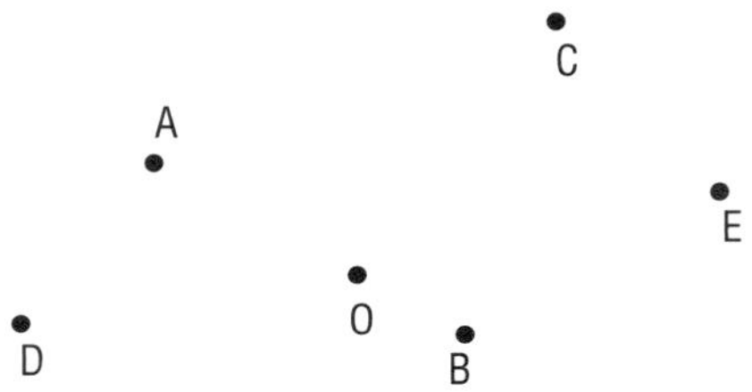

   a) la droite DC ;

   b) la demi-droite OA ;

   c) le segment BE.

2. On considère la figure ci-contre.

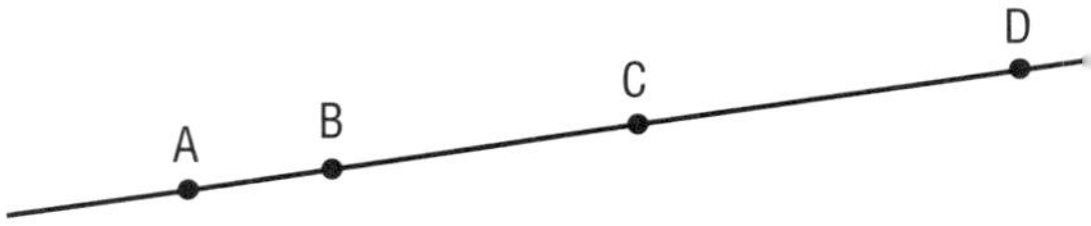

   a) Nomme tous les segments de cette figure.

      _____

   b) Trace en rouge la demi-droite CB et en bleu la demi-droite BC.

   c) Comment appelle-t-on la partie commune aux demi-droites BC et CB ?_____

      Nomme cette partie commune. _____

3. Complète les phrases suivantes en tenant compte de la figure ci-contre.

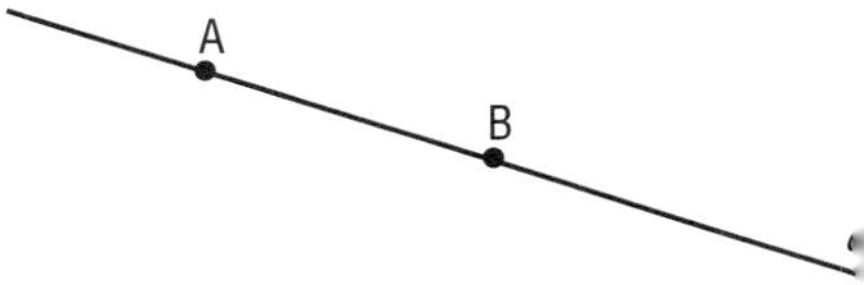

   a) Les points A et B sont _____ du segment AB.

   b) Le point A est _____ de la demi-droite AB.

   c) la droite *d* est _____ du segment AB.

   d) La mesure du segment AB est : _____

4. Les droites AB et CD ci-contre se rencontrent en un point O.

   a) Nomme toutes les demi-droites d'origine O et leur support.

      _____

      _____

      _____

      _____

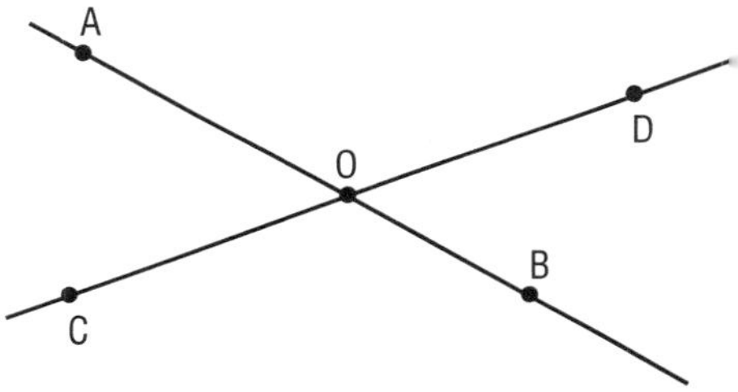

   b) Que peux-tu dire :

      1. des droites AO et AB ? _____

      2. des demi-droites AO et AB ? _____

      3. des demi-droites OA et OB ? _____

      4. des segments AB et BA ? _____

5. Sachant que le segment AB mesure 2 cm, calcule, en utilisant le compas, la mesure du segment CD.

_____

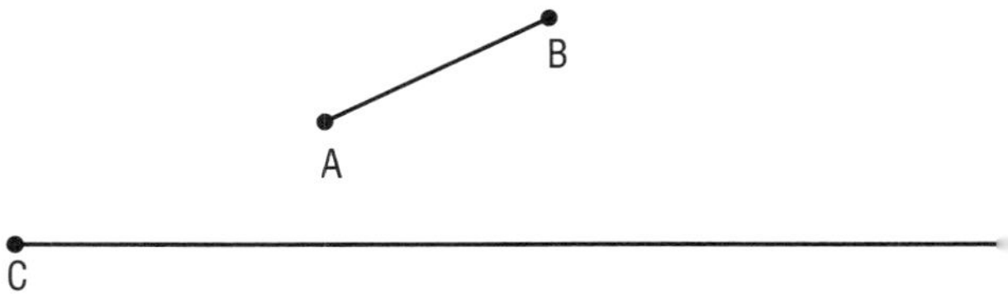

Activité 2 Segments congrus

a) Trace un segment CD ayant la même mesure que le segment AB.

b) Situe sur le segment AB le point M tel que m$\overline{MA}$ = m$\overline{MB}$.

Comment appelle-t-on le point M? _____

SEGMENTS CONGRUS

- Deux segments AB et CD sont congrus s'ils ont la même mesure.

  On note: $\overline{AB} \cong \overline{CD}$

  On a: m$\overline{AB}$ = m$\overline{CD}$

- Le point M qui partage un segment en deux segments congrus est appelé milieu du segment AB.

> Si M est le milieu du segment AB alors on a: m$\overline{AM}$ = m$\overline{MB}$ ou m$\overline{AB}$ = 2 × m$\overline{AM}$.

6. On considère la figure ci-contre.

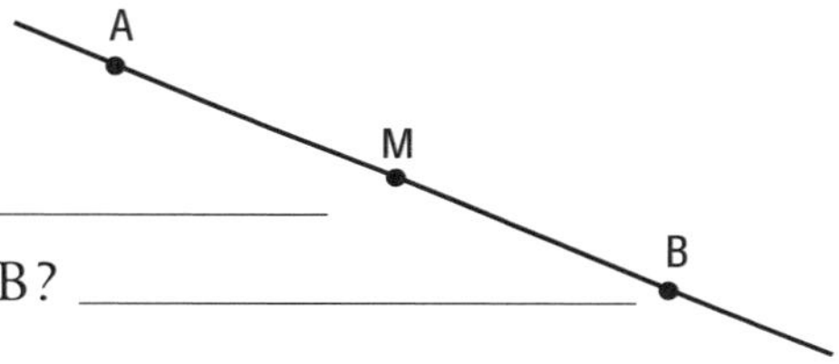

a) Que peux-tu dire des segments AM et MB?

_____

b) Que peux-tu dire des mesures des segments AM et MB? _____

c) Que représente le point M pour le segment AB? _____

d) Complète par le symbole qui convient.

1. $\overline{MA}$ _____ $\overline{MB}$
2. m$\overline{MA}$ _____ m$\overline{MB}$

7. **a)** Trace une droite d et place deux points A et B sur cette droite.

b) Place sur la demi-droite BA un point C tel que m$\overline{BC}$ = 2 × m$\overline{BA}$.

c) Que représente le point A pour le segment BC? _____

8. **a)** Trace deux demi-droites AB et AC de même origine et n'ayant pas le même support, telles que m$\overline{AB}$ = 4 cm et m$\overline{AC}$ = 3 cm.

b) Place le point M milieu du segment AB et le point N milieu du segment AC.

c) Trace les segments MN et BC et compare leur mesure.

_____

9. a) Trace deux segments AB et CD n'ayant pas le même support et ayant le même milieu 0.

b) Compare les segments AD et BC.

_____

c) Compare les segments AC et BD.

_____

10. a) Trace deux segments congrus OA et OB n'ayant pas le même support.

b) Trace le segment OM où M désigne le milieu du segment AB.

c) Place au hasard un point P sur le segment OM puis compare les segments PA et PB.

_____

✲11. a) Trace un segment AB et place son milieu M.

b) 1. Place sur la demi-droite MA le point C de façon que A soit le milieu du segment CM.
   2. Place sur la demi-droite MB le point D de façon que B soit le milieu du segment MD.

c) Complète les étapes qui expliquent pourquoi le point M est le milieu du segment CD.

1. Puisque M est le milieu de $\overline{AB}$ alors $m\overline{AM}$ = _____

2. Si on multiplie chaque membre de l'égalité par 2 on obtient alors que $2 \times m\overline{AM}$ = _____

3. Puisque A est le milieu de $\overline{CM}$ alors $2 \times m\overline{AM}$ = _____

4. Puisque B est le milieu de $\overline{MD}$ alors $2 \times m\overline{MB}$ = _____

5. En comparant les égalités obtenues en 2, 3 et 4, on obtient donc que $m\overline{CM}$ = _____

6. Cette dernière égalité permet de conclure que _____

5.2 Angles

Activité 1 Création d'un angle

a) Trace deux demi-droites, AB et AC, ayant la même origine et n'ayant pas le même support.

b) Les deux demi-droites partagent le plan en deux régions appelées **angles**. Colorie d'une couleur différente chaque région.

ANGLE

- Un angle est la région du plan limité par deux demi-droites ayant la même origine. On le mesure en degrés.
  On le note : ∠AOB.
  O est le sommet de l'angle.
  Les demi-droites OA et OB sont les côtés de l'angle.

- La mesure d'un angle, en degrés, se note : m ∠AOB.

La lettre du centre désigne le sommet de l'angle.

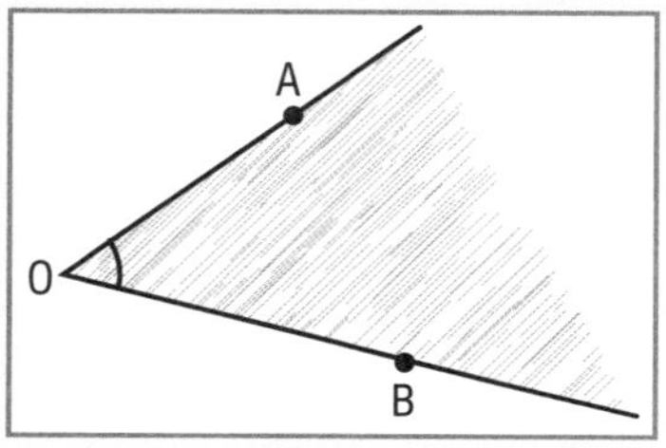

m ∠AOB = 50°

CLASSIFICATION DES ANGLES

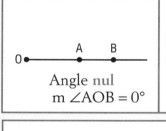

Angle **nul**
m ∠AOB = 0°

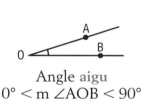

Angle **aigu**
0° < m ∠AOB < 90°

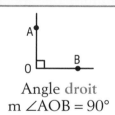

Angle **droit**
m ∠AOB = 90°

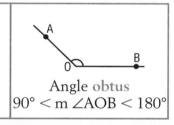

Angle **obtus**
90° < m ∠AOB < 180°

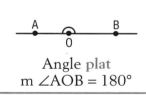

Angle **plat**
m ∠AOB = 180°

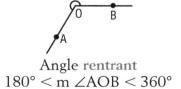

Angle **rentrant**
180° < m ∠AOB < 360°

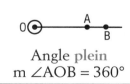

Angle **plein**
m ∠AOB = 360°

---

1. **a)** À l'aide de trois lettres, écris de 8 façons différentes l'angle ci-contre.

_____

b) Quel est son sommet ? _____

c) Quels sont ses côtés ? _____

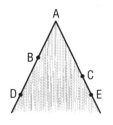

2. Nomme chacun des angles ci-contre à l'aide de trois lettres.

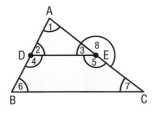

a) ∠1 _____

b) ∠2 _____

c) ∠3 _____

d) ∠4 _____

e) ∠5 _____

f) ∠6 _____

g) ∠7 _____

h) ∠8 _____

3. Nomme et indique la mesure des angles :

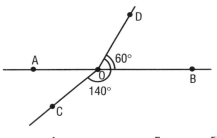

a) obtus. _____

b) aigus. _____

c) rentrants. _____

_____

4. On considère la figure ci-contre.

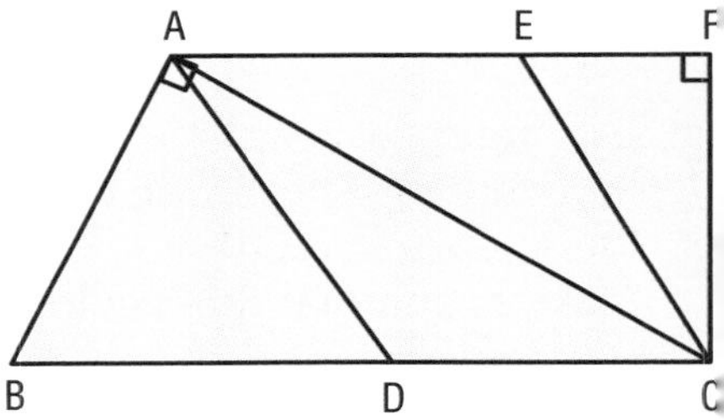

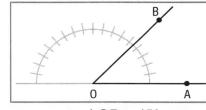

a) Nomme un angle :

1. aigu. _____ 2. obtus _____ 3. droit. _____

4. plat. _____ 5. nul. _____

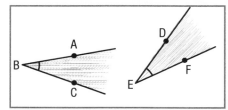

b) Pour chacun des angles suivants, indique son type (aigu, obtus, ...).

1. ∠ABC : _____ 2. ∠ADC : _____ 3. ∠BAC : _____

4. ∠BDC : _____ 5. ∠DAC : _____ 6. ∠DBC : _____

MESURE D'UN ANGLE

- Pour mesurer un angle, on utilise un **rapporteur**.
  Pour un angle dont la mesure est inférieure à 180°, on procède de la façon suivante.

  On place :
  – le centre du rapporteur sur le sommet de l'angle.
  – le zéro de la graduation sur un des côtés de l'angle.

  On lit la mesure de l'angle sur la graduation.

  m ∠AOB = 45°

- Deux angles sont **congrus** s'ils ont la même mesure.
  Les angles ABC et DEF ci-contre mesurent chacun 30°.
  Ils sont donc congrus.

  On note : ∠ABC ≅ ∠DEF.

  On a : m ∠ABC = m ∠DEF

---

5. Détermine la mesure de chacun des angles suivants.

a)

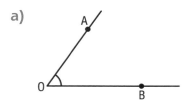

b)

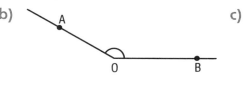

c)

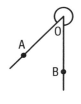

_____ _____ _____

6. On considère le triangle ABC ci-contre.

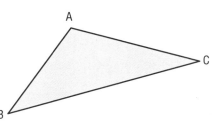

   a) Détermine la mesure des angles suivants au degré près.

     m ∠A = _____   m ∠B = _____   m ∠C = _____

   b) Vérifie que

     m ∠A + m ∠B + m ∠C = 180°.

7. Sans utiliser de rapporteur, détermine la mesure des angles 1, 2 et 3.

   a)

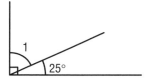

   b)

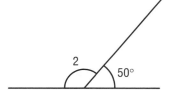

   c)

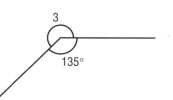

_____   _____   _____

CONSTRUCTION D'UN ANGLE

Pour construire un angle AOB dont la mesure est 60°, on procède de la façon suivante:

– On trace la demi-droite OA.

– On place:
   le centre du rapporteur sur le sommet O.
   le zéro de la graduation sur le côté OA.

– On place le point B à la graduation 60°.

– On trace la demi-droite OB.

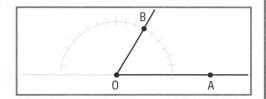

---

8. Construis les angles dont les mesures sont données.

   a) m ∠AOB = 60°   **b)** m ∠ABC = 120°   **c)** m ∠CDE = 30°

   d) m ∠DEF = 45°   **e)** m ∠FGH = 210°   **f)** m ∠HIJ = 72°

9. Construis un angle AOB mesurant 80°.

Place un point C à l'intérieur de l'angle AOB tel que m ∠AOC = 40°.

Que peux-tu dire des angles AOC et BOC?

_____

10. On considère la demi-droite OA.

   a) Combien existe-t-il d'angles de sommet O ayant pour côté OA et mesurant 40°? _____

   b) Construis-les.

11. **a)** Construis un angle droit AOB de façon à ce que l'angle OAB mesure 30°.

   b) Vérifie que l'angle OBA mesure 60°.

12. Estime à 10° près, la mesure de chaque angle.

   a) ∠1 _____   **b)** ∠2 _____

   c) ∠3 _____   **d)** ∠4 _____

   e) ∠5 _____   **f)** ∠6 _____

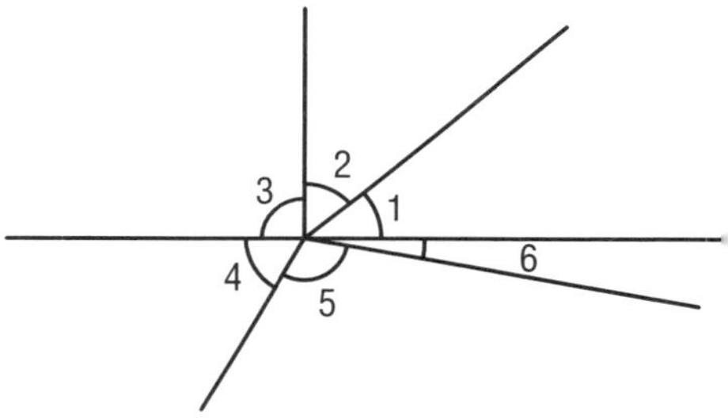

13. Le diagramme à secteurs ci-contre indique la répartition des élèves d'une école selon leur moyen de locomotion pour se rendre à l'école.

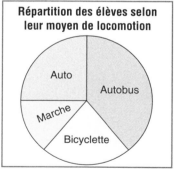

Répartition des élèves selon leur moyen de locomotion

   a) Calcule l'angle qui correspond à chaque secteur

   Autobus: _____   Bicyclette: _____

   Marche: _____   Auto: _____

   b) Vérifie que la somme des angles est égale à 360°.

   c) Que peux-tu dire de l'angle du secteur représentant les élèves qui prennent l'autobus et de l'angle formé par les secteurs représentant les élèves qui marchent ou qui prennent l'auto?

_____

5.3 Relations entre deux droites

Activité 1 Position de deux droites

Décris, dans chaque situation, la relation que tu observes entre les deux droites AB et CD.

a)

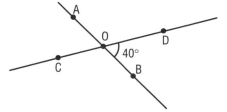

_____

b)

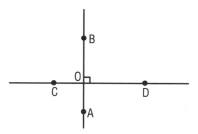

_____

c)

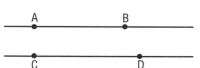

_____

d)

_____

POSITION DE DEUX DROITES

- **Droites sécantes:** Droites qui ont un seul point commun.

  Cas particulier: droites perpendiculaires

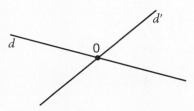

d et *d'* se coupant au point 0.

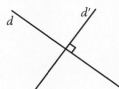

On note:
$d \perp d'$.

Droites sécantes formant entre elles un angle droit.

- **Droites parallèles:** Droites qui ne sont pas sécantes.
  On distingue:
  – Droites parallèles distinctes   – Droites parallèles confondues

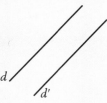

On note:
$d // d'$.

Droites n'ayant aucun point commun.

1. On considère la figure suivante. Quelle est la position des droites:

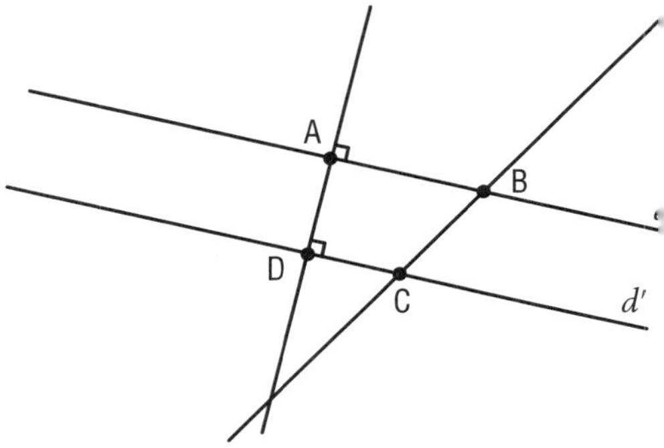

a) AB et DC? _____

b) AD et DC? _____

c) BC et AD? _____

2. Complète les phrases suivantes:

a) Deux droites qui ont un seul point commun sont appelées droites _____

b) Deux droites sont parallèles distinctes si _____

c) Deux droites qui se coupent en un point et qui déterminent des angles droits sont

_____

3. Dans la figure ci-contre, les droites d et d' sont parallèles.

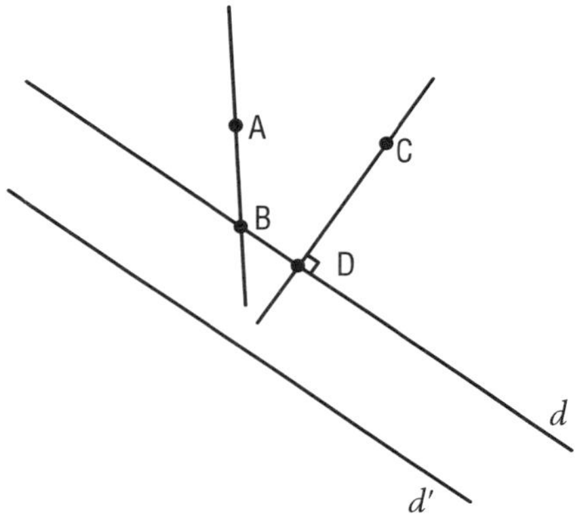

a) La droite AB est sécante à la droite d.
Que peux-tu dire de la position des droites AB et d'?

_____

b) La droite CD est perpendiculaire à la droite d.
Que peux-tu dire de la position des droites CD et d'?

_____

c) Complète les phrases suivantes:

1. Si deux droites sont parallèles, toute droite sécante à l'une est _____ l'autre.

2. Si deux droites sont parallèles, toute droite perpendiculaire à l'une est _____ à l'autre.

3. Si deux droites sont parallèles à une même droite, ces deux droites sont _____ entre elles.

4. Si deux droites parallèles ont un point en commun, ces deux droites sont _____

4. On considère la droite d ci-contre et le point A n'appartenant pas à d.

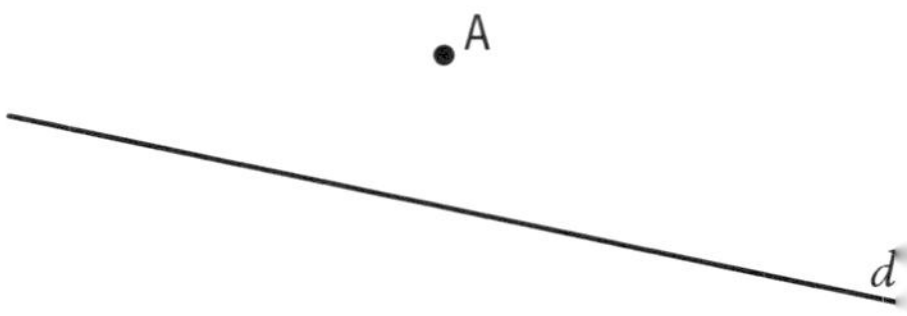

a) Combien y a-t-il de droites passant par le point A?

_____

b) Combien y a-t-il de droites passant par le point A et qui sont parallèles à la droite d?

_____

c) Combien y a-t-il de droites passant par le point A et qui sont perpendiculaires à la droite d?

_____

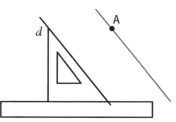 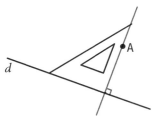
5. Construis la droite *d'* parallèle à la droite *d* et passant par le point A.

a)

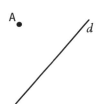

b)

c)

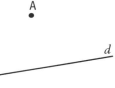

6. Construis la droite *d'* perpendiculaire à la droite *d* et passant par le point A.

a)

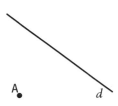

b)

c)

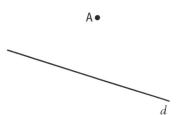

7. Soit trois points A, B et C non alignés.

a) Trace la droite *d* passant par C et parallèle à la droite AB.

b) Trace la droite *d'* passant par B et perpendiculaire à la droite AC.

c) Quelle est la position des droites *d* et *d'* ?

_____

Activité 2 Segments parallèles – Segments perpendiculaires

a) 1. Trace deux segments AB et CD de façon à ce que leurs supports soient des droites parallèles.

2. Les segments AB et CD ont-ils un point commun? ___

b) Trace deux segments AB et CD ayant leurs supports perpendiculaires, tels que les segments AB et CD aient un point commun.

c) Trace deux segments AB et CD ayant leurs supports perpendiculaires et n'ayant aucun point commun.

SEGMENTS PARALLÈLES – SEGMENTS PERPENDICULAIRES

- Deux segments sont parallèles si leur support sont parallèles.
- Deux segments sont perpendiculaires si leur support sont perpendiculaires.
  Dans la figure ci-contre on a:
  $\overline{AD}$ // $\overline{BC}$ et $\overline{AB} \perp \overline{CD}$.

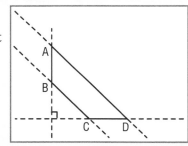

---

8. Nomme pour chacune des figures suivantes, une paire de segments parallèles et une paire de segments perpendiculaires.

a)

b)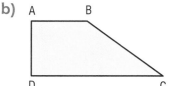

c)

d)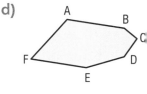

_____   _____   _____   _____

_____   _____   _____   _____

9. **a)** Complète par le symbole // ou ⊥ qui convient. Utilise le symbole ⫫ pour indiquer que les segments ne sont pas parallèles.

1. $\overline{GF}$ _____ $\overline{HC}$ 2. $\overline{AG}$ _____ $\overline{GF}$

3. $\overline{AG}$ _____ $\overline{AF}$ 4. $\overline{DE}$ _____ $\overline{AB}$

5. $\overline{CD}$ _____ $\overline{EF}$ 6. $\overline{HC}$ _____ $\overline{GF}$

b) Identifie un segment parallèle au segment donné.

1. $\overline{FC}$ _____   2. $\overline{AF}$ _____

c) Identifie un segment perpendiculaire au segment donné.

1. $\overline{DE}$ _____   2. $\overline{HC}$ _____

10. Détermine si chaque énoncé suivant est vrai ou faux.

a) Deux segments parallèles sont deux segments qui ont pour support des droites parallèles. ____

b) Deux segments qui n'ont pas de point commun sont parallèles. _____

c) Deux segments perpendiculaires ont nécessairement un point commun. _____

11. **a)** À partir du point A, trace la droite d_1 perpendiculaire à la droite d.

b) À partir du point B, trace la droite d_2 perpendiculaire à la droite d.

c) Que peut-on dire au sujet des droites d_1 et d_2? _____
_____

d) Complète la proposition suivante:
Deux droites perpendiculaires à une même droite sont _____.

e) Complète par les symboles qui conviennent la proposition précédente.
Si d_1 ____ d et d_2 ____ d alors d_1 ____ d_2

12. Les droites d_1 et d_2 ci-contre sont parallèles.

a) Trace une droite d perpendiculaire à la droite d_1.

b) Quelle relation observes-tu entre les droites d et d_2? _____
_____

c) 1. Complète la proposition suivante:
Si deux droites sont parallèles, alors toute perpendiculaire à l'une est _____ à l'autre.

2. Complète par les symboles qui conviennent la proposition précédente.
Si d_1 ____ d_2 et d ____ d_1, alors d ____ d_2

Activité 3 Distance d'un point à une droite

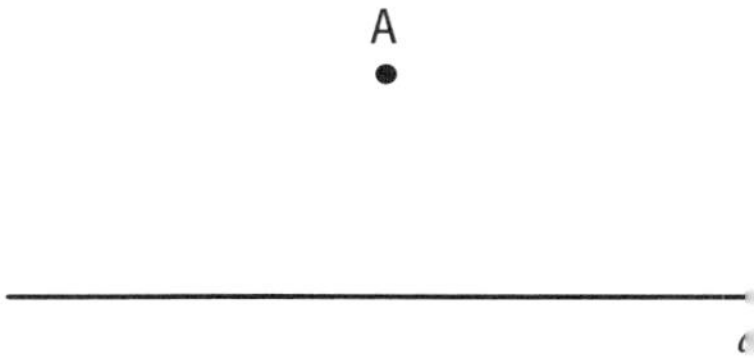

a) Trace la droite passant par A et perpendiculaire à la droite *d* et désigne par H le point d'intersection des deux droites.

A

b) Place un point M au hasard sur la droite *d* et compare les mesures des segments AH et AM.

_____

d

c) De tous les points situés sur la droite *d*, quel est celui qui est le plus proche du point A? _____

DISTANCE D'UN POINT À UNE DROITE

- On appelle distance d'un point A à une droite *d*, la longueur du segment AH issu du point A et perpendiculaire à la droite *d*.

- Si M est un point de la droite *d* distinct de H alors : $m\overline{AM} > m\overline{AH}$.

  Dans la figure ci-contre on a : $\overline{AH} \perp d$ et $m\overline{AH} = 2$ cm.

  La distance du point A à la droite *d* est donc égale à 2 cm.

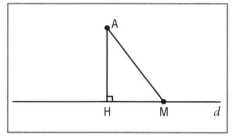

---

13. On considère l'angle AOB ci-contre.

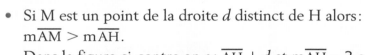

    a) Calcule la distance du point P à chaque côté de l'angle.

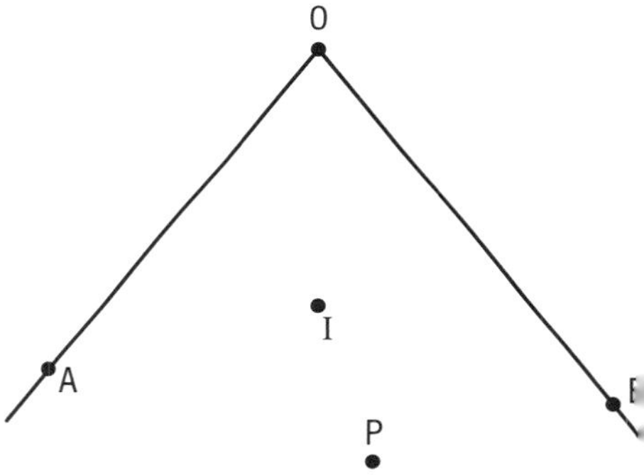

        _____

        _____

    b) Vérifie que le point I est situé à égale distance des 2 côtés de l'angle AOB.

    c) Trace la demi-droite OI
       1. Vérifie que la demi-droite de OI partage l'angle AOB en 2 angles IOA et IOB congrus.
       2. Vérifie que tout point M sur la demi-droite OI est situé à égale distance des 2 côtés de l'angle AOB.

14. **a)** Considère les deux droites sécantes *d* et *d'*. Place au hasard 2 points A et B sur la droite *d* et vérifie que la distance, du point A à la droite *d'* n'est pas égale à la distance du point B à la droite *d'*.

    b) Quelle doit être la position des droites *d* et *d'* pour que la distance de A à *d'* soit égale à la distance de B à *d'*.

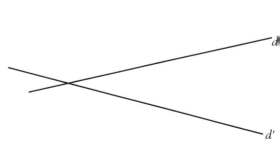

Activité 4 La médiatrice d'un segment

a) Trace la droite d qui passe par le milieu I du segment AB et qui est perpendiculaire à ce segment. La droite d est appelée médiatrice du segment $\overline{AB}$.

b) Place un point M sur la médiatrice. Le point M est-il situé à égale distance des extrémités A et B du segment AB ? _____

c) Place un point P au hasard qui ne soit pas sur la médiatrice. Le point P est-il situé à égale distance des extrémités A et B du segment AB ? _____

MÉDIATRICE D'UN SEGMENT

- La **médiatrice** d'un segment est la droite perpendiculaire au segment et qui passe par le milieu du segment.

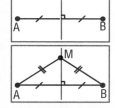

- **Propriété caractéristique de la médiatrice :**
  La médiatrice d'un segment est l'ensemble des points du plan situés à **égale** distance des extrémités du segment.

CONSTRUCTION DE LA MÉDIATRICE D'UN SEGMENT

1 On trace 2 arcs de même rayon ayant comme centre les points A et B. (Le rayon doit être supérieur à la moitié de la mesure du segment AB pour que les arcs puissent se couper).	2 On trace la médiatrice qui passe par les points C et D.
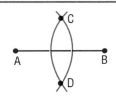	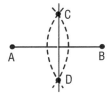

5. Soit d la médiatrice d'un segment AB. Complète par le symbole = ou ≠ qui convient.

   a) Si M ∈ d alors m$\overline{MA}$ _____ m$\overline{MB}$.
        b) Si M ∉ d alors m$\overline{MA}$ _____ m$\overline{MB}$.

6. Trace la médiatrice des segments suivants.

  a)   **b)**   **c)**

7. Considère le point A et la droite d ci-contre. Place le point B de façon à ce que la droite d soit la médiatrice du segment AB. Explique ta procédure.

_____

_____

5.4 Relations entre deux angles

Angles adjacents

Décris, dans chaque situation, la relation observée entre les angles AOB et COD.

a)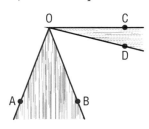

b)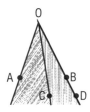

c)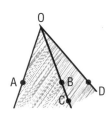

_____ _____ _____

ANGLES ADJACENTS

- Deux angles sont **adjacents** s'ils ont le même sommet, un côté commun et s'ils sont situés de part et d'autre du côté commun.

  Dans la figure ci-contre :
  - les angles AOB et BOC sont adjacents.
  - les angles AOC et BOC ne sont pas adjacents.

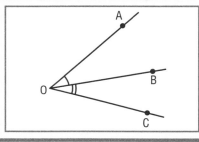

1. Pour chacune des figures suivantes, explique pourquoi les angles ne sont pas adjacents.

a)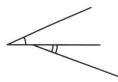

b)

c)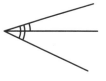

_____ _____ _____
_____ _____ _____
_____ _____ _____

2. On considère la figure ci-contre.
Nomme tous les angles aigus adjacents à l'angle AOB.

_____

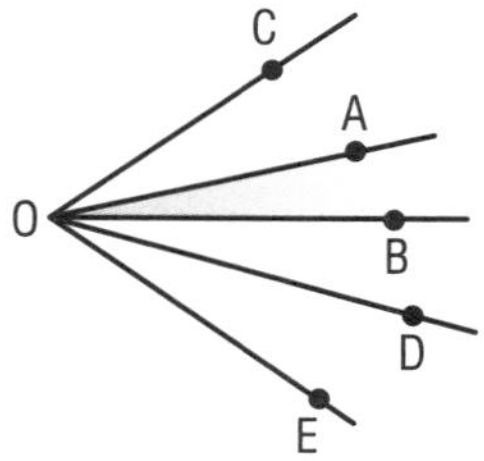

3. On considère l'angle AOB ci-contre.

Trace un angle AOC adjacent à l'angle AOB.

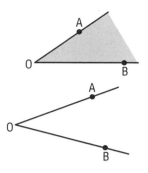

4. On considère l'angle AOB ci-contre.

Place à l'intérieur de l'angle AOB un point C de manière à ce que les angles AOC et BOC soient adjacents et congrus.

Activité 2 Bissectrice d'un angle

L'angle AOB ci-contre mesure 60°.

a) Trace la demi-droite OC qui partage l'angle AOB en 2 angles aigus adjacents et congrus AOC et BOC.

La demi-droite OC est appelée bissectrice de l'angle AOB.

b) Place un point M au hasard sur la bissectrice. Le point M est-il situé à égale distance des côtés OA et OB de l'angle AOB?_____

c) Place un point P au hasard qui ne soit pas situé sur la bissectrice. Le point P est-il situé à égale distance des côtés OA et OB de l'angle AOB?_____

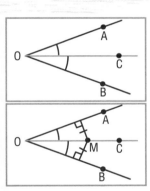

BISSECTRICE D'UN ANGLE

- La bissectrice d'un angle est la demi-droite issue du sommet qui partage l'angle en 2 angles adjacents et congrus.

- Propriété caractéristique de la bissectrice
  La bissectrice est l'ensemble des points du plan situés à égale distance des côtés de l'angle.

CONSTRUCTION DE LA BISSECTRICE D'UN ANGLE

1 On trace un arc de cercle de centre O qui coupe les côtés de l'angle aux points C et D.	2 On trace 2 arcs de même rayon et de centres C et D. Ces arcs se coupent en un point I.	3 On trace la demi-droite OI qui est bissectrice de l'angle AOB.
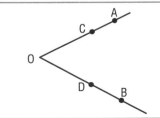	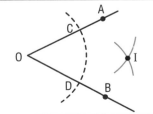	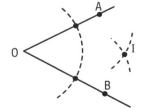

5. Trace la bissectrice des angles suivants.

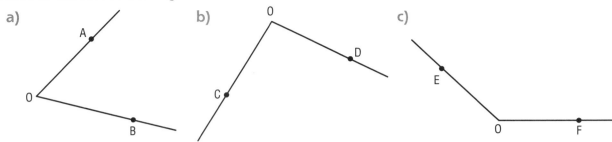

a)   b)   c)

6. Soit OC la bissectrice d'un angle AOB. Complète les propositions suivantes.

a) Si M est un point de la bissectrice, alors la distance du point M au côté OA est _____ à la distance du point M au côté OB.

b) Si M est un point du plan situé à égale distance des côtés de l'angle, alors
_____

Activité 3 Angles opposés par le sommet

Décris, dans chaque situation, les angles AOB et COD puis compare leurs mesures.

a)

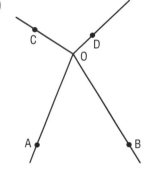

b)

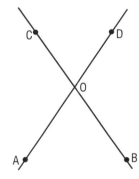

_____   _____

ANGLES OPPOSÉS PAR LE SOMMET

- Deux droites sécantes déterminent deux paires d'angles non adjacents qui sont opposés par le sommet.
  Ci-contre les angles AOB et COD sont opposés par le sommet.
  De même que les angles AOD et BOC sont opposés par le sommet.

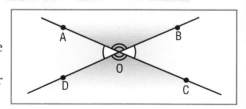

- Deux angles opposés par le sommet sont congrus. $\angle AOB \cong \angle COD$; $\angle AOD \cong \angle BOC$

7. On considère la figure ci-contre.
Nomme les paires d'angles opposés par le sommet.

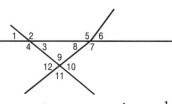

_____

8. Dans chacun des cas suivants, explique pourquoi les angles 1 et 2 ne sont pas opposés par le sommet.

a)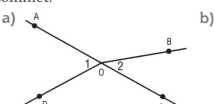

b)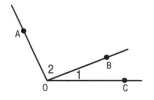

c)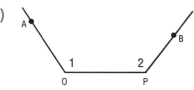

_____   _____   _____

_____   _____   _____

Activité 4 **Angles complémentaires – Angles supplémentaires**

a) Dans laquelle des deux situations suivantes, la somme des mesures des angles ABC et DEF est-elle égale à 90° ?

1.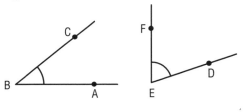

2.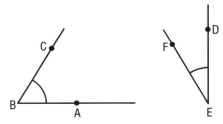

_____   _____

b) Dans laquelle des deux situations suivantes, la somme des mesures des angles ABC et DEF est-elle égale à 180° ?

1.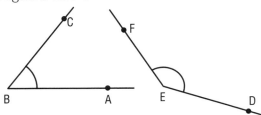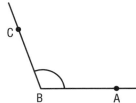

2.

_____   _____

ANGLES COMPLÉMENTAIRES ET ANGLES SUPPLÉMENTAIRES

- Deux angles sont **complémentaires** si la somme de leur mesure est 90°.
- Deux angles sont **supplémentaires** si la somme de leur mesure est 180°.

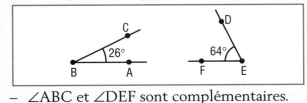

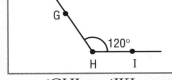

– ∠ABC et ∠DEF sont complémentaires.   – ∠GHI et ∠JKL sont supplémentaires.

9.
a) Trace 2 angles AOB et BOC adjacents et complémentaires.

b) Trace 2 angles AOB et BOC adjacents et supplémentaires.

10. L'angle AOB mesure 36°. Trouve la mesure d'un angle :

a) complémentaire à ∠AOB. _____

b) supplémentaire à ∠AOB. _____

c) congru à ∠AOB _____

d) opposé par le sommet à ∠AOB. _____

11. Quelle est la mesure d'un angle qui est congru à son

a) complément? _____

b) supplément? _____

12. Détermine dans chacun des cas suivants la mesure des angles indiqués.

a)

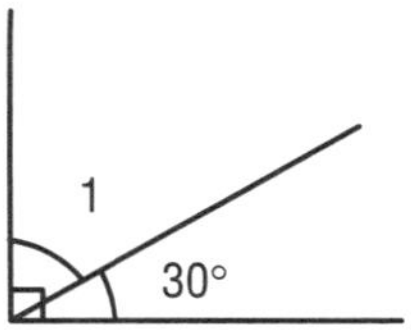

1
30°

_____

b)

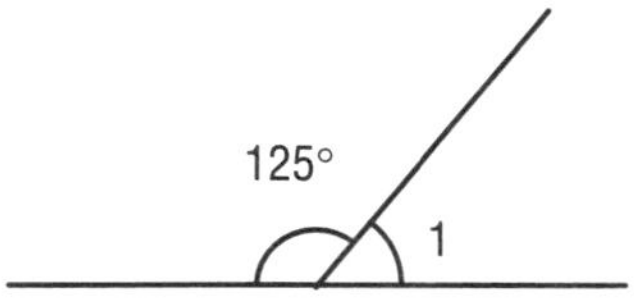

125°
1

_____

c)

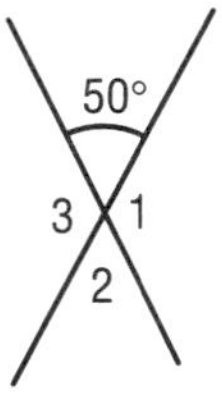

50°
3 1
2

_____

13. Détermine avec précision la relation qui lie chaque paire d'angles dans la figure ci-contre.

a) ∠2 et ∠3 _____

b) ∠1 et ∠2 _____

c) ∠5 et ∠6 _____

d) ∠1 et ∠5 _____

e) ∠1 et ∠6 _____

f) ∠3 et ∠4 _____

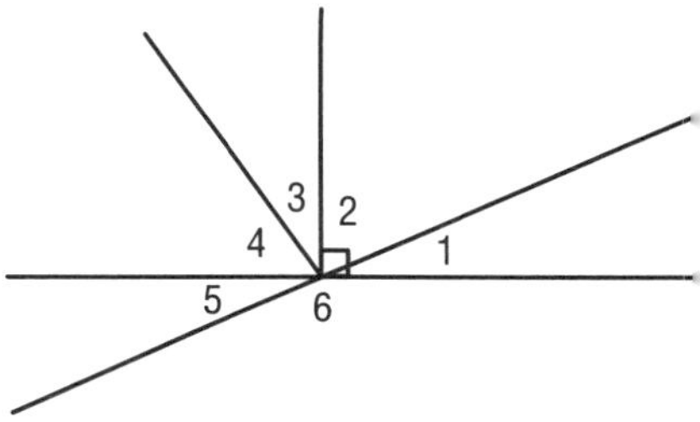

3 2
4   1
5 6

14. Dans la figure ci-contre, l'angle AOB mesure 30°. Sans utiliser le rapporteur, déduis la mesure de chacun des angles suivants en justifiant ta réponse.

a) m ∠DOE _____

_____

b) m ∠BOC

_____

c) m ∠BOD

_____

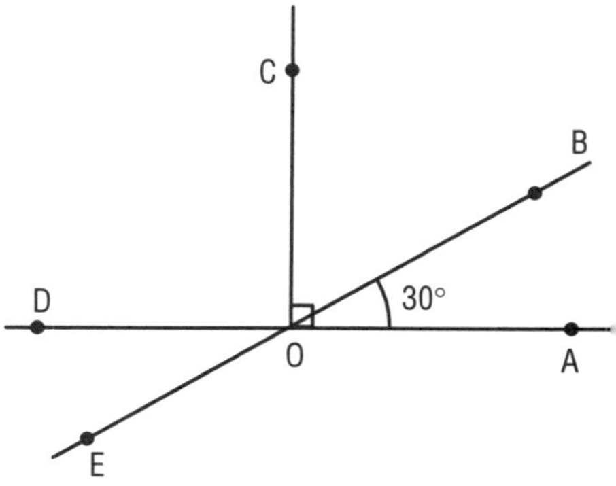

C
B
D   30°
O   A
E

Activité 5 Complémentaires d'angles congrus

Dans la figure ci-contre, les angles COB et COD mesurent 35°. L'angle AOC est droit et l'angle AOE est plat.

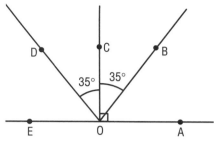

a) Justifie les étapes expliquant pourquoi les angles AOB et EOD sont congrus.

1. m ∠AOB = 55° _____

2. m ∠EOD = 55° _____

3. ∠AOB ≅ ∠EOD _____

b) Que peut-on dire au sujet des complémentaires de 2 angles congrus?

_____

Activité 6 Supplémentaires d'angles congrus

Dans la figure ci-contre, les angles AOB et AOD mesurent chacun 30° et l'angle AOC est plat.

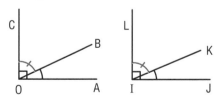

a) Explique pourquoi, sans utiliser de rapporteur, les angles BOC et DOC sont congrus.

1. _____

2. _____

3. _____

b) Que peut-on dire au sujet des supplémentaires de 2 angles congrus?

_____

COMPLÉMENTAIRES ET SUPPLÉMENTAIRES D'ANGLES CONGRUS

- Les **complémentaires** de 2 angles congrus sont **congrus**.

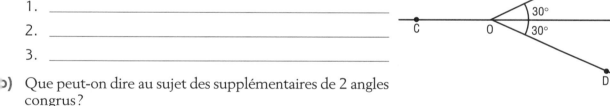

 – ∠BOC est le complémentaire de ∠AOB.
 – ∠KIL est le complémentaire de ∠JIK.
 – Si ∠AOB ≅ ∠JIK, alors ∠BOC ≅ ∠KIL.

- Les **supplémentaires** de 2 angles congrus sont congrus

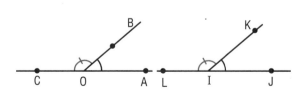

 – ∠BOC est le supplémentaire de ∠AOB.
 – ∠KIL est le supplémentaire de ∠JIK.
 – Si ∠AOB ≅ ∠JIK, alors ∠BOC ≅ ∠KIL.

15. Dans la figure ci-contre, les angles ABC et ADC sont droits et les angles 1 et 3 sont congrus. Explique pourquoi les angles 2 et 4 sont congrus.

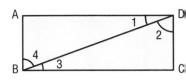

_____

_____

_____

16. Dans la figure ci-contre, les angles 1 et 3 sont congrus. Explique pourquoi les angles 2 et 4 sont congrus.

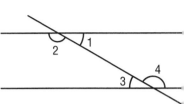

_____

_____

_____

17. Dans la figure ci-contre, OB est la bissectrice de ∠AOC. Sans utiliser de rapporteur, déduis la valeur des angles suivants en justifiant ta réponse.

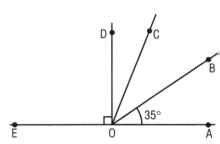

a) m ∠BOE _____

_____

b) m ∠DOC_____

_____

_____

Activité 7 Droites parallèles et sécantes

a) Dans la situation ci-contre, la droite d est sécante aux deux droites quelconques d_1 et d_2.

On distingue 2 régions:
la région interne située entre les droites d_1 et d_2 et la région externe.

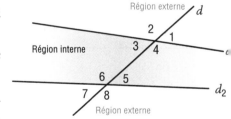

- Les angles 3 et 5, situés de part et d'autre de la sécante d dans la région interne, sont appelés alternes-internes.

    1. Trouve une autre paire d'angles alternes-internes. _____

- Les angles 1 et 7, situés de part et d'autre de la sécante d dans les régions externes, sont appelés alternes-externes.

    2. Trouve une autre paire d'angles alternes-externes. _____

- Les angles 1 et 5, situés d'un même côté de la sécante, l'un à l'extérieur et l'autre à l'intérieur, sont appelés correspondants.

    3. Trouve trois autres paires d'angles correspondants. _____

b) Dans la situation ci-contre, la droite d est sécante à deux droites d_1 et d_2 qui sont parallèles.

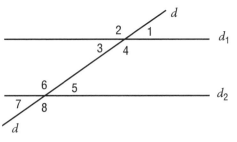

1. À l'aide du rapporteur, vérifie que les angles alternes-internes 3 et 5 sont congrus.

2. Explique pourquoi les angles alternes-internes 4 et 6 sont congrus.

_____

_____

3. Explique pourquoi les angles alternes-externes 1 et 7 sont congrus.

_____

_____

_____

4. Explique pourquoi les angles correspondants 1 et 5 sont congrus.

_____

_____

DROITES PARALLÈLES ET SÉCANTES

Lorsque deux droites parallèles sont coupées par une sécante :
- les angles alternes-internes sont congrus,
  $\angle 3 \cong \angle 5$ et $\angle 4 \cong \angle 6$;
- les angles alternes-externes sont congrus,
  $\angle 1 \cong \angle 7$ et $\angle 2 \cong \angle 8$;
- les angles correspondants sont congrus,
  $\angle 1 \cong \angle 5$; $\angle 2 \cong \angle 6$; $\angle 4 \cong \angle 8$; $\angle 3 \cong \angle 7$.

18. Dans la figure ci-contre on a : $d_1 \,/\!/\, d_2$ et $d_3 \,/\!/\, d_4$.
Détermine la relation qui lie chaque paire d'angles.

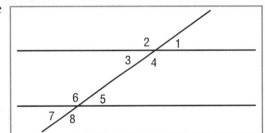

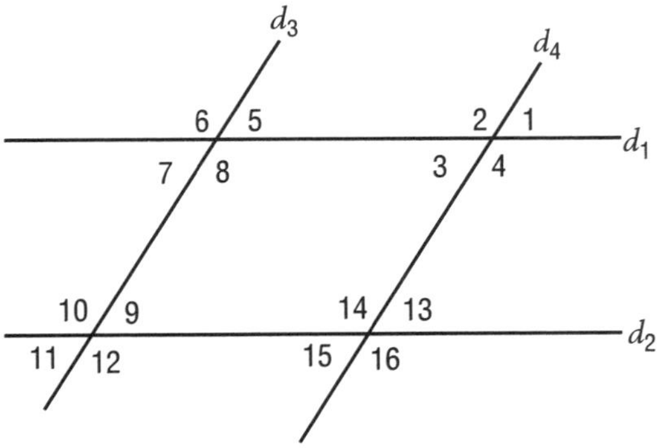

a) $\angle 5$ et $\angle 9$ sont _____

b) $\angle 1$ et $\angle 3$ sont _____

c) $\angle 13$ et $\angle 14$ sont _____

d) $\angle 6$ et $\angle 12$ sont _____

e) $\angle 8$ et $\angle 10$ sont _____

f) $\angle 2$ et $\angle 6$ sont _____

19. Les droites d_1 et d_2 sont parallèles. Déduis la valeur de x.

a)

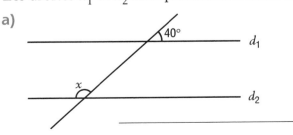

b)

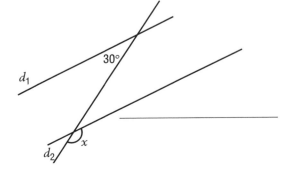

c)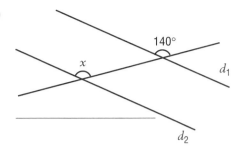

d)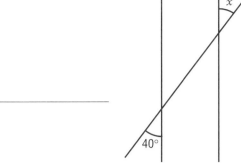

20. Les droites d_1 et d_2 sont parallèles. Trouve la valeur de x.

a)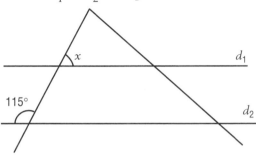

b)

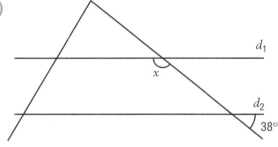

21. Les droites d_1 et d_2 sont parallèles. Trouve la mesure des angles 1 à 12.

_____

_____

_____

_____

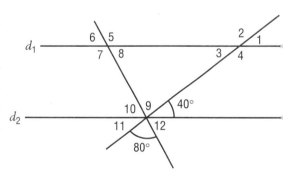

22. a) Dans la figure ci-contre, trace la droite DE passant par A et parallèle à la droite BC.

b) Justifie les étapes expliquant comment trouver la mesure de l'angle BAC.

Étapes	Justification
1. m ∠DAB = 50°	
2. m ∠EAC = 60°	
3. m ∠DAB + m ∠BAC + m ∠CDE = 180°	
4. m ∠BAC = 70°	

ÉVALUATION 5

1. On considère les points A, B, C et D suivants:

Trace:

a) la droite AB.

b) la demi-droite AC.

c) le segment CD.

d) la droite d_1 passant par C et parallèle à la droite AB.

e) la droite d_2 passant par D et perpendiculaire à la droite AB.

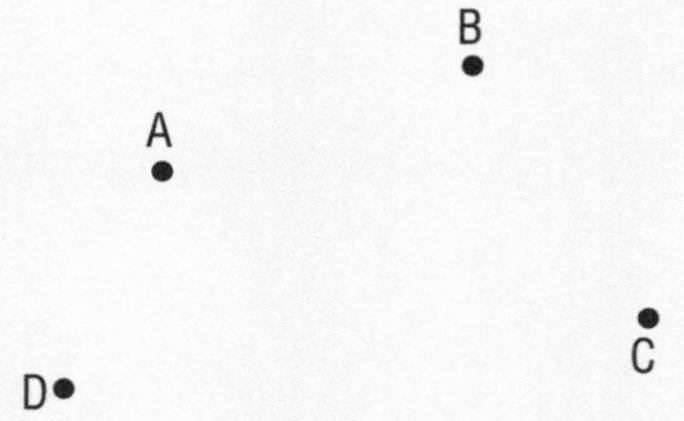

B •

A •

D •   • C

2. **a)** Construis deux segments congrus, AB et CD de même support, de manière à ce que les points A, B, C et D soient dans cet ordre.

b) Place le milieu M du segment $\overline{BC}$.

c) Que peux-tu dire des segments AM et MD?

_____

d) Que représente le point M pour le segment AD? _____

3. **a)** Trace deux segments AB et AC perpendiculaires.

b) Trace un segment BD perpendiculaire au segment AB et n'ayant pas le même support que le segment AC.

c) Quelle est la position des segments AC et BD?

_____

4. On considère trois droites d_1, d_2 et d_3. Complète chacune des propositions suivantes par le symbole // ou ⊥ qui convient.

a) si d_1 // d_2 et d_2 // d_3, alors d_1 ____ d_3.

b) si $d_1 \perp d_2$ et $d_2 \perp d_3$, alors d_1 ____ d_3.

c) si d_1 // d_2 et $d_1 \perp d_3$, alors d_2 ____ d_3.

d) si $d_1 \perp d_2$ et $d_2 \perp d_3$, alors d_1 ____ d_3.

5. On considère la figure ci-contre. Nomme:

a) deux droites parallèles. _____

b) deux droites perpendiculaires. _____

c) deux segments parallèles. _____

d) deux segments perpendiculaires. _____

e) deux angles adjacents et complémentaires. _____

f) deux angles adjacents et supplémentaires. _____

g) deux angles opposés par le sommet. _____

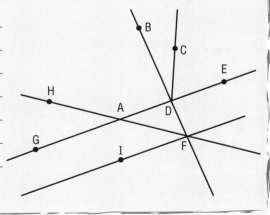

6. Soit d la droite ci-contre et soit A un point n'appartenant pas à d.

   a) Trace la droite d_1 passant par A et parallèle à d.

   b) Trace la droite d_2 passant par A et perpendiculaire à d.

7. Trace:

   a) deux angles AOB et BOC adjacents.

   b) deux angles AOB et COD opposés par sommet.

   c) deux angles AOB et BOC adjacents et complémentaires.

   d) deux angles AOB et BOC adjacents et supplémentaires.

8. Détermine la mesure des angles indiqués dans chacun des cas suivants sans utiliser rapporteur.

   a)

   b)

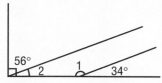

   c)

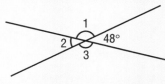

9. **a)** Trace la médiatrice du segment AB.

   b) Énonce:

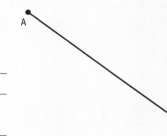

   1. la définition de la médiatrice.

   2. la propriété caractéristique de la médiatrice.

10. **a)** Trace la bissectrice de l'angle AOB.

   b) Énonce :

   1. la définition de la bissectrice.

   _____

   _____

   2. la propriété caractéristique de la bissectrice.

   _____

   _____

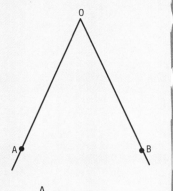

11. Explique pourquoi :

   a) ∠DBE = 60°.

   _____

   b) m ∠ACB = 50°.

   _____

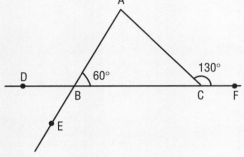

12. Dans la figure ci-contre, la demi-droite OB est la bissectrice de l'angle AOC. Sans utiliser de rapporteur, détermine la mesure de l'angle COD. Justifie ta réponse.

   _____

   _____

   _____

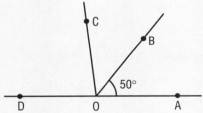

✶13. Dans la figure ci-contre l'angle AOB est plat.

   a) 1. Trace la demi-droite OD bissectrice de l'angle AOC.

   2. Trace la demi-droite OE bissectrice de l'angle BOC.

   b) On désigne respectivement par x et y la mesure des angles AOC et BOC. Justifie les étapes montrant que l'angle DOE est droit.

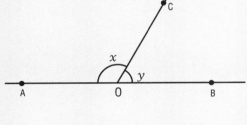

   1. m ∠COD = $\frac{x}{2}$ _____

   2. m ∠COE = $\frac{y}{2}$ _____

   3. $x + y = 180°$ _____

   4. m ∠DOE = $\frac{x+y}{2}$ _____

   5. m ∠DOE = 90° _____

Chapitre 6

Transformations géométriques

DÉFI 6

1 Recherche des propriétés des transformations

On considère les transformations suivantes. Analyse chaque transformation puis résume tes découvertes dans le tableau qui suit.

1. Transformation T_1

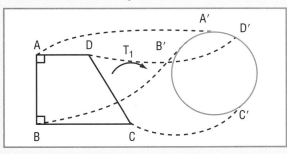

2. Transformation T_2

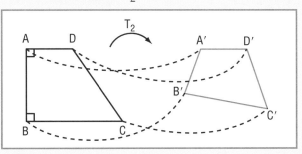

3. Translation t

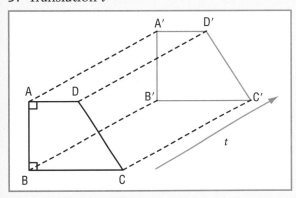

4. Rotation r

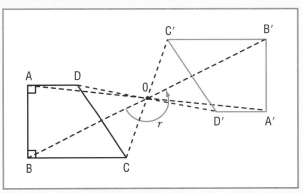

5. Réflexion s

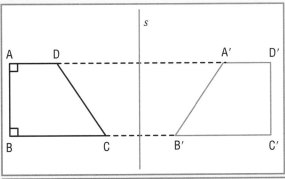

6. Agrandissement h

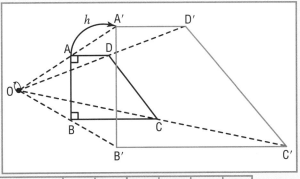

La transformation...	T_1	T_2	t	r	s	h
conserve la forme des figures.						
conserve la mesure des segments.						
conserve la mesure des angles.						
conserve le parallélisme.						
conserve la perpendicularité.						
transforme un segment en un segment parallèle.						

2 Transformations de figures géométriques

Trace l'image du triangle ABC par :
1. La translation *t*.
2. La rotation *r* de centre O, de sens horaire et d'angle 180°.
3. La réflexion *s*.

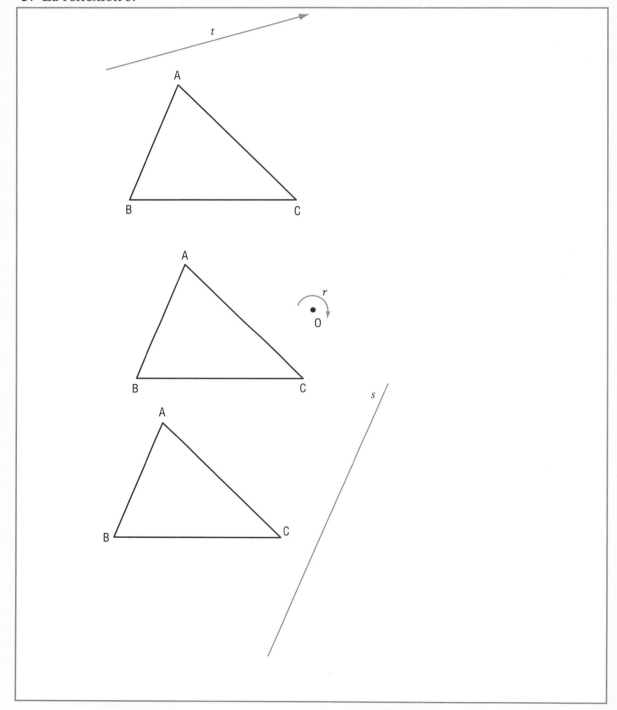

6.1 Translation

Activité 1 Translation d'une figure

Le triangle ABC a été transformé par la translation *t*.
Les tracés de construction sont en pointillés.

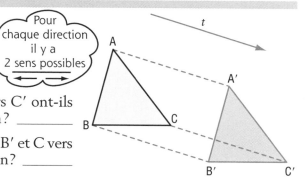

Pour chaque direction il y a 2 sens possibles

a) Les droites AA', BB' et CC' ont-elles la même direction que la flèche de translation ? _____

b) Les déplacements de A vers A', B vers B' et C vers C' ont-ils le même sens que celui de la flèche de translation ? _____

c) Les longueurs des déplacements de A vers A', B vers B' et C vers C' sont-elles égales à celles de la flèche de translation ? _____

TRANSLATION

• Une **translation** est une transformation qui permet de déplacer une figure.
Elle fait correspondre à chaque point du plan un point image.
Une translation est définie par une flèche de translation qui indique :
– la **direction** du déplacement ;
– le **sens** du déplacement ;
– la **longueur** du déplacement.

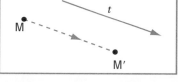

M' est l'image de M. Le point M a été déplacé dans la même direction, le même sens et la même longueur que la flèche de la translation.

• Pour tracer l'image d'une figure par une translation, on procède de la façon suivante :

1. À partir des sommets, on trace des droites parallèles à la flèche de translation.

2. À l'aide d'un compas, on reporte sur chacune des traces parallèles les déplacements correspondant à la flèche de translation.

3. On trace la figure image.

Les parallèles tracées en pointillées sont appelées traces.

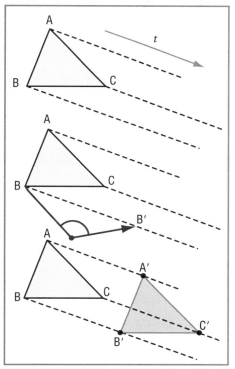

1. On considère les translations ci-contre.

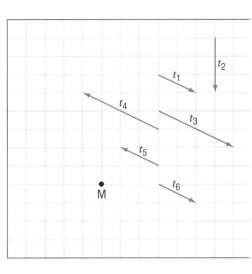

a) Place les points M_1, M_2, ..., M_6 images respectives du point M par les translations t_1, t_2, ..., t_6.

b) Quelles sont les translations ayant la même direction que la translation t_1 ? _____

c) Quelles sont les translations ayant la même direction et le même sens que t_1 ? _____

d) Quelles sont les translations ayant la même direction et un sens opposé à t_1 ? _____

e) Quelle est la translation ayant la même direction, le même sens et la même longueur que t_1 ? _____

2. Dans le plan quadrillé, trace l'image de la figure par la translation t donnée.

a)

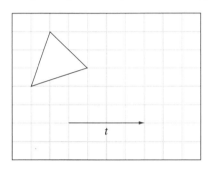

b)

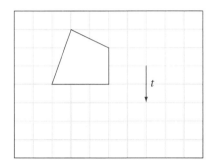

c)

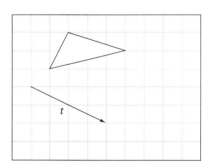

d)

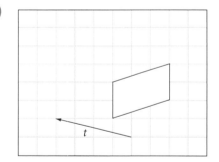

3. Dans chacun des cas suivants, trace à partir du point A la flèche de translation t, qui transform la figure ① en la figure ②.

a)

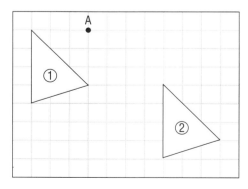

b)

4. Trace l'image de chaque figure par la translation indiquée.

a)

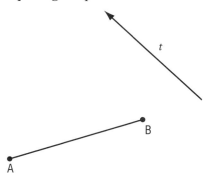

b)

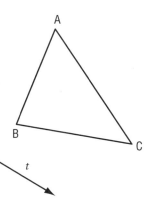

5. Trace l'image de chaque figure par la translation indiquée.

a)

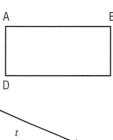

b)

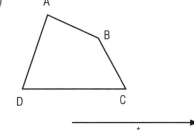

c)

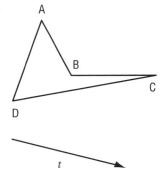

d)

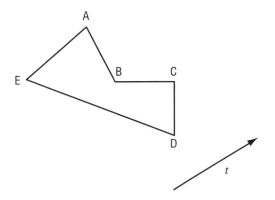

6.2 Rotation

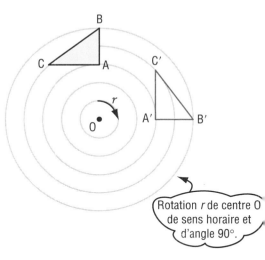

Rotation *r* de centre O de sens horaire et d'angle 90°.

Activité 1 Rotation d'une figure

- Sur une roue, on a représenté des cercles de même centre O. La flèche de rotation *r* indique le sens de rotation (ici, sens horaire) et l'angle de rotation de la roue. Le triangle ABC a été transformé par la rotation *r*.

  a) Le point A et son image A' sont-ils situés sur un même cercle de centre O? _____

  b) Les rotations de A vers A', B vers B' et C vers C' ont-ils le même sens que la flèche de rotation? _____

  c) Les angles AOA', BOB' et COC' ont-ils la même mesure que l'angle de rotation? _____

ROTATION

- Une **rotation** est une transformation qui permet de tourner une figure autour d'un point. Elle fait correspondre à chaque point du plan un point image.

  Une rotation est définie par un **centre de rotation**, et par une **flèche de rotation** qui indique le sens de rotation (horaire ou antihoraire) et l'angle de rotation.

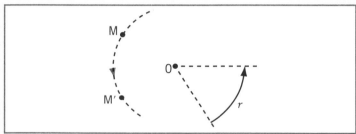

M' est l'image du point M par la rotation *r*. M a été déplacé autour du point O dans le sens et selon l'angle indiqué par la flèche de rotation.
On a: m$\overline{OM}$ = m$\overline{OM'}$.

- Pour tracer l'image d'une figure par une rotation, on procède de la façon suivante:

  1. Du centre de rotation, on trace des cercles passant par chaque sommet.

  2. Pour déterminer l'image du sommet A, on mesure (à l'aide du compas) sur le cercle qui passe par A l'arc qui correspond à l'angle de rotation.

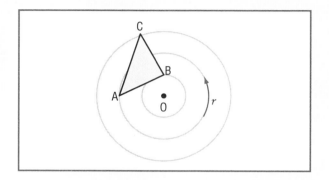

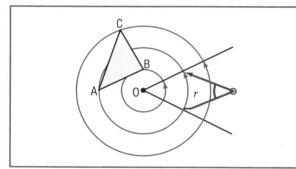

3. On reporte l'arc dans le sens indiqué par la flèche de rotation pour situer le sommet image A'.

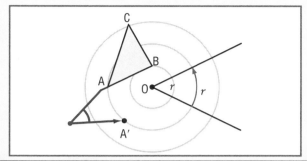

4. On place les autres sommets images de la même façon et on trace la figure image.

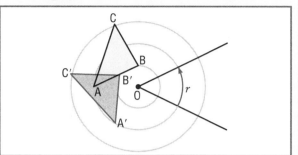

1. On considère la rotation *r* ci-contre.

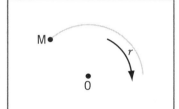

a) Indique :

1. le centre de rotation. _____

2. le sens de la rotation. _____

3. la mesure de l'angle de rotation. _____

b) Trace l'image M' du point M par la rotation.

c) Que peut-on dire des segments OM et OM'. _____

d) Explique pourquoi le centre O de rotation appartient à la médiatrice du segment $\overline{MM'}$.

_____

_____

2. L'image du point A par une rotation de centre O et d'angle 120° est le point A'. Complète :

a) m ∠AOA' = _____

b) m$\overline{OA}$ _____ m$\overline{OA'}$.

c) O est situé sur _____ $\overline{AA'}$.

3. Trace l'image de chaque figure par la rotation *r* donnée.

a)

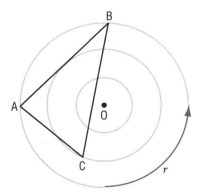

b)

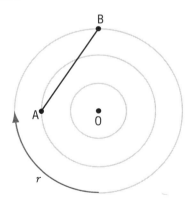

> Vérifie tes constructions :
> La médiatrice du segment qui joint un point et son image doit passer par le centre de rotation.

4. Trace l'image des figures suivantes par la rotation r indiquée.

a)

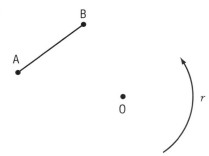

b)

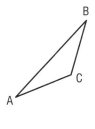

c)

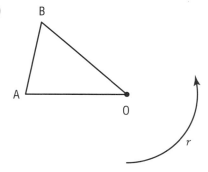

d)

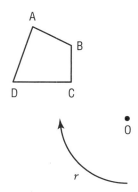

5. Considère le segment AB et le point 0 ci-dessous.

a) Trace l'image du segment AB par la rotation de centre 0, de sens horaire et d'angle 180°.

b) Quelle est la position des segments AB et A'B'? _____

✿ **6.** Le triangle A'B'C' est l'image du triangle ABC par une rotation r de centre 0.

a) Explique comment faire pour situer le centre 0 de rotation.

_____

_____

_____

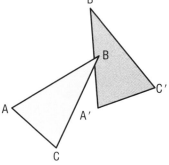

b) Situe le centre 0 de rotation. _____

c) Quel est l'angle et le sens de rotation.

_____

6.3 Réflexion

Activité 1 Réflexion d'une figure

Le triangle ABC a été transformé par la réflexion *s*. La droite *d* représente l'axe de réflexion. Les tracés de construction sont en pointillés.

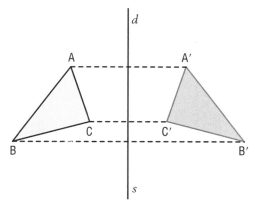

a) L'axe de réflexion est-il perpendiculaire aux segments AA′, BB′ et CC′? _____

b) Que représente l'axe de réflexion pour les segments AA′, BB′ et CC′? _____

RÉFLEXION

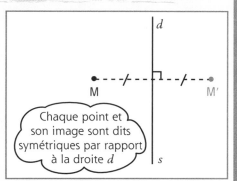

- Une **réflexion** est une transformation qui permet de retourner une figure autour d'une droite.
  Elle fait correspondre à chaque point du plan un point image.
  Une réflexion est définie par une droite appelée **axe de réflexion**.
  L'image d'un point M par une réflexion est le point M′ tel que l'axe de réflexion est la **médiatrice** du segment MM′.

  Chaque point et son image sont dits symétriques par rapport à la droite *d*

- Pour tracer l'image d'une figure par une réflexion, on procède de la façon suivante:

  1. À partir de chaque sommet, on trace des perpendiculaires à l'axe de réflexion.

  2. À l'aide d'une règle graduée ou du compas, on situe chaque sommet image.

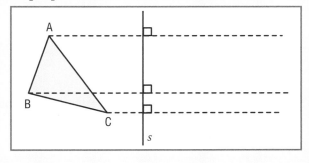 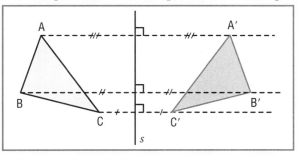

  3. On trace la figure image.

---

1. On considère la réflexion *s* ayant pour axe de réflexion la droite *d*.

a) Place le point M′ image de M par la réflexion *s*.

b) Que représente la droite *d* pour le segment MM′? _____

c) Désigne par I le point d'intersection de la droite *d* et du segment MM′. Complète par le symbole qui convient.

1. MM′ _____ *d*   2. $\overline{\text{IM}}$ _____ $\overline{\text{IM}'}$

2. Dans le plan quadrillé, trace l'image de chaque figure par la réflexion indiquée.

a)

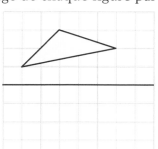

b)

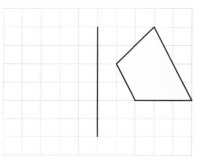

Vérifie tes constructions:
La médiatrice du segment
qui joint un point
et son image
est l'axe de réflexion.

c)

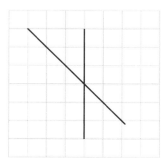

d)

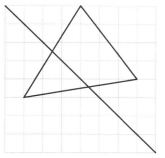

e)

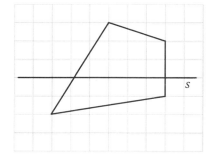

3. Trace l'image de chaque figure par la réflexion indiquée.

a)

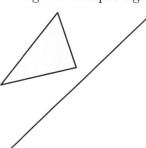

b)

c)

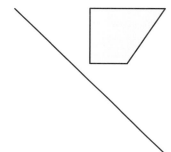

4. Dans chacun des cas suivants, trace l'axe de réflexion qui transforme la figure 1 en la figure 2.

a)

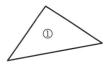

b)

c)

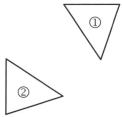

5. On considère une réflexion *s*.

a) Sous quelle condition une droite est-elle parallèle à son image?

_____

b) Sous quelle condition une droite est-elle confondue avec son image?

_____

_____

Activité 2 Figure symétrique

On considère la figure ci-contre et les réflexions s_1 et s_2.

a) Des deux réflexions s_1 et s_2, quelle est celle qui fait coïncider la figure avec son image?

_____

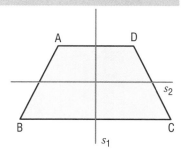

b) Trace une figure de ton choix telle qu'une réflexion fasse coïncider la figure avec son image. _____

c) Existe-t-il pour la figure ci-contre une réflexion qui fait coïncider la figure avec son image? _____

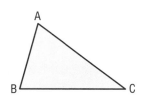

FIGURE SYMÉTRIQUE

- Une figure est dite **symétrique** lorsqu'elle coïncide avec son image par une réflexion. L'axe de réflexion est alors appelé **axe de symétrie**.

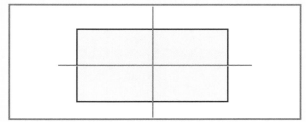

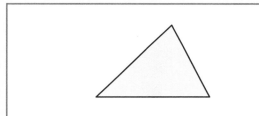

Le rectangle est une figure symétrique. Il possède deux axes de symétrie.

Le triangle ci-dessus n'est pas une figure symétrique. Il ne possède pas d'axe de symétrie.

---

6. Identifie dans les figures suivantes les droites qui sont des axes de symétrie:

a)

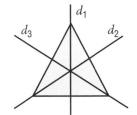

_____

b)

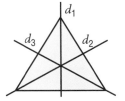

_____

c)

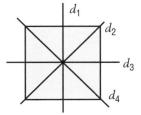

_____

d)

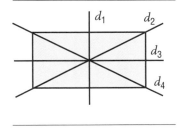

_____

e)

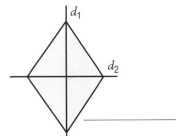

_____

f)

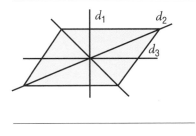

_____

7. Construis les axes de symétrie des figures suivantes.

a)

b)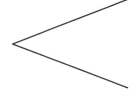

c)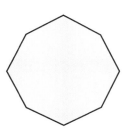

8. Comment appelle-t-on l'axe de symétrie :

a) d'un segment? _____   b) d'un angle? _____

9. Trouve une figure symétrique qui possède 4 axes de symétrie. Trace la figure et ses axes de symétrie.

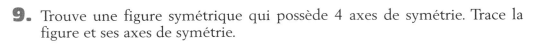

10. Écris les lettres de l'alphabet qui ont au moins un axe de symétrie.

_____

11. On considère le cercle ci-contre de centre 0.

a) Combien d'axes de symétrie le cercle possède-t-il?

_____

b) Quelle condition doit vérifier une droite pour être un axe de symétrie de ce cercle?

_____

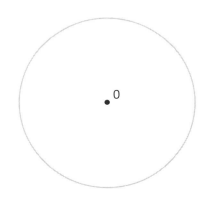

c) 1. Trace un axe de symétrie pour ce cercle. Nomme cet axe *d*.
   2. Choisis au hasard un point M sur ce cercle puis trace le point M′ symétrique de M par rapport à *d*.
   3. Vérifie que le point M′ est sur le cercle.

6.4 Figures isométriques

Activité 1 Isométries

Considérons la translation *t*, la rotation *r* et la réflexion *s* ci-dessous.

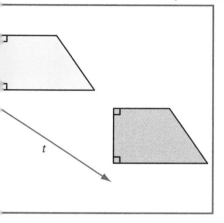 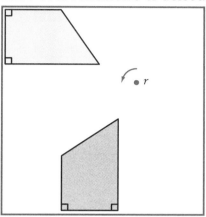 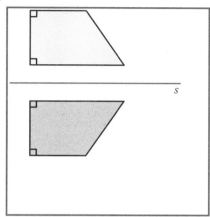

a) Vérifie, à l'aide des instruments de géométrie appropriés, que la translation, la rotation et la réflexion conservent :

1. la mesure des segments ;
2. la mesure des angles ;
3. le parallélisme ;
4. la perpendicularité.

b) Vérifie que la translation transforme un segment en un segment parallèle.

c) On appelle point fixe pour une transformation tout point du plan qui coïncide avec son image par cette transformation.

1. Quel est le seul point fixe de la rotation ? _____
2. Quel est l'ensemble des points fixes d'une réflexion ? _____
3. La translation possède-t-elle un point fixe ? _____

FIGURES ISOMÉTRIQUES – ISOMÉTRIES

- La translation, la rotation et la réflexion conservent :
  - la longueur des segments ;
  - la mesure des angles ;
  - le parallélisme ;
  - la perpendicularité.
- Deux figures géométriques sont dites isométriques ou congrues lorsqu'elles ont la même forme et les mêmes dimensions.
- La translation, la rotation et la réflexion sont appelées isométries, car elles ont la propriété de transformer une figure en une figure isométrique.

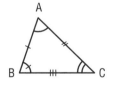 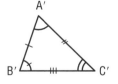

Les triangles ABC et A'B'C' sont isométriques.
On note : $\triangle ABC \cong \triangle A'B'C'$
On a, en effet :
$\angle A \cong \angle A'$, $\angle B \cong \angle B'$ et $\angle C \cong \angle C'$
$\overline{AB} \cong \overline{A'B'}$, $\overline{AC} \cong \overline{A'C'}$ et $\overline{BC} \cong \overline{B'C'}$.

1. Les triangles ci-contre sont isométriques. Justifie ta réponse de deux façons :

1. En comparant la mesure des côtés et des angles.

_____

_____

2. En trouvant l'isométrie qui applique un triangle sur l'autre.

_____

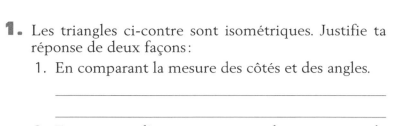
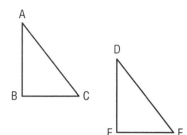

2. Les triangles ci-contre sont isométriques. Justifie ta réponse de deux façons :

1. En comparant la mesure des côtés et des angles.

_____

_____

2. En trouvant l'isométrie qui applique un triangle sur l'autre.

_____

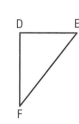

3. Les triangles ci-contre sont isométriques. Justifie ta réponse de deux façons :

1. En comparant la mesure des côtés et des angles.

_____

_____

2. En trouvant l'isométrie qui applique un triangle sur l'autre.

_____

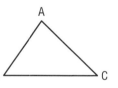
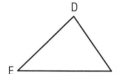

4. Dans chacun des cas suivants, définis avec précision la transformation qui permet de montrer que les figures ① et ② sont isométriques.

a)

_____

b)

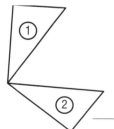

_____

c)

_____

6.5 Démonstrations géométriques

Activité 1 Propriété de la médiatrice d'un segment

Cette activité a pour but de démontrer la propriété suivante :

« Tout point situé sur la médiatrice d'un segment est situé à égale distance des extrémités du segment. »

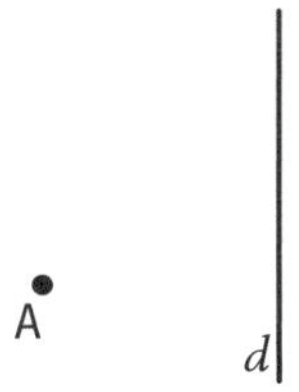

On considère la réflexion ayant pour axe de réflexion la droite *d*.

a) 1. Trace A′, l'image de A par la réflexion.

2. Que représente la droite *d* pour le segment AA′ ? Justifie ta réponse.

b) Place au hasard un point M sur la droite *d*.

1. Explique pourquoi l'image du segment MA est le segment MA′.

2. Explique alors pourquoi le point M est situé à égale distance des extrémités A et A′ du segment AA′.

Activité 2 Propriété de la bissectrice

Cette activité a pour but de démontrer la propriété suivante :

« Tout point situé sur la bissectrice d'un angle est situé à égale distance des côtés de l'angle ».

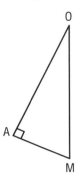

On considère le triangle OAM dont l'angle A est droit et la réflexion ayant pour axe la droite OM.

a) Trace le triangle OA′M image du triangle OAM par la réflexion.

b) 1. Explique pourquoi les angles AOM et MOA′ sont congrus.

_____

2. Que représente la demi-droite OM pour l'angle AOA′? Justifie ta réponse.

_____

c) Indique, en justifiant ta réponse, le segment qui représente:
   1. la distance du point M au côté OA. _____
   2. la distance du point M au côté OA′. _____

d) Explique pourquoi le point M est à égale distance des côtés OA et OA′ de l'angle AOA′.

_____

Activité 3 Droites parallèles coupées par une sécante

Cette activité a pour but de démontrer le théorème suivant:

«Deux droites parallèles coupées par une sécante déterminent des angles alternes-internes congru **alternes-externes congrus et correspondants congrus».**

Dans la figure ci-contre, la droite d est sécante aux droites parallèles d_1 et d_2.
Les angles $\angle 1$ et $\angle 5$ sont alors correspondants.

a) Les étapes suivantes vont permettre de justifier que les angles correspondants sont congru
Considérons la translation t qui associe le point A au point B.

   1. Quel est l'image de $\angle 1$ par la translation t?

   _____

   2. Explique pourquoi les angles correspondants 1 et 5 sont congrus?

   _____

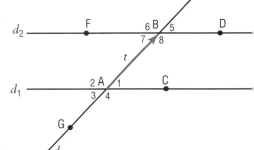

b) Justifie les étapes montrant que les angles alternes-internes 1 et 7 sont congrus.

   1. $\angle 1 \cong \angle 5$. _____
   2. $\angle 5 \cong \angle 7$. _____
   3. $\angle 1 \cong \angle 7$. _____

c) Les étapes suivantes vont permettre de justifier que les angles alternes-externes 4 et 6 sont congru
   1. Que représente $\angle 4$ pour $\angle 1$? _____
   2. Que représente $\angle 6$ pour $\angle 7$? _____
   3. Explique pourquoi les angles alternes-externes $\angle 4$ et $\angle 6$ sont congrus.

   _____

ÉVALUATION 6

1. Complète les phrases suivantes par le terme qui convient:

   a) Une translation est caractérisée par une _____ qui indique

      _____ , _____ et _____ du déplacement.

   b) Une rotation est caractérisée par un _____ et une _____

      qui indiquent _____ et _____ de la rotation.

   c) Une réflexion est caractérisée par un _____ .

2. Vrai ou faux?

   a) Une rotation transforme un segment en un segment congru. _____

   b) Une réflexion transforme un segment en un segment parallèle. _____

   c) La translation transforme une figure en une figure ayant les mêmes dimensions. _____

   d) Une translation transforme un segment en un segment parallèle. _____

   e) Une réflexion transforme un triangle en un triangle n'ayant pas la même forme. _____

3. Effectue les transformations suivantes.

   a) la translation *t*   **b)** la rotation *r*   **c)** la réflexion *s*.

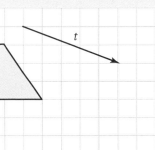 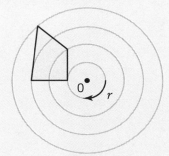 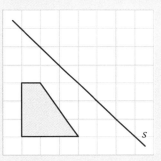

4. Effectue les transformations suivantes.

   a)

   b)

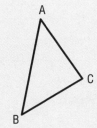

   c)

   d)

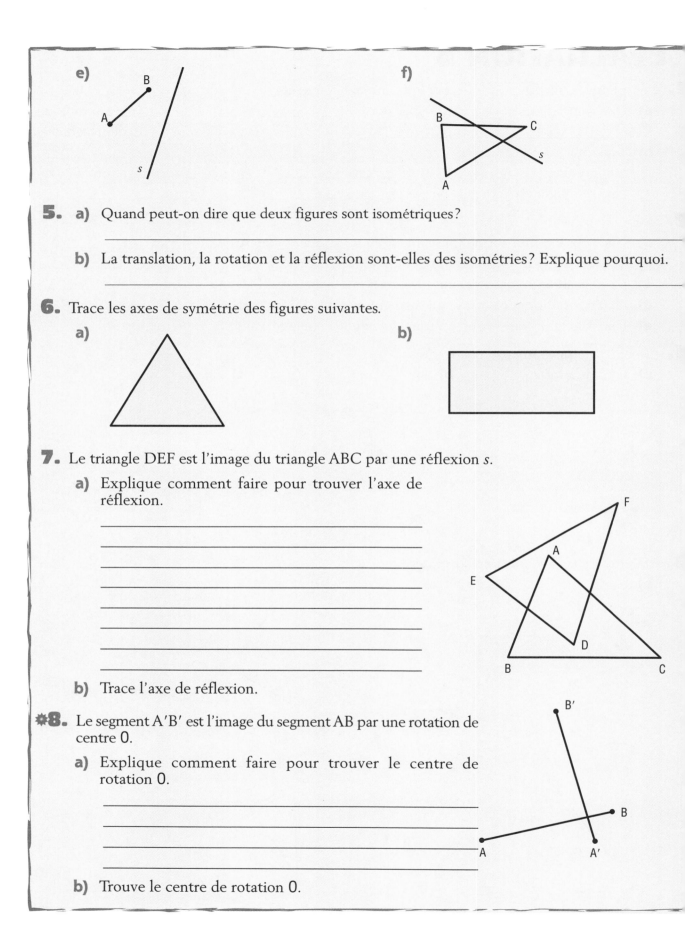

e)

f)

5. **a)** Quand peut-on dire que deux figures sont isométriques?

_____

b) La translation, la rotation et la réflexion sont-elles des isométries? Explique pourquoi.

_____

6. Trace les axes de symétrie des figures suivantes.

a)

b)

7. Le triangle DEF est l'image du triangle ABC par une réflexion _s_.

a) Explique comment faire pour trouver l'axe de réflexion.

_____

_____

_____

_____

_____

_____

_____

_____

b) Trace l'axe de réflexion.

✱8. Le segment A'B' est l'image du segment AB par une rotation de centre O.

a) Explique comment faire pour trouver le centre de rotation O.

_____

_____

_____

_____

b) Trouve le centre de rotation O.

Chapitre 7

Triangles

DÉFI 7 ◆

1 Construction d'un triangle

Construis un triangle ayant des côtés mesurant 4 cm, 5 cm et 6 cm.

2 Recherche de points remarquables dans un triangle

a) Le ministère des Transports désire construire un aéroport à égale distance des villes représentées par les points A, B et C. Trouve une procédure qui permet de localiser avec précision le point où doit se situer cet aéroport.

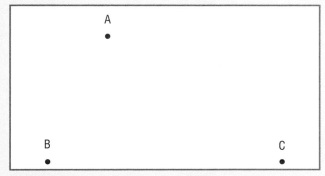

b) Une compagnie pétrolière désire installer une station-service à égale distance des routes 1, 2 et 3 qui relient les carrefours représentés par les points A, B et C. Trouve une procédure qui permet de localiser avec précision le point où la compagnie doit construire cette station-service.

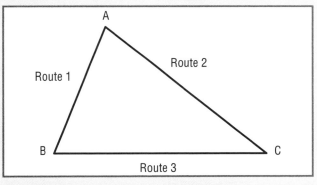

c) Trace sur un morceau de carton un triangle ABC ayant des côtés mesurant 15 cm, 18 cm et 20 cm. Découpe le triangle et situe le centre de gravité du triangle.

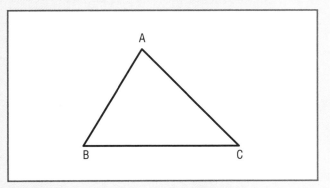

7.1 Triangles

Activité 1 — Somme des angles d'un triangle

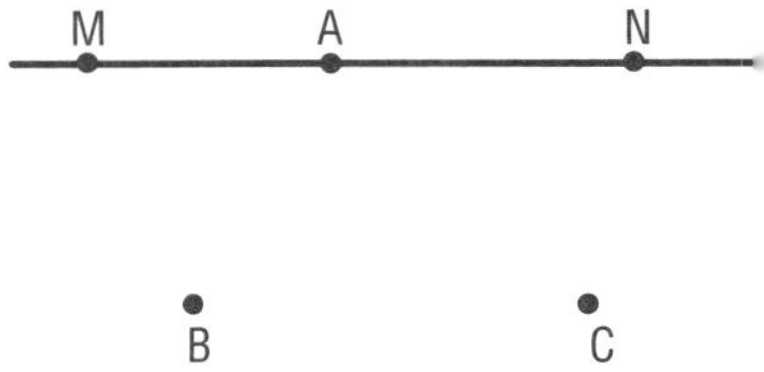

a) Trois points A, B et C non alignés définissent un triangle.
Trace le triangle ABC.

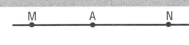

b) La droite MN qui passe par A est parallèle à la droite BC.
Explique pourquoi :

   1. ∠MAB ≅ ∠ABC _____

   2. ∠CAN ≅ ∠ACB _____

c) Complète : m ∠MAB + m ∠BAC + m ∠CAN = _____

d) Que peut-on conclure sur la somme des mesures des angles du triangle ABC?
Justifie ta réponse. _____

TRIANGLE

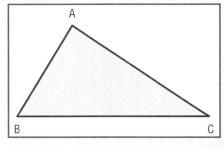

- Un **triangle** est un polygone ayant 3 côtés et 3 sommets.
  - Les segments AB, AC et BC sont les **côtés** du triangle.
  - Les points A, B et C sont les **sommets** du triangle.
  - Le côté BC est le **côté opposé** à l'angle A.
    Les côtés AB et AC sont les **côtés adjacents** à l'angle A.
- La somme des mesures des angles intérieurs d'un triangle est
  égale à 180°.

$$m \angle A + m \angle B + m \angle C = 180°$$

---

1. Soit le triangle PQR.

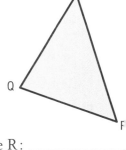

  a) Nomme les côtés du triangle : _____

  b) Nomme les sommets du triangle : _____

  c) Nomme le côté opposé à :

     1. l'angle P : _____ 2. l'angle Q : _____ 3. l'angle R : _____

  d) Nomme les côtés adjacents à :

     1. l'angle P : _____ 2. l'angle Q : _____ 3. l'angle R : _____

  e) Détermine la mesure des angles :

     1. P : _____ 2. Q : _____ 3. R : _____

     Vérifie que la somme des mesures est égale à 180°. _____

2. Trouve x dans chacun des triangles suivants (sans utiliser de rapporteur).

a)

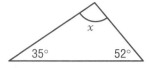

b)

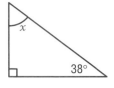

c)

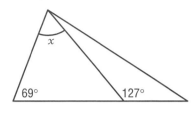

_____   _____   _____

3. Trouve x dans chacune des situations suivantes (sans utiliser de rapporteur).

a) $\overline{MN}$ // $\overline{BC}$

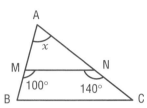

b) $\overline{BA} \perp \overline{AC}$ et $\overline{AM} \perp \overline{BC}$

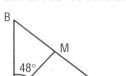

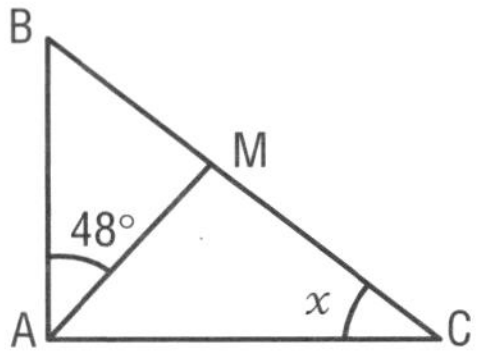

c) AB // CD

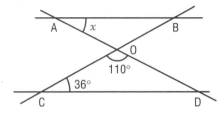

_____   _____   _____

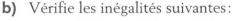

Activité 2 Propriétés des côtés et des angles d'un triangle

Soit le triangle ABC.

a) Trouve la mesure de chacun des côtés du triangle.

_____   _____

b) Vérifie les inégalités suivantes :
1. m $\overline{AB}$ < m $\overline{AC}$ + m $\overline{BC}$ _____
2. m $\overline{AC}$ > m $\overline{BC}$ – m $\overline{AB}$ _____

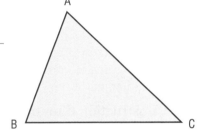

c) Trouve la mesure de chacun des angles du triangle.

_____   _____   _____

d) Vérifie qu'au plus grand angle est opposé le plus grand côté.

_____

PROPRIÉTÉS DES CÔTÉS ET DES ANGLES D'UN TRIANGLE

- Dans tout triangle, au plus grand angle est opposé le plus grand côté.
- Les deux propriétés suivantes sont appelées **inégalités triangulaires** :
  - Dans tout triangle, la mesure d'un côté quelconque est inférieure à la somme des mesures des deux autres côtés.
  - Dans tout triangle, la mesure d'un côté quelconque est supérieure à la différence des mesures des deux autres côtés.

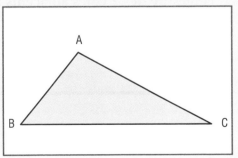

4. Détermine (en justifiant ta réponse) s'il est possible d'avoir un triangle ABC tel que:

    a) m$\overline{AB}$ = 3 cm, m$\overline{AC}$ = 6 cm et m$\overline{BC}$ = 10 cm _____

    b) m$\overline{AB}$ = 6 cm, m$\overline{AC}$ = 10 cm et m$\overline{BC}$ = 3 cm _____

5. On considère les triangles ABC et DEF ci-contre.

    a) Ordonne les côtés du triangle ABC selon l'ordre croissant de leur mesure.

        _____

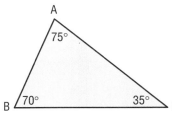

    b) Ordonne les angles du triangle DEF selon l'ordre croissant de leur mesure.

        _____

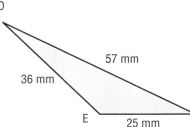

    c) Quelle propriété as-tu utilisée pour répondre aux questions a) et b).

        _____

        _____

CONSTRUCTION D'UN TRIANGLE

- **Construction d'un triangle connaissant la mesure des 3 côtés.**

  Ex.: m $\overline{AB}$ = 3 cm, m $\overline{AC}$ = 1,5 cm, m $\overline{BC}$ = 2,4 cm
  - On trace le segment AB.
  - On trace un arc de cercle de centre A et de rayon 1,5 cm.
  - On trace un arc de cercle de centre B et de rayon 2,4 cm.
  - On trace le triangle ABC.

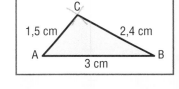

- **Construction d'un triangle connaissant la mesure de deux angles et du côté adjacent.**

  Ex.: m $\overline{AB}$ = 2,8 cm, m ∠A = 60°, m ∠B = 25°
  - On trace le segment AB.
  - On construit l'angle A.
  - On construit l'angle B.
  - On trace le triangle.

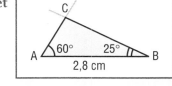

- **Construction d'un triangle connaissant la mesure d'un angle et la mesure des 2 côtés adjacents à cet angle.**

  Ex.: m ∠A = 120°, m $\overline{AB}$ = 3 cm, m $\overline{AC}$ = 1,8 cm
  - On construit l'angle A.
  - On trace sur chaque côté de l'angle les deux segments de 3 cm et de 1,8 cm respectivement.

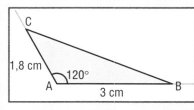

© Guérin, éditeur lt

6. Construis le triangle ABC à partir des mesures suivantes.

a) m $\overline{AB}$ = 4,2 cm, m $\overline{AC}$ = 2,5 cm,
m $\overline{BC}$ = 3,8 cm

b) m $\overline{AB}$ = 5 cm, m $\angle A$ = 28°,
m $\angle B$ = 65°

c) m $\overline{AB}$ = 4,2 cm, m $\angle A$ = 84°,
m $\overline{AC}$ = 2,6 cm

d) m $\overline{AB}$ = 4 cm, m $\angle A$ = 108°,
m $\angle C$ = 40°

e) m $\angle C$ = 98°, m $\overline{BC}$ = 3,5 cm,
m $\angle B$ = 25°

f) m $\overline{BC}$ = 3,8 cm, m $\angle C$ = 125°,
m $\overline{AC}$ = 3,4 cm

7. Trouve l'erreur et justifie ta réponse.

a)

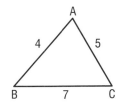

b)

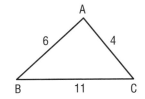

c)

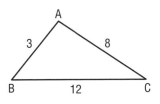

_____

_____

7.2 Droites remarquables d'un triangle

Activité 1 Les trois hauteurs

Une hauteur est un segment issu d'un sommet et perpendiculaire au côté opposé ou à son support.

a) Le triangle ci-contre est acutangle, car ses trois angles sont aigus.

1. Trace les trois hauteurs.
2. Qu'observes-tu? _____
   _____

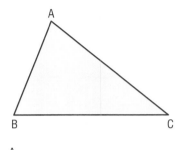

b) Le triangle ci-contre est obtusangle, car un de ses angles est obtus.

1. Trace les trois hauteurs.
2. Qu'observes-tu? _____
   _____

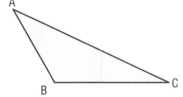

c) Le triangle ci-contre est rectangle, car un de ses angles est droit.

1. Trace les trois hauteurs.
2. Qu'observes-tu? _____
   _____

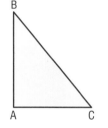

Activité 2 Les trois médianes

Une médiane est un segment ayant pour extrémités un sommet d'un triangle et le milieu du côté opposé.

a) Trace les trois médianes du triangle ABC ci-contre.

b) Qu'observes-tu? _____
   _____

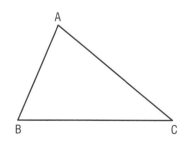

© Guérin, éditeur ltée

Activité 3 Les trois médiatrices

a) Trace les trois médiatrices du triangle ABC ci-contre et vérifie qu'elles passent par un même point O.

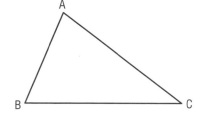

b) Justifie les affirmations suivantes.

1. m$\overline{OA}$ = m$\overline{OB}$ _____

_____

2. m$\overline{OB}$ = m$\overline{OC}$ _____

_____

3. m$\overline{OA}$ = m$\overline{OC}$ _____

_____

c) Trace le cercle de centre O et de rayon $\overline{OA}$ et vérifie qu'il passe par les points A, B et C.

*Un tel cercle est appelé **cercle circonscrit** au triangle.*

Activité 4 Les trois bissectrices

a) Trace les trois bissectrices du triangle ABC ci-contre et vérifie qu'elles passent par un même point O.

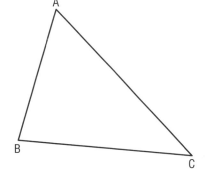

b) 1. Place le point I sur $\overline{BC}$ tel que $\overline{OI} \perp \overline{BC}$.

2. Place le point J sur $\overline{AB}$ tel que $\overline{OJ} \perp \overline{AB}$.

3. Place le point K sur $\overline{AC}$ tel que $\overline{OK} \perp \overline{AC}$.

c) Justifie les affirmations suivantes.

1. m $\overline{OI}$ = m $\overline{OJ}$ _____

_____

2. m $\overline{OI}$ = m $\overline{OK}$ _____

_____

3. m $\overline{OI}$ = m $\overline{OK}$ _____

d) Trace le cercle de centre O et de rayon $\overline{OI}$ et vérifie qu'il passe par les points I, J et K.

*Un tel cercle est appelé **cercle inscrit** au triangle.*

LIGNES REMARQUABLES D'UN TRIANGLE

- Une **hauteur** est un segment issu d'un sommet et **perpendiculaire** au côté opposé.

  Les trois hauteurs sont **concourantes** en un point appelé **orthocentre**.

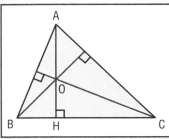

- Une **médiane** est un segment qui relie un sommet et le **milieu** du côté opposé.

  Les trois médianes sont **concourantes** en un point appelé **centre de gravité** du triangle.

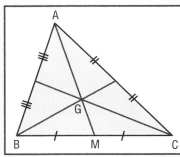

- Les trois **médiatrices** sont **concourantes** en un point qui est le centre du **cercle**, **circonscrit** au triangle.

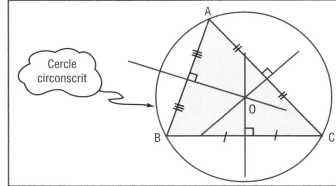

Cercle circonscrit

- Les trois bissectrices sont **concourantes** en un point qui est le centre du **cercle inscrit** au triangle.

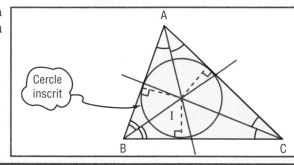

Cercle inscrit

1. Dans chacun des triangles ABC suivants, nomme la hauteur relative au côté BC.

a)

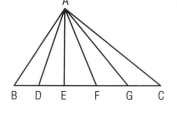

b)

c)

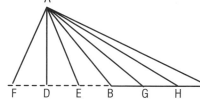

2. Que représente, pour le triangle ABC,

   a) le segment AM _____

   _____

   b) la demi-droite CP _____

   c) la droite IJ _____

   d) le segment BH _____

   _____

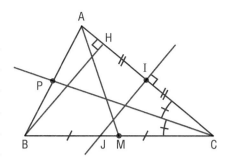

3. Dans le triangle ABC ci-contre, trace :

   a) la bissectrice de l'angle A ;

   b) la médiane issue du sommet C relative à la base AB ;

   c) la hauteur issue du sommet A relative à la base BC ;

   d) la médiatrice du côté AC ;

   e) la hauteur issue du sommet B relative à la base AC.

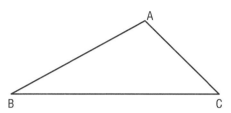

4. Construis les trois hauteurs de chacun des triangles suivants et nomme O l'orthocentre de chaque triangle.

   a) 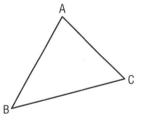   **b)** 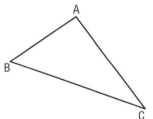   **c)**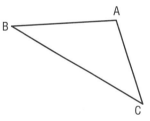

5. Soit la figure ci-contre. Détermine l'orthocentre de chacun des triangles suivants.

   a) ABC : _____ **b)** OBC : _____ **c)** AOC : _____

   d) AOB : _____ **e)** MBC : _____ **f)** APC : _____

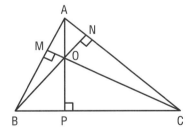

6. Construis les trois médianes de chacun des triangles et nomme G le centre de gravité du triangle.

   a) 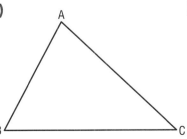   **b)** 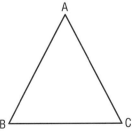   **c)**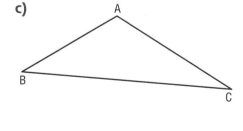

7. Vérifie, dans l'exercice n° 6, la propriété suivante du centre de gravité : «Le centre de gravité d'un triangle partage la médiane selon le rapport $\frac{2}{3}$ à partir du sommet,» c'est-à-dire que si $\overline{AM}$ est la médiane issue d'un sommet A, alors $\frac{m\,\overline{AG}}{m\,\overline{AM}} = \frac{2}{3}$

8. Construis les trois médiatrices de chacun des triangles suivants, nomme O le point de rencontre des trois médiatrices et trace le cercle circonscrit au triangle.

a)

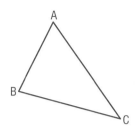

b)

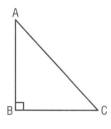

c)

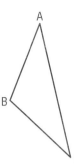

9. Construis les trois bissectrices de chacun des triangles suivants, nomme O le point de rencontre des trois bissectrices puis trace le cercle inscrit au triangle.

a)

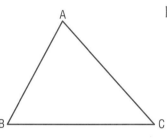

b)

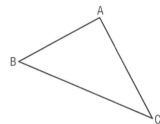

c)

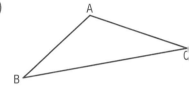

10. Avec un minimum de construction:

a) Trouve l'orthocentre H et le centre de gravité G du triangle ABC.

_____

_____

b) Construis le cercle circonscrit et le cercle inscrit au triangle DEF.

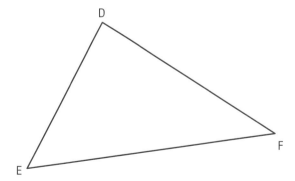

7.3 Triangles remarquables

Activité 1   Construction de triangles remarquables

a) Un triangle est **rectangle** lorsqu'un de ses angles est droit.

  1. Construis un triangle rectangle ABC ayant l'angle A droit.

  2. Explique pourquoi les angles B et C sont complémentaires.

    _____

    _____

b) Considérons le triangle rectangle ci-contre ABH et la réflexion d'axe AH.

  1. Trace le triangle AHC, image du triangle AHB par la réflexion.

  2. Explique pourquoi les côtés AB et AC sont congrus et les angles B et C sont congrus.

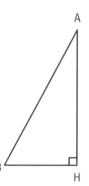

    _____

Le triangle ABC que tu viens de créer a donc 2 côtés congrus et 2 angles congrus. Un tel triangle est appelé **triangle isocèle** de sommet principal A. Le côté BC opposé au sommet principal A est appelé **base**.

3. Explique pourquoi le segment AH est une hauteur pour le triangle isocèle ABC?

    Justifie ta réponse. _____

4. Explique pourquoi AH est une médiane. _____

    _____

5. Explique pourquoi la droite AH est la médiatrice du côté BC. _____

    _____

6. Explique pourquoi la demi-droite AH est la bissectrice de l'angle BAC.

    _____

Ainsi dans un triangle isocèle, la médiatrice de la base est le support de la hauteur, de la bissectrice et de la médiane issues du sommet principal.

c) Soit le triangle isocèle AOB de sommet principal O tel que l'angle AOB mesure 120°.

  Considérons la rotation _r_ de centre O de sens horaire et d'angle 120°.

  1. Trace le triangle COA, image du triangle AOB par la rotation _r_.

  2. Trace le triangle BOC, image du triangle COA par la rotation _r_.

  3. Explique pourquoi les côtés AB, AC et BC du triangle ABC sont congrus.

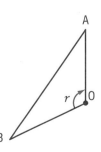

    _____

    _____

4. Explique pourquoi chaque angle aigu de la figure mesure 30°.

_____

_____

5. Quelle est donc la mesure de chaque angle du triangle ABC? _____

Le triangle ABC que tu viens de créer a donc 3 côtés congrus et 3 angles congrus. Un tel triangle e
appelé **triangle équilatéral**.

6. Que peut-on dire alors de chaque médiatrice d'un triangle équilatéral?

_____

_____

TRIANGLES REMARQUABLES

Triangle	Définition	Figure	Propriété
Isocèle	Triangle ayant **2 côtés congrus**. A est le **sommet principal**. Le côté BC opposé au sommet principal est appelé **base** du triangle.		Les angles à la base sont **congrus**.
Équilatéral	Triangle ayant **3 côtés congrus**.		Les 3 angles sont **congrus**. Chacun mesure 60°.
Rectangle	Triangle ayant **1 angle droit**. Le côté BC opposé à l'angle droit est appelé **hypoténuse**.		Les angles aigus sont **complémentaires**.

- Un triangle **scalène** est un triangle qui n'est pas isocèle.
- Un triangle **acutangle** est un triangle ayant 3 angles aigus.
- Un triangle **obtusangle** est un triangle ayant 1 angle obtus.
- Dans un triangle **isocèle**, la **médiatrice** de la base est le support de la **bissectrice**, de la **médiane** et de la **hauteur** issues du sommet principal.
  Ainsi, si la droite AH est la médiatrice, alors la demi-droite AH est bissectrice et le segment AH est à la fois hauteur et médiane.

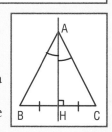

- Dans un triangle **équilatéral** chaque médiatrice est le support de la bissectrice, de la médiane et de la hauteur issues de chaque sommet.

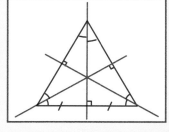

1. Quelle est la nature des triangles suivants? Utilise les termes isocèle, équilatéral, rectangle, rectangle-isocèle, scalène.

a) 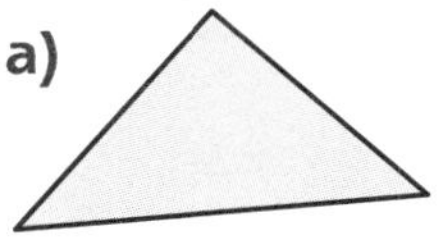 _____ b) 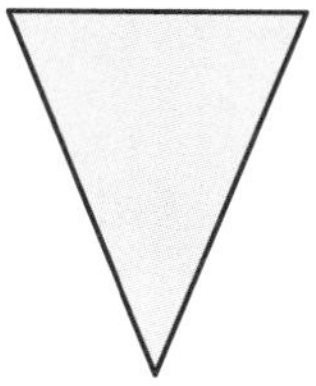 _____ c) 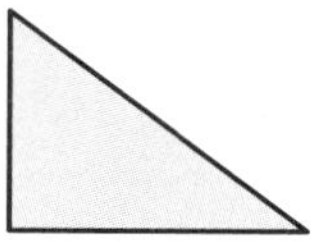 _____ d) 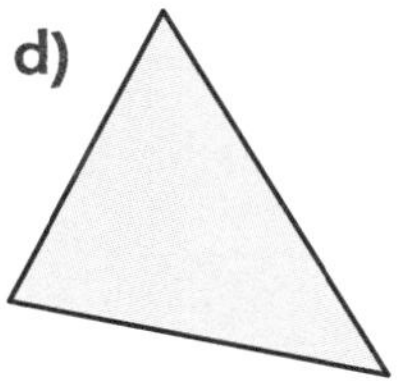 _____ e) _____

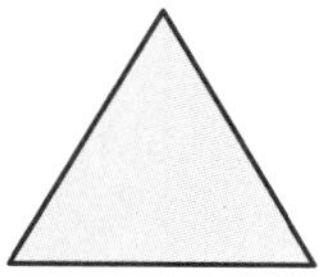

2. Soit le triangle isocèle ci-contre. Identifie:

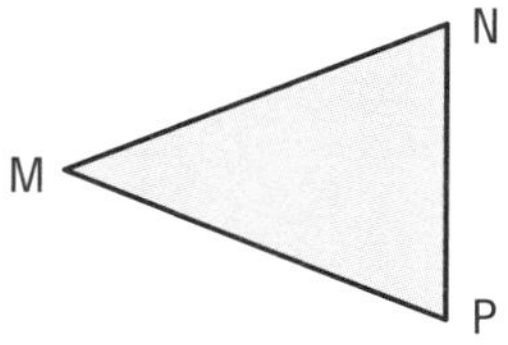

    a) les côtés congrus _____ **b)** le sommet principal _____

    c) la base _____ **d)** les angles congrus _____

3. Soit le triangle équilatéral ci-contre. Identifie:

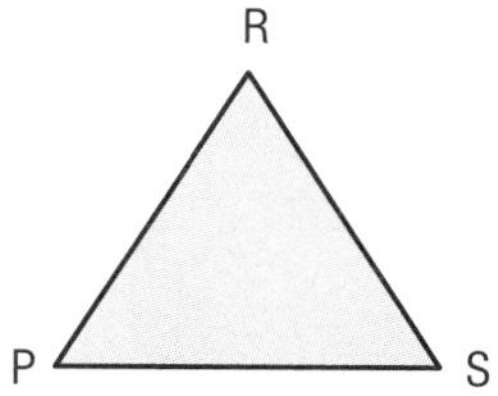

    a) les côtés congrus _____

    b) les angles congrus _____

4. Soit le triangle rectangle ci-contre. Identifie:

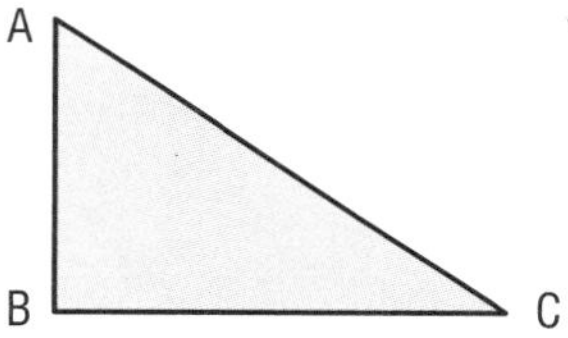

    a) l'angle droit _____

    b) l'hypoténuse _____

    c) les angles complémentaires _____

5. Soit le triangle rectangle-isocèle ci-contre.

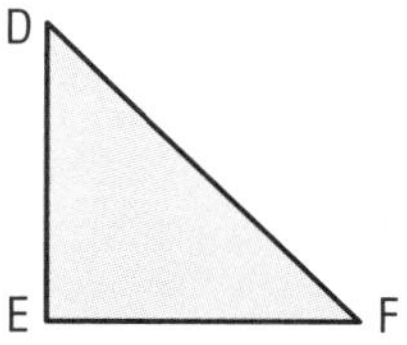

    a) Identifie:

        1. l'angle droit _____

        2. les côtés congrus _____

        3. les angles congrus _____

    b) Quelle est la mesure de chaque angle aigu? _____

6. Les propositions suivantes sont-elles vraies ou fausses?

    a) Les angles à la base d'un triangle isocèle sont complémentaires. _____

    b) Les côtés d'un triangle équilatéral sont congrus. _____

    c) Un triangle rectangle peut être équilatéral. _____

    d) La somme des mesures des angles d'un triangle est 180°. _____

    e) Un triangle rectangle peut être isocèle. _____

    f) Les angles aigus d'un triangle rectangle sont complémentaires. _____

    g) Un triangle qui n'est pas isocèle ne peut être équilatéral. _____

    h) Un triangle qui est équilatéral est isocèle. _____

7. Dans chacun des triangles suivants, détermine la mesure des angles (sans utiliser de rapporteur)

a)

b)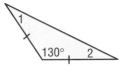

c)

d)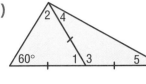

_____

_____

_____

_____

_____

_____

e)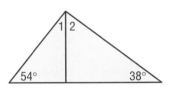

f)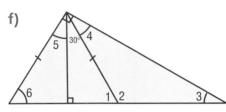

g)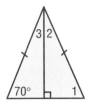

_____

_____

_____

_____

_____

8. Soit le triangle isocèle ABC ci-contre.

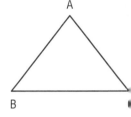

a) Trace la médiane AM issue du sommet principal A.

b) Explique pourquoi :

1. ∠AMB est droit. _____

_____

2. ∠BAM ≅ ∠BAM. _____

_____

9. Soit le triangle isocèle ABC ci-contre de sommet principal A.

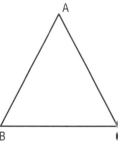

a) Trace la médiatrice de la base $\overline{BC}$ et vérifie qu'elle passe par le sommet principal A.

b) Complète : La médiatrice de la base est le support de _____,

de _____ et de _____

10. Soit le triangle équilatéral ABC ci-contre.

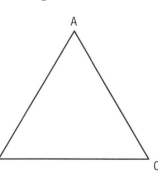

a) Trace les trois médiatrices et vérifie que chacune passe par un sommet.

b) Complète : chaque médiatrice est support de chaque

_____, de chaque _____ et de chaque _____.

c) Trace le cercle circonscrit et le cercle inscrit au triangle ABC.

1. Combien d'axes de symétrie possèdent :

   a) un triangle isocèle _____.

   b) un triangle équilatéral _____.

   c) un triangle scalène _____.

2. Construis un triangle isocèle dont le sommet principal est A, tel que m ∠A = 50° et m $\overline{BC}$ = 2,5 cm.

3. Construis un triangle équilatéral tel que la mesure d'un des côtés est 2,8 cm.

4. Construis un triangle équilatéral tel que la mesure d'un angle aigu est 50° et la mesure d'un des côtés de l'angle droit adjacent à cet angle aigu est 1,8 cm.

5. **a)** Construis un triangle rectangle tel que les côtés de l'angle droit mesurent respectivement 3 cm et 4 cm.

   b) Vérifie la propriété suivante.
   «Le carré de la mesure de l'hypoténuse d'un triangle rectangle est égale à la somme des carrés des mesures des côtés de l'angle droit.»

6. **a)** Construis un triangle scalène ABC.

   b) Construis le triangle A′B′C′ sachant que A′ est le milieu de $\overline{BC}$, B′ le milieu de $\overline{AC}$ et C′ le milieu de $\overline{AB}$.

   c) Vérifie à l'aide du rapporteur que les angles A et A′ sont congrus, les angles B et B′ sont congrus et les angles C et C′ sont congrus.

   d) Vérifie que $\dfrac{m\overline{A'B'}}{m\overline{AB}} = \dfrac{m\overline{A'C'}}{m\overline{AC}} = \dfrac{m\overline{B'C'}}{m\overline{BC}} = \dfrac{1}{2}$

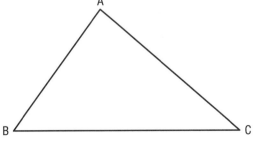

*Le triangle A′B′C′ que tu as construit à partir des milieux des côtés du triangle ABC est **semblable** au triangle ABC. Ses dimensions sont deux fois plus petites que celles du triangle initial ABC.*

7.4 Problèmes sur les triangles

1. Dans chacun des triangles suivants, détermine la valeur de *x* et de *y*.

a)
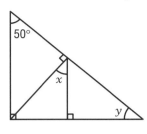

b)
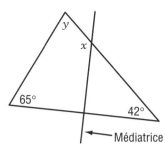

c)
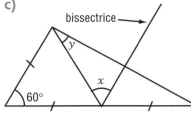

_____

_____

_____

d)
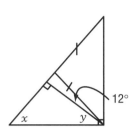

e)
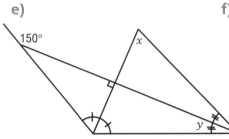

f)
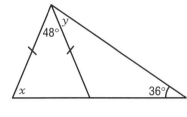

_____

_____

_____

2. Dans chacun des triangles suivants, détermine la valeur de *x*.

a)
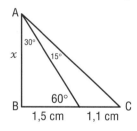

b)
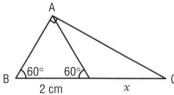

c)
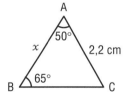

_____

_____

_____

3. On désigne par AH la hauteur d'un triangle équilatéral ABC.
Quelle est la mesure de l'angle BAH? Justifie ta réponse.

_____

_____

4. Le triangle ABC ci-contre est rectangle en A.
À partir des mesures des angles ci-contre, justifie les étapes qui montrent
que le triangle ABC est rectangle-isocèle.

1. m ∠ABD = 30° _____

_____

2. m ∠ABC = 45° _____

3. m ∠ACB = 45° _____

4. ∆ABC est isocèle, car _____

5. Dans chacun des cas suivants, justifie les affirmations.

Figure	Affirmation	Justification
a) 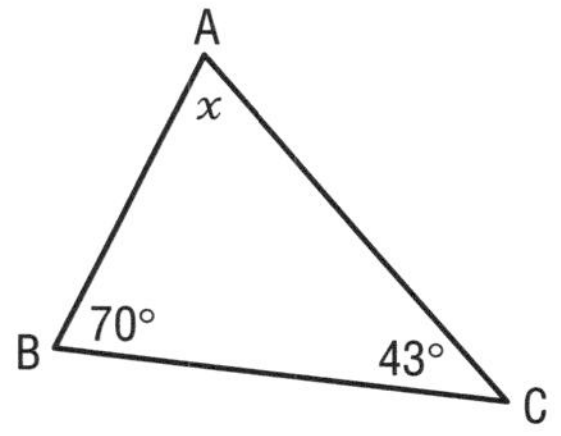	$x = 67°$	
b) 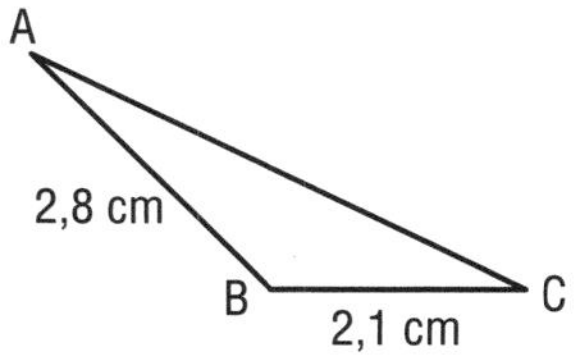	$m\overline{AC} < 4,9$ cm	
c) 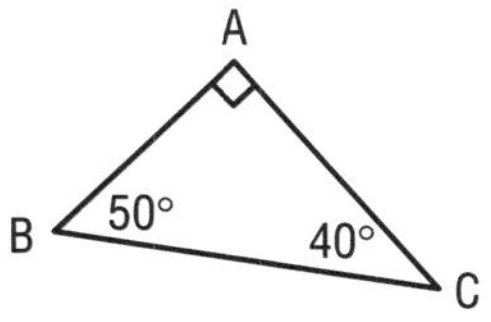	$\overline{BC}$ est le plus long côté	
d) 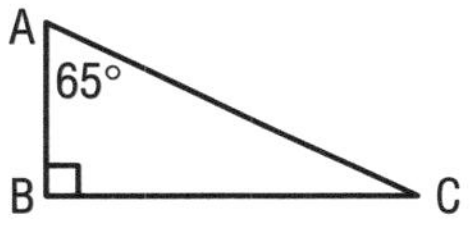	$m\angle C = 25°$	

6. Dans chacun des cas suivants, justifie les affirmations.

Figure	Affirmation	Justification
a) 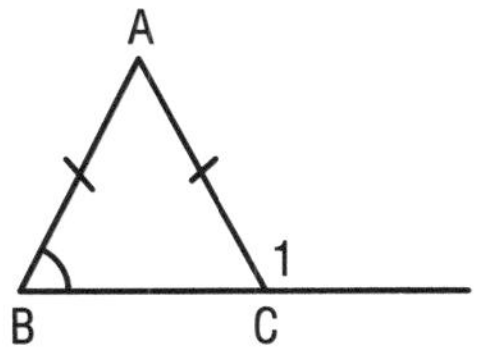	$\angle B$ et $\angle 1$ sont supplémentaires	
b) 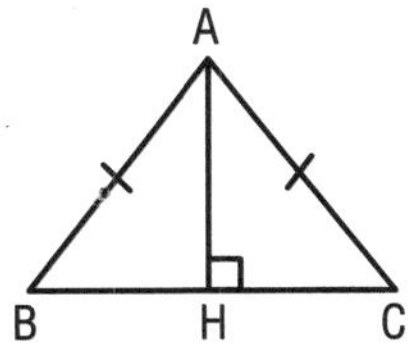	$m\overline{BH} = m\overline{HC}$	

7.4 Problèmes sur les triangles

Figure	Affirmation	Justification
c) 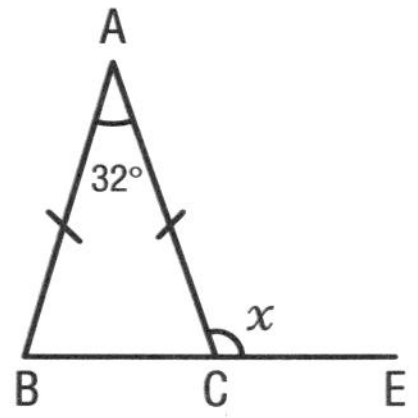 A 32° x B C E	$x = 106°$	
d) 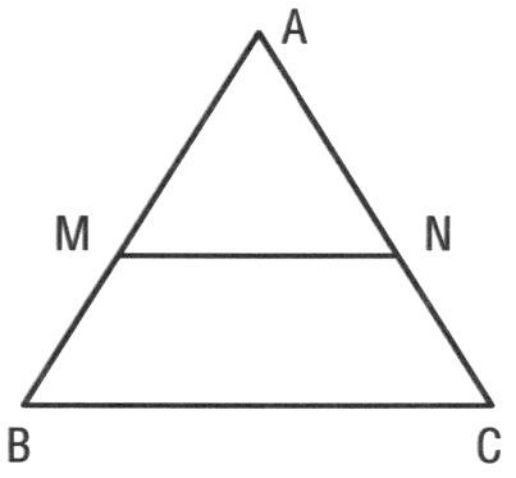 A M N B C $\overline{AB} \cong \overline{AC}$ et $\overline{MN} \; // \; \overline{BC}$	△AMN est un triangle isocèle	

7. On considère le segment AB ci-contre.

a) Trace la droite d médiatrice du segment AB.

b) Place un point M sur la médiatrice.
Quelle est la nature du triangle MAB? Justifie ta réponse.

_____

_____

A

c) Explique pourquoi les angles MAB et MBA sont congrus.

_____

8. Dans la figure ci-contre, les segments AB et AC sont congrus. Justifie les étapes prouvant que les angles ABD et ACE sont congrus.

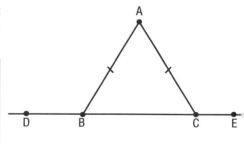

Étapes	Justification
1. △ABC est isocèle de sommet principal A.	
2. ∠ABC ≅ ∠ACB	
3. ∠ABD est le supplémentaire de ∠ABC et ∠ACE est le supplémentaire de ∠ACB.	
4. ∠ABD ≅ ∠ACE	

9. Le triangle ABC ci-contre est rectangle-isocèle. AH est la hauteur issue du sommet principal. Justifie les étapes démontrant que le triangle AHC est rectangle-isocèle.

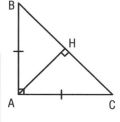

Étapes	Justification
1. AH est bissectrice de ∠BAC.	
2. m ∠HAC = 45°	
3. m ∠BCA = 45°	
4. ΔAHC est isocèle de sommet principal H.	
5. ΔAHC est rectangle en H.	
6. ΔAHC est rectangle-isocèle.	

10. a) Trace un triangle ABC isocèle de sommet principal A tel que m ∠A = 40°.

b) Trace les bissectrices des angles B et C et désigne par I le point de rencontre des bissectrices.

c) Explique pourquoi le triangle IBC est isocèle de sommet principal I.

_____

_____

_____

_____

ÉVALUATION 7

1. Trouve la valeur de x dans chacun des triangles suivants.

a)

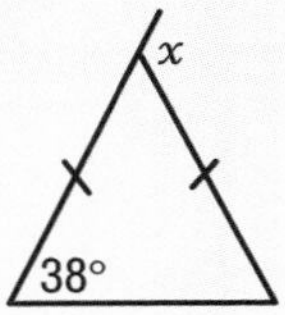

b)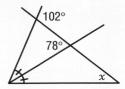

c)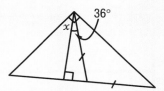

_____   _____   _____

2. Définis dans un triangle :

    a) une hauteur : _____

    b) une médiane : _____

    c) une médiatrice : _____

    d) une bissectrice : _____

    _____

3. Comment nomme-t-on, dans un triangle, le point de rencontre :

    a) des 3 hauteurs : _____ **b)** des 3 médianes : _____

    c) des 3 médiatrices : _____ **d)** des 3 bissectrices : _____

4. Dans chacun des triangles suivants, construis :

    a) les 3 hauteurs.

    b) les 3 médianes.

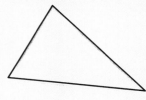

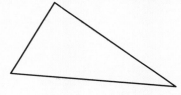

    c) les 3 médiatrices et le cercle circonscrit au triangle.

    d) les 3 bissectrices et le cercle inscrit au triangle.

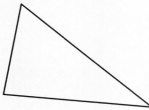

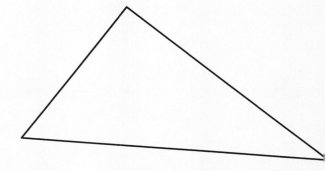

5. Construis le triangle ABC à partir des mesures suivantes :

a) $m\overline{AB} = 6$ cm, $m\overline{AC} = 3$ cm, $m\overline{BC} = 4,5$ cm b) $m\angle A = 40°$, $m\overline{AB} = 3,8$ cm, $m\overline{AC} = 4,2$ cm

c) $m\overline{BC} = 4,8$ cm, $m\angle B = 75°$, $m\angle C = 40°$ d) $m\overline{AC} = 3,8$ cm, $m\angle A = 35°$, $m\angle B = 80°$

6. Dans chacun des triangles suivants, justifie les affirmations suivantes.

Figure	Affirmation	Justification
a) 93° 2x x	$x = 29°$	
b) A D B C E	$\angle ABD \cong \angle ACE$	
c) A B H C	$\overline{BH} \cong \overline{HC}$	
d) A J O I B C Les demi-droites BI et CJ sont les bissectrices des angles B et C.	Le triangle OBC est isocèle.	

Chapitre 8

Quadrilatères

DÉFI 8

1 Polygones

*Un **polygone** est une ligne brisée fermée, formée d'au moins trois segments de droite que l'on appelle côtés.*

*Tout segment joignant deux sommets non consécutifs est une **diagonale**.*

a) Complète le tableau suivant qui indique le nombre total de diagonales d'un polygone selon le nombre de côtés.

Nombre de côtés	Nombre de diagonales
3	
4	
5	
6	
7	
⋮	
n	

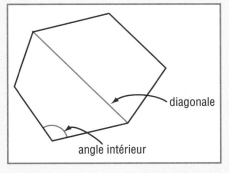

diagonale

angle intérieur

b) Complète le tableau suivant qui indique la somme des angles intérieurs d'un polygone selon le nombre de côtés.

Nombre de côtés	Somme des angles intérieurs
3	
4	
5	
6	
7	
⋮	
n	

2 Reconnaître les quadrilatères et leurs propriétés

Parmi les quadrilatères ci-contre, identifie :

a) un trapèze quelconque; _____

b) un trapèze isocèle; _____

c) un trapèze rectangle; _____

d) un parallélogramme quelconque; _____

e) un rectangle; _____

f) un losange; _____

g) un carré. _____

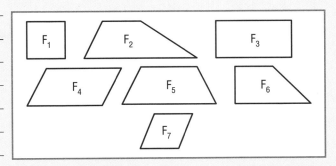

F_1 F_2 F_3 F_4 F_5 F_6 F_7

Pour chaque quadrilatère, mets une croix dans chacune des cases appropriées.

	Quadrilatère / Propriété	Trapèze	Trapèze isocèle	Trapèze rectangle	Parallélo-gramme	Rectangle	Losange	Carré
1	Exactement 2 côtés sont parallèles.							
2	Les côtés non parallèles sont congrus.							
3	Les côtés opposés sont parallèles.							
4	Les côtés opposés sont congrus.							
5	Les 4 côtés sont congrus.							
6	Les angles opposés sont congrus.							
7	Les angles consécutifs sont supplémentaires.							
8	Exactement 2 angles sont droits.							
9	Les 4 angles sont droits.							
10	Les diagonales sont congrues.							
11	Les diagonales se coupent en leur milieu.							
12	Les diagonales sont perpendiculaires.							
13	Les diagonales sont des axes de symétrie.							
14	Le quadrilatère admet au moins un axe de symétrie.							

8.1 Quadrilatères

Quatre points A, B, C et D, tels que trois points parmi ces quatre ne sont pas alignés définissent un *quadrilatère*.

On distingue la région intérieure et la région extérieure.

Les segments AC et BD, joignant deux sommets non consécutifs, sont les *diagonales* du quadrilatère.

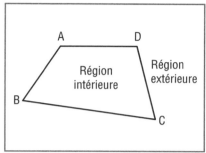

a) Trace la diagonale AC. Cette diagonale permet de définir deux triangles. Quelle est donc la somme des mesures des angles du quadrilatère ? _____

b) *Un quadrilatère est* convexe *lorsque chaque diagonale a tous ses points dans la région intérieure. Dans le cas contraire il est dit* concave. Identifie le type de quadrilatère dans chacun des cas ci-contre.

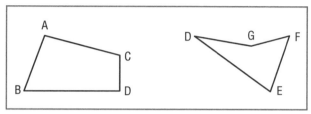

QUADRILATÈRE

- Un **quadrilatère** est un polygone ayant 4 côtés et 4 sommets.
  - Les points A, B, C et D sont les **sommets**.
  - Les segments AB, BC, CD et AD sont les côtés.
  - Les côtés AB et CD sont **opposés**, les côtés AB et BC sont **consécutifs**.
  - Les angles A et C sont **opposés**, les angles A et B sont **consécutifs**.
  - Les segments AC et BD, joignant deux sommets non consécutifs, sont les **diagonales** du quadrilatère.

- On distingue deux types de quadrilatères.

Quadrilatère **convexe**   Quadrilatère **concave**

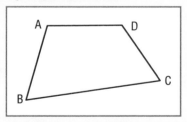
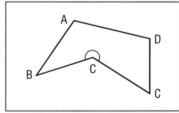

> Un quadrilatère est concave lorsque un de ses angles mesure plus de 180°.

- La somme des mesures des angles d'un quadrilatère est égale à 360°.
$$m < A + m < B + m < C + m < D = 360°.$$

1. Soit le quadrilatère ci-contre.

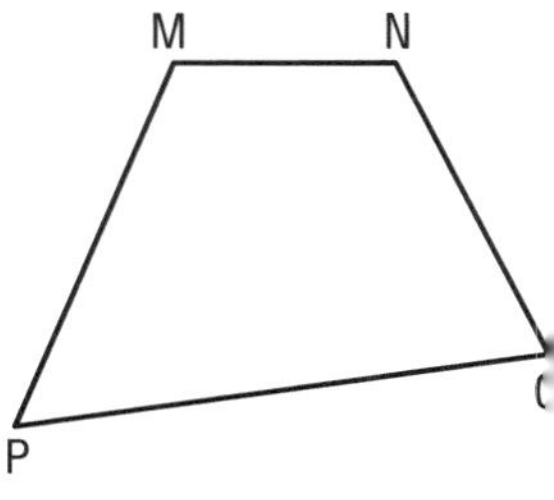

a) Nomme les côtés du quadrilatère. _____

b) Nomme les sommets du quadrilatère. _____

c) Nomme les côtés opposés du quadrilatère. _____

d) Nomme les angles opposés du quadrilatère. _____

e) Trace et nomme les diagonales du quadrilatère. _____

f) Détermine la mesure des côtés du quadrilatère. _____
_____

g) Détermine la mesure des angles du quadrilatère. _____
_____

h) Vérifie que la somme des mesures des angles est égale à 360°. _____

2. Détermine la mesure de l'angle 1 dans chacun des quadrilatères suivants (sans utiliser de rapporteur

a) 120° 1
60°
55°
_____

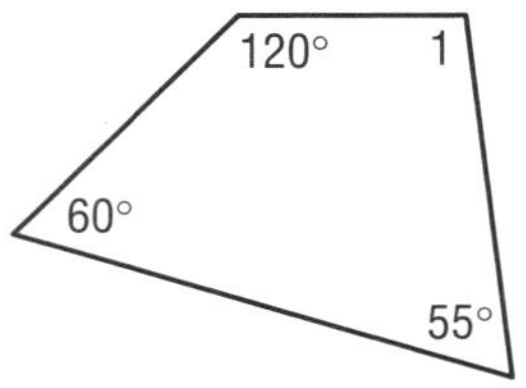

b) 135° 1
110°
72° 80°
_____

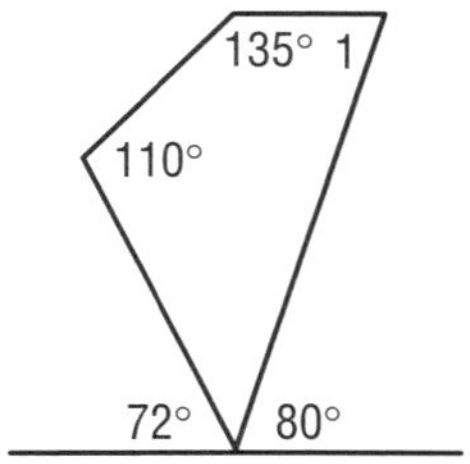

c) 100° 1
60° 82°
_____

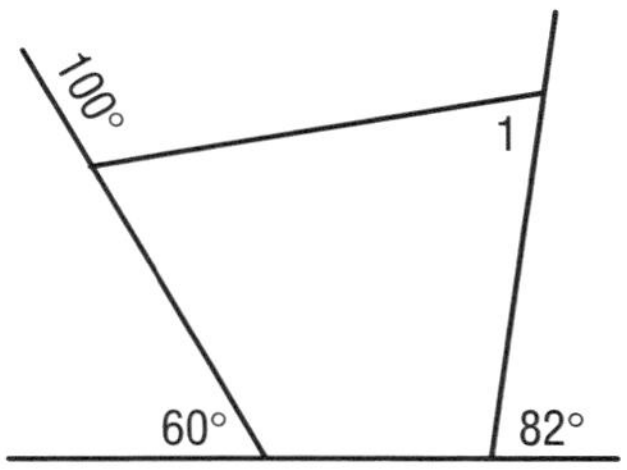

Activité 2 Construction d'un trapèze

a) *On appelle trapèze un quadrilatère qui a deux côtés opposés parallèles.*
Les côtés parallèles sont les **bases** *du trapèze.*
Trace un trapèze ABCD ayant les côtés AD et BC parallèles.

b) 1. Trace un trapèze ABCD tel que les côtés non parallèles AB et CD soient congrus. *Un tel trapèze est isocèle.*

2. Compare les diagonales. _____

3. Vérifie que les angles opposés sont supplémentaires.

Activité 3 Construction d'un parallélogramme

Le triangle ABC ci-contre est scalène. On désigne par O le milieu du côté BC. On considère la rotation *r* de centre O et d'angle 180°.

a) Trace le triangle A'CB, image du triangle ABC par la rotation *r*.

b) Dans le quadrilatère ABA'C, explique pourquoi:

1. Les côtés opposés sont parallèles.
_____
_____

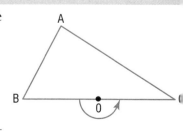

2. Les côtés opposés sont congrus.

_____

_____

3. Les angles opposés sont congrus.

_____

_____

4. Les diagonales se coupent en leur milieu.

_____

_____

*Le quadrilatère ABA′C que tu viens de créer est appelé **parallélogramme** car ses côtés opposés sont parallèles.*

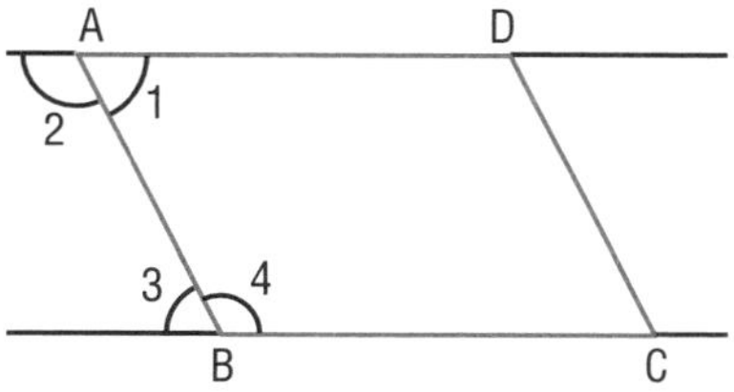

5. Justifie les étapes qui montrent que, dans un parallélogramme, les angles consécutifs, par exemple ∠1 et ∠4 sont supplémentaires.

Étapes	Justification
1. m ∠1 + m ∠2 = 180°	
2. m ∠2 = m ∠4	
3. m ∠1 + m ∠4 = 180°	
4. ∠1 et ∠4, supplémentaires	

ctivité 4 Construction d'un rectangle

triangle ABC ci-contre est rectangle en A. O est le milieu de l'hypoténuse.
n considère la rotation *r* de centre O et d'angle 180° du triangle ABC
rmettant de créer le parallélogramme ABA′C.

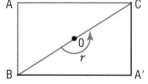

) Explique pourquoi l'angle A′ est droit.

_____

) Explique pourquoi les angles B et C sont droits.

_____

_____

_____

) ABA′C est une figure symétrique.

1. Trace ses deux axes de symétrie.

2. Choisis pour réflexion celle ayant pour axe un des axes de symétrie. Quelle est l'image de la diagonale BC par la réflexion?

_____

3. Explique pourquoi les diagonales AA′ et BC sont congrues.

_____

*parallélogramme ABA′C que tu viens de créer est appelé un **rectangle**.*

Activité 5 Construction d'un losange

Le triangle ABC ci-contre est isocèle. On désigne par O le milieu du côté BC. On considère la rotation *r* de centre O et d'angle 180° du triangle ABC permettant de créer le parallélogramme ABA'C.

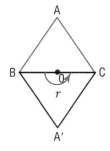

a) Explique pourquoi les quatre côtés du parallélogramme sont congrus.

_____

_____

b) Justifie les étapes montrant que les diagonales sont perpendiculaires.

1. $\overline{AO}$ est la médiane relative du côté BC. _____

2. $\overline{AO}$ est la hauteur relative du côté BC. _____

_____

3. $\overline{AA'} \perp \overline{BC}$ _____

c) La figure est symétrique. Quels sont ses axes de symétrie? Trace-les.

_____

Le parallélogramme que tu viens de créer est appelé un **losange**.

Activité 6 Construction d'un carré

Le triangle ABC ci-contre est rectangle-isocèle. On désigne par O le milieu du côté BC. On considère la rotation *r* de centre O et d'angle 180° du triangle ABC permettant de créer le parallélogramme ABA'C.

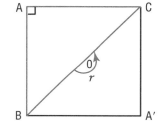

a) Complète :

1. Le triangle ABC étant rectangle, le parallélogramme créé ABA'C obtenue par la rotation est donc un _____ .

2. Le triangle ABC étant isocèle, le parallélogramme créé ABA'C obtenue par la rotation est donc un _____ .

b) Comment appelle-t-on un parallélogramme qui est à la fois un rectangle et un losange? _____

c) Quelles sont donc les propriétés du parallélogramme ABA'C?

_____

d) Quels sont les axes de symétrie? Trace-les.

_____

Le parallélogramme que tu viens de créer est appelé un **carré**.

QUADRILATÈRES REMARQUABLES

Nom	Définition	Figure	Propriétés
Trapèze	Quadrilatère ayant deux côtés opposés parallèles.		Les angles A et B sont supplémentaires. Les angles C et D sont supplémentaires.
Trapèze isocèle	Trapèze ayant des côtés non parallèles congrus.		Propriétés du trapèze. Les angles à la base sont congrus. Les diagonales sont congrues.
Trapèze rectangle	Trapèze ayant un angle droit.		Propriétés du trapèze.
Parallélogramme	Quadrilatère ayant des côtés opposés parallèles.		Les côtés opposés sont congrus. Les angles opposés sont congrus. Les angles consécutifs sont supplémentaires. Les diagonales se coupent en leur milieu.
Rectangle	Parallélogramme ayant ses angles droits.		Propriétés du parallélogramme. Les diagonales sont congrues.
Losange	Parallélogramme ayant quatre côtés congrus.		Propriétés du parallélogramme. Les diagonales sont perpendiculaires.
Carré	Parallélogramme ayant ses angles droits et ses côtés congrus.		Propriétés du rectangle. Propriétés du losange.

Ainsi dans la famille des quadrilatères, on observe que :

– Tout parallélogramme est un trapèze.
– Tout rectangle est un parallélogramme.
– Tout losange est un parallélogramme.
– Tout carré est un parallélogramme qui est à la fois un rectangle et un losange.

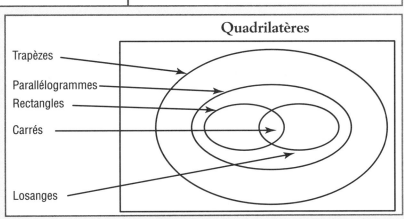

Quadrilatères

Trapèzes
Parallélogrammes
Rectangles
Carrés
Losanges

3. Quelle est la nature des quadrilatères suivants?

a)

b)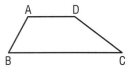

c)

_____   _____   _____

d)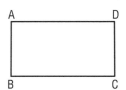

e)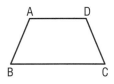

f)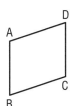

_____   _____   _____

g)

h)

_____   _____

4. Le diagramme ci-dessous illustre le classement des quadrilatères convexes.

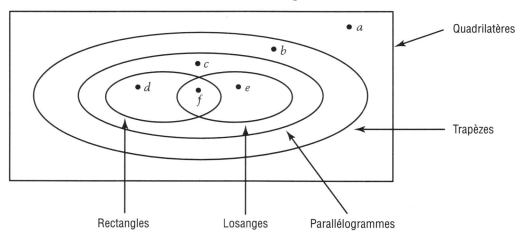

a désigne un quadrilatère qui n'est pas un trapèze,
b désigne un trapèze qui n'est pas un parallélogramme,…
Représente par une figure géométrique, les quadrilatères a, b, c, …, f.

a)	b)	c)	d)	e)	f)

5. Quel type de quadrilatère la figure initiale et son image forment-elles par la transformation indiquée?

a)

_____

b)

_____

c)

_____

d)

_____

e)

_____

f)

_____

6. Soit le trapèze MNOP.

a) Nomme la petite base. _____

b) Nomme la grande base. _____

c) Nomme deux côtés:

1. parallèles; _____ 2. non parallèles. _____

d) Nomme deux paires d'angles supplémentaires. _____

e) Nomme deux paires d'angles consécutifs non supplémentaires.

_____

f) Les diagonales sont-elles congrues? _____

7. Soit le trapèze isocèle PQRS.

a) Nomme les côtés:

1. parallèles; _____ 2. congrus. _____

b) Que peux-tu dire des angles du trapèze:

1. P et S? _____ 2. S et R? _____

c) Que peux-tu dire des diagonales? _____

d) O est-il le milieu de $\overline{SQ}$ ou de $\overline{RP}$? _____

e) Le trapèze possède-t-il un axe de symétrie? Si oui, trace-le.

8. Soit le trapèze rectangle ABCD.

a) Que peux-tu dire des côtés AD et BC? _____

b) Que peux-tu dire des angles D et C? _____

c) Les diagonales se coupent-elles en leur milieu? _____

9. Soit le parallélogramme EFGH.

a) Nomme les côtés opposés. _____

b) Nomme les côtés parallèles. _____

c) Nomme les angles congrus. _____

d) Nomme les angles supplémentaires. _____

e) 1. Explique pourquoi les angles FEG et HGE sont congrus.

_____

2. Explique pourquoi les angles HEG et EGF sont congrus.

_____

f) 1. Que représente le point I d'intersection des diagonales? _____

2. Les diagonales sont-elles congrues? _____

g) Le parallélogramme possède-t-il un axe de symétrie? _____

10. Construis deux segments, AB et CD, qui se coupent en leur milieu. Que peux-tu dire du quadrilatère ACBD?

_____

11. Soit le rectangle IJKL.

a) Que peux-tu dire des côtés IJ et KL?

_____

b) Que peux-tu dire des angles I, J, K et L?

_____

c) 1. Que peux-tu dire des diagonales IK et JL? _____

2. Que représente le point O d'intersection des diagonales? _____

d) Le rectangle possède-t-il un ou plusieurs axes de symétrie? Trace-les.

_____

12. Trace deux segments congrus AB et CD qui se coupent en leur milieu.
Que peux-tu dire du quadrilatère ACBD? _____

13. Soit le losange QRST.

a) Que peux-tu dire à propos des côtés de ce losange?

_____

b) Que peux-tu dire à propos des angles de ce losange?

_____

_____

c) Que peux-tu dire à propos des diagonales de ce losange?

_____

d) Le losange possède-t-il un ou plusieurs axes de symétrie? Trace-les.

_____

14. Trace deux segments perpendiculaires, AB et CD, qui se coupent en leur milieu. Que peux-tu dire du quadrilatère ACBD?

_____

15. Soit le carré MNOP.

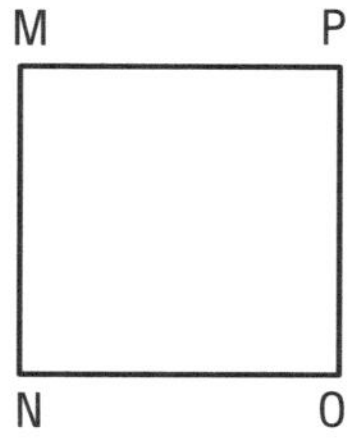

a) Quelles sont les propriétés que le carré possède et que le parallélogramme quelconque ne possède pas?

_____

_____

b) Le carré possède-t-il un ou plusieurs axes de symétrie? Trace-les.

_____

16. Trace deux segments congrus et perpendiculaires, AB et CD, qui se coupent en leur milieu. Que peux-tu dire du quadrilatère ACBD?

_____

17. Quelles sont les propriétés que possède:

a) le rectangle et que ne possède pas le parallélogramme?

_____

_____

b) le losange et que ne possède pas le rectangle?

_____

_____

c) le carré et que ne possède pas le losange?

_____

d) le carré et que ne possède pas le rectangle?

_____

_____

18. Considère le trapèze isocèle et les données ci-contre. Déduis la mesure:

a) du côté BC _____

b) de l'angle BCD _____

c) de l'angle DAB _____

d) de l'angle CBA _____

e) de la diagonale BD _____

$m\overline{AD} = 2$ cm

$m \angle ADC = 70°$

$m\overline{AC} = 4$ cm

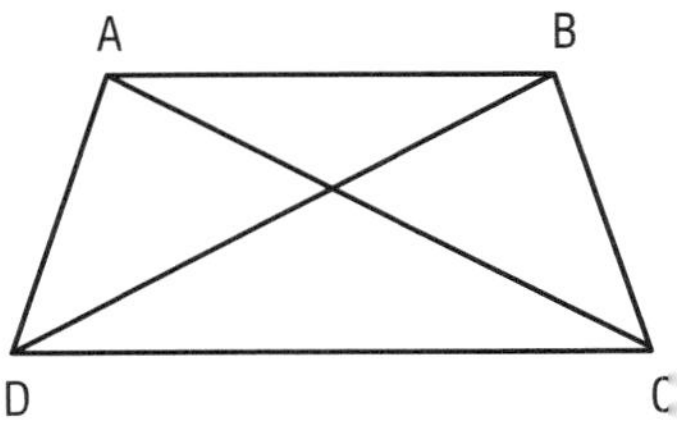

19. Considère le parallélogramme et les données ci-contre. Déduis la mesure:

a) du côté DC _____

b) du côté BC _____

c) de l'angle BCD _____

d) de l'angle ADC _____

e) de l'angle ABC _____

$m\overline{AB} = 4$ cm

$m\overline{AD} = 2$ cm

$m \angle BAD = 110°$

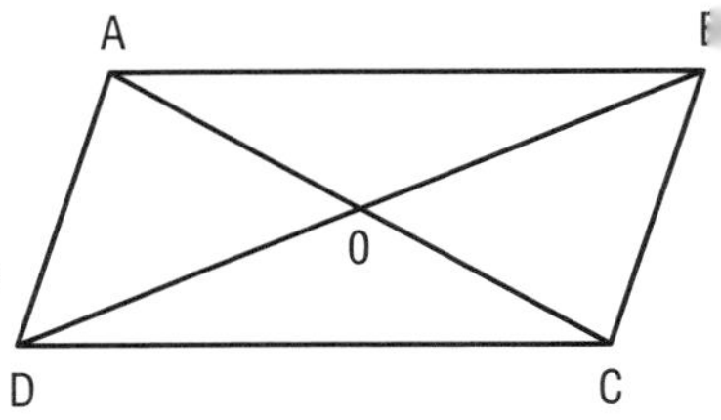

20. Considère le rectangle et les données ci-contre. Déduis la mesure:

a) de la diagonale AC _____

b) de la diagonale DB _____

c) de l'angle A _____

d) du côté DC _____

e) du côté BC _____

$m\overline{AB} = 5$ cm

$m\overline{AD} = 2$ cm

$m\overline{DO} = 2,7$ cm

21. Considère le losange et les données ci-contre.

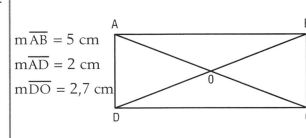

$m\overline{AO} = 1$ cm

$m\overline{OD} = 2$ cm

$m\overline{AD} = 2,2$ cm

$m \angle ADC = 53°$

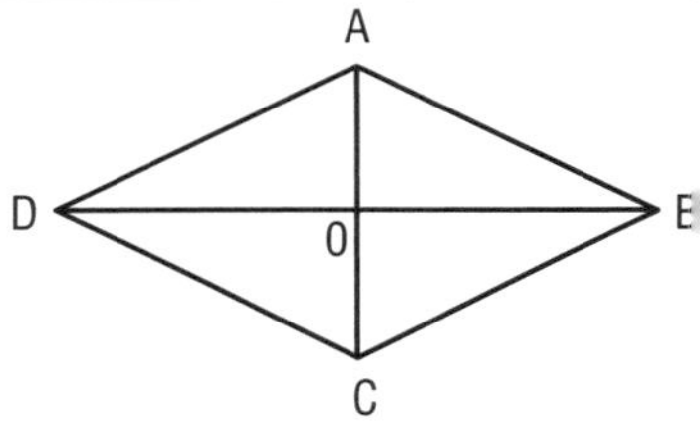

Déduis la mesure:

a) des côtés;

1. AB: _____ 2. BC: _____ 3. CD: _____

b) des angles;

1. DCB: _____ 2. CBA: _____ 3. BAD: _____ 4. AOB: _____

c) des diagonales.

1. AC: _____ 2. BD: _____

22. Quelle est la nature du quadrilatère dont les sommets sont les milieux de chacun des côtés des quadrilatères suivants.

a)

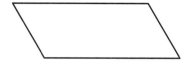

b)

_____

c)

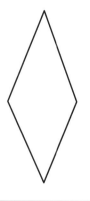

d)

_____

23. À l'aide de ton matériel de géométrie, complète la construction des quadrilatères suivants :

a) Un parallélogramme

b) Un trapèze isocèle

c) Un losange

d) Un carré

e) Un rectangle

f) Un losange

24. Construis un quadrilatère à partir des données suivantes.

a) ABCD est un losange dont les diagonales mesurent respectivement 3 cm et 5 cm.

b) ABCD est un parallélogramme ayant un angle de 70° et 2 côtés consécutifs respectivement égaux à 2,5 cm et 4,8 cm.

c) ABCD est un rectangle ayant un côté mesurant 4 cm et une diagonale mesurant 5 cm.

d) ABCD est un trapèze isocèle dont les bases mesurent respectivement 3 cm et 5 cm et dont la hauteur est 2 cm.

e) ABCD est un carré de 2,7 cm de côté.

f) ABCD est un trapèze rectangle dont les bases mesurent respectivement 4,2 cm et 5,8 cm et dont la hauteur est 1,5 cm.

g) ABCD est un carré ayant une diagonale mesurant 4 cm.

h) Un losange de 3 cm de côté, dont l'un des angles mesure 120°.

8.2 Problèmes sur les quadrilatères

1. Dans chacun des quadrilatères suivants, détermine la mesure de l'angle 1.

a)

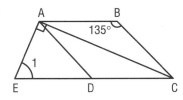

ABCD est un losange.

b)

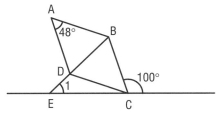

ABCD est un losange.

c)

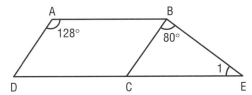

ABCD est un parallélogramme.

d)

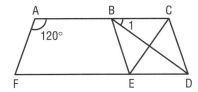

ABEF est un trapèze isocèle et
BCDE est un losange.

e)

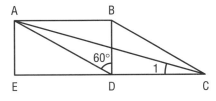

ABDE est un rectangle et
ABCD est un parallélogramme.

f)

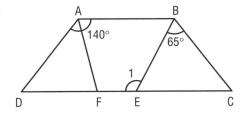

ABCD est un trapèze isocèle et
ABEF est un trapèze quelconque.

2. Dans chacun des quadrilatères suivants, détermine la valeur de x.

a)

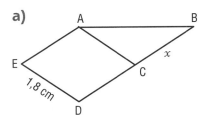

ACDE est un losange et
ABC est un triangle isocèle.

b)

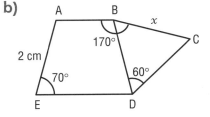

ABDE est un trapèze
isocèle.

c)

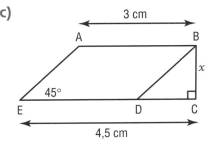

ABDE est un parallélo-
gramme et $\angle$C est droit.

3. On considère le triangle AOB ci-contre.

    a) Place les points A′ et B′ de façon à ce que O soit le milieu du segment AA′ et du segment BB′.

    b) Quelle est la nature du quadrilatère A′B′AB? Justifie ta réponse. _____

_____

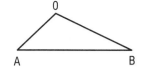

4. Dans chacun des quadrilatères suivants, justifie les affirmations suivantes.

Figure	Affirmation	Justification
a) 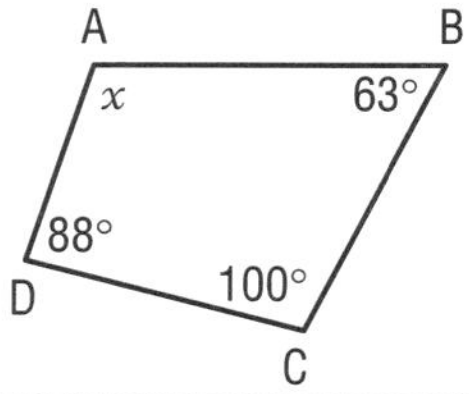 A B x 63° 88° 100° D C	$x = 109°$	
b) 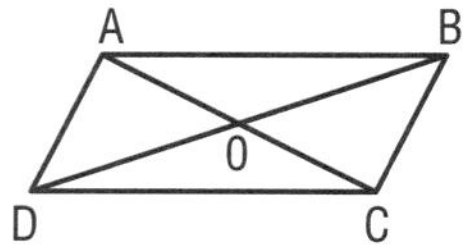 A B O D C $\overline{AB}$ // $\overline{DC}$ et $\overline{BC}$ // $\overline{AD}$	O est le milieu des diagonales AC et BD.	
c) 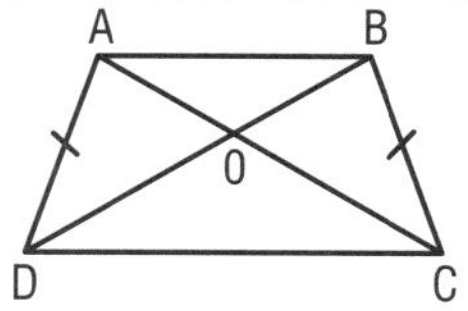 A B O D C $\overline{AB}$ // $\overline{DC}$ et $\overline{AD} \cong \overline{BC}$	$\overline{AC} \cong \overline{BD}$	
d) 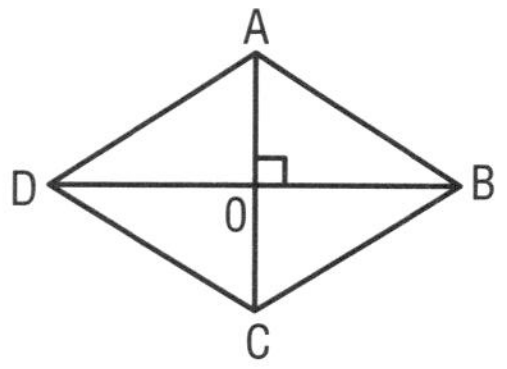 A D O B C $\overline{AB}$ // $\overline{DC}$ et $\overline{AD}$ // $\overline{BC}$ et ∠AOB est droit	$\overline{AB} \cong \overline{BC} \cong \overline{CD} \cong \overline{AD}$	
e) O est le milieu des segments AC et BD. 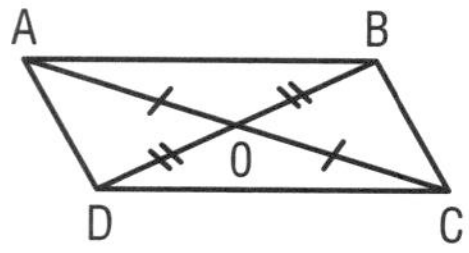 A B O D C	$\overline{AD} \cong \overline{BC}$ et $\overline{AD}$ // $\overline{BC}$	
f) 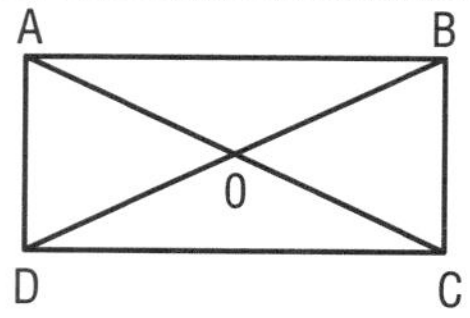 A B O D C $\overline{AC} \cong \overline{BD}$ et O est le milieu des segments AC et BD.	m <BAD = 90°	

5. On considère le losange ABCD ci-contre.
Explique pourquoi :

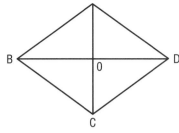

   a) le triangle ABC est isocèle.

_____

_____

_____

   b) le triangle AOB est rectangle.

_____

_____

_____

6. On considère le rectangle ABCD ci-contre.

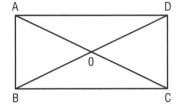

   a) Explique pourquoi le triangle BOC est isocèle.

_____

_____

_____

_____

   b) Que peut-on dire sur la nature des autres triangles AOB, AOD et COD ?

_____

7. Dans le carré ABCD ci-contre, on a tracé les diagonales AC et BD qui se coupent en O.

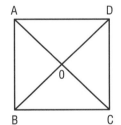

   a) Que peut-on dire au sujet de la nature des quatre triangles AOB, BOC, COD et AOD.

_____

   b) Les quatre triangles AOB, BOC, COD et AOD sont-ils congrus ? _____

   c) Trouve l'image du triangle BOC par la rotation de centre O, de sens horaire et d'angle :
     1. 90° _____ 2. 180° _____ 3. 270° _____

8. Le trapèze ABCD ci-contre est isocèle.
Justifie les étapes montrant que les angles opposés d'un trapèze isocèle sont supplémentaires.

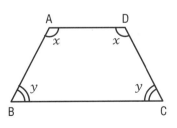

	Étapes	Justification
1.	$x + x + y + y = 360°$	
2.	$2x + 2y = 360°$	
3.	$2 \times (x + y) = 360°$	
4.	$x + y = 180°$	

ÉVALUATION 8

1. Vrai ou Faux?

a) Tout parallélogramme est un trapèze. _____

b) Tout rectangle a ses diagonales perpendiculaires. _____

c) Deux angles consécutifs d'un parallélogramme sont congrus. _____

d) La somme des mesures de deux angles consécutifs d'un trapèze est 180°. _____

e) Tout losange est un carré. _____

f) Tout rectangle est un carré. _____

g) Les diagonales d'un rectangle sont congrues. _____

h) Les diagonales d'un trapèze quelconque se coupent en leur milieu. _____

i) Tout losange a quatre angles droits. _____

j) Un trapèze isocèle a deux côtés non parallèles congrus. _____

k) Les côtés opposés d'un parallélogramme sont parallèles. _____

l) La somme des mesures de deux angles consécutifs d'un parallélogramme est 180°. _____

m) Si l'un des angles d'un parallélogramme est droit, alors les autres angles aussi sont droits. ____

n) Tout losange a ses diagonales congrues. _____

o) Si les diagonales d'un quadrilatère se coupent en leur milieu, ce quadrilatère est un parallélogramme. _____

2. À l'aide des propriétés suivantes, dis de quel ou desquels quadrilatères particuliers il s'agit.

a) Les quatre côtés sont congrus. _____

b) Les diagonales sont congrues. _____

c) Deux côtés seulement sont parallèles et les deux autres sont congrus. _____

d) Les diagonales d'un parallélogramme sont perpendiculaires. _____

e) Deux angles seulement sont droits. _____

f) Les diagonales d'un parallélogramme sont perpendiculaires et congrues. _____

g) Les diagonales se coupent en leur milieu. _____

h) Deux côtés seulement sont parallèles. _____

3. Trouve la mesure de l'angle 1 dans chacun des quadrilatères suivants.

a)

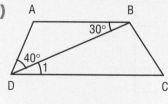

ABCD est un trapèze.

_____

b)

DECB est un trapèze.

_____

c)

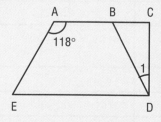

ABDE est un trapèze
isocèle et ACDE est un
trapèze rectangle.

4. Construis un quadrilatère à partir des données suivantes.

a) ABCD est un trapèze dont la petite base et la grande base mesurent respectivement 3 cm et 4,5 cm, m ∠ADC = 80° et la hauteur mesure 2 cm.

b) ABCD est un losange de 2,6 cm de côté et la petite diagonale est de 2,4 cm.

c) ABCD est un rectangle de longueur 5 cm et tel que m ∠BDC = 28°.

d) ABCD est un carré dont une diagonale mesure 3 cm.

e) ABCD est un parallélogramme dont les côtés mesurent respectivement 4 cm et 1,8 cm et m ∠ADC = 50°.

f) ABCD est un trapèze isocèle ayant une hauteur égale à 2 cm et les bases mesurant respectivement 2,5 cm et 4 cm.

5. Dans chacun des quadrilatères suivants, justifie les affirmations suivantes.

	Figure	Affirmation	Justification
a)	ABCD est un losange.	m ∠1 = 32°	
b)	ABCD est un rectangle.	Le cercle de centre O et de rayon OA passe aussi par B, C et D.	

6. Dans le carré ci-contre, on a tracé la diagonale AC. Quelle est la mesure de l'angle BAC? Justifie ta réponse.

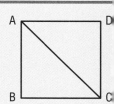

_____

_____

_____

✱7. a) Dans le triangle isocèle ABC ci-contre
   1. Trace la hauteur AH relative à la base BC.
   2. Place le point A′ de façon que H soit le milieu du segment AA′.

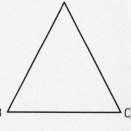

b) 1. Explique pourquoi les diagonales du quadrilatère ABA′C se coupent en leur milieu.

_____

_____

   2. Explique pourquoi le quadrilatère ABA′C est un parallélogramme.

_____

_____

c) 1. Explique pourquoi les diagonales du quadrilatère ABA′C sont perpendiculaires.

_____

_____

   2. Explique pourquoi le parallélogramme ABA′C est un losange.

_____

d) Quelle doit être la nature du triangle ABC pour que le quadrilatère ABA′C soit un carré?

_____

Chapitre 9

Périmètre et aire

DÉFI 9

1 Formules d'aires

Exprime par une formule l'aire de chacun des polygones suivants.

a) Le rectangle où *b* désigne la mesure de la base et *h* la hauteur.

_____

b) Le carré où *c* désigne la mesure d'un côté du carré.

_____

c) Le triangle où *b* désigne la mesure de la base et *h* la hauteur associée à cette base.

_____

d) Le parallélogramme où *b* désigne la mesure de la base et *h* la hauteur associée à cette base.

_____

e) Le trapèze où B désigne la mesure de la grande base, *b* celle de la petite base et *h* la hauteur.

_____

f) Le losange où D désigne la mesure de la grande diagonale et *d* celle de la petite diagonale.

_____

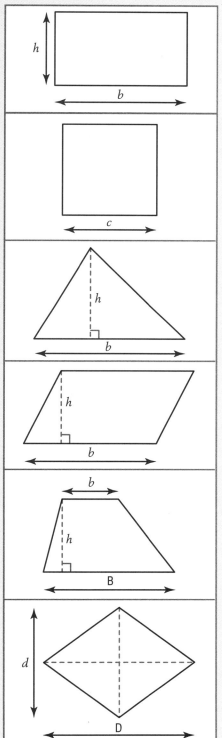

2 Dans une ferme

Un cultivateur a divisé en 8 lots un terrain agricole ayant la forme d'un rectangle de 130 m sur 90 m. Le tableau ci-dessous indique pour chaque lot le type de culture ainsi que le profit annuel par mètre carré. Quel est le profit total que le cultivateur réalise en une année?

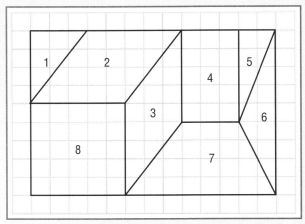

Note: Chaque carré □ du plan quadrillé ci-dessus correspond à un carré de 1 m de côté.

Lot N°	Culture	Profit annuel/m²	Forme géométrique	Dimensions	Aire	Profit annuel
1	Raisins	4 $				
2	Fraises	5 $				
3	Cerises	6 $				
4	Tomates	3 $				
5	Oignons	1 $				
6	Carottes	2 $				
7	Tulipes	8 $				
8	Roses	10 $				

9.1 Unités de longueur – Unités d'aires

Activité 1   Périmètre ou aire

M. Laverdure, qui vient d'acheter une nouvelle maison, désire mettre de la pelouse sur son terrain et le clôturer.

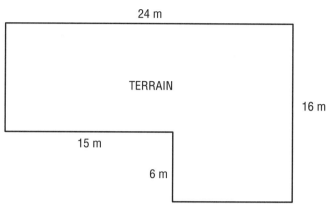

a) 1. Le coût de la clôture dépend-il de l'aire ou du périmètre du terrain? _____

   2. Le coût de la pelouse dépend-il de l'aire ou du périmètre du terrain? _____

La pelouse revient à 1,50 \$/m² et la clôture 15 \$/m. De plus, les frais d'installation de la pelouse et de la clôture sont respectivement de 0,50 \$/m² et de 2,50 \$/m.

b) Quel est le coût total que M. Laverdure devra payer? (Les taxes sont incluses dans les prix.)

Activité 2   Périmètre et aire d'un polygone

Mesurer le périmètre d'un polygone c'est rechercher le nombre d'unités de longueur nécessaires pour parcourir le contour du polygone.

Mesurer l'aire d'un polygone, c'est rechercher le nombre d'unités d'aire nécessaires pour recouvrir la surface d'un polygone.

Pour chacun des polygones suivants, calcule, avec l'unité donnée:

1. le périmètre,   2. l'aire.

a)

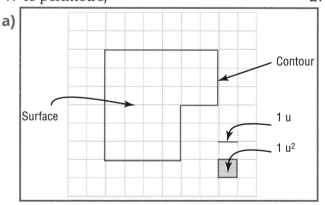

b)

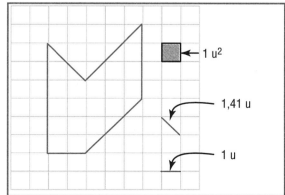

PÉRIMÈTRE ET AIRE D'UN POLYGONE

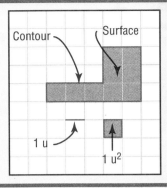

- Le **périmètre** d'un polygone est une mesure exprimant la longueur de son **contour**.
- L'**aire** d'un polygone est une mesure exprimant la grandeur de sa **surface**.

  Ex.: Le polygone ci-contre a un périmètre égal à 16 unités de longueur et une aire égale à 9 unités de surface.

1. Dans chacune des situations suivantes, détermine s'il est plus approprié de calculer le périmètre ou l'aire du polygone.

  a) Poser de la dentelle autour d'une nappe : _____

  b) Recouvrir de gazon un terrain : _____

  c) Calculer le temps nécessaire pour faire le tour de piste dans un vélodrome. _____

  d) Peindre une porte : _____

  e) Recouvrir d'asphalte une entrée de garage : _____

  f) Prix à payer pour l'achat d'un terrain : _____

  g) Encadrer une peinture : _____

  h) Remplacer un miroir : _____

2. Complète le tableau suivant :

	Périmètre	Aire
Rectangle ACEF		
Triangle ABC		
Parallélogramme ABDF		
Trapèze ACDF		

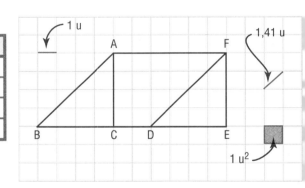

Activité 3 Unités de longueur

*L'unité de base pour mesurer une longueur, dans le système métrique, est le **mètre** (m).*

a) Complète :

  1. 1 m = _____ dm   2. 1 m = _____ cm   3. 1 m = _____ mm

  4. 1 dam = _____ m   5. 1 hm = _____ m   6. 1 km = _____ m

b) Indique l'unité de mesure appropriée pour mesurer :

  1. la hauteur d'un pont. _____

  2. la distance entre Montréal et Toronto. _____

3. l'épaisseur d'une règle. _____

4. la quantité de neige tombée. _____

5. le diamètre d'une pièce de 1 $. _____

6. la largeur du tableau. _____

7. la longueur du fleuve Saint-Laurent. _____

8. l'épaisseur de la couverture de ton livre. _____

CHANGEMENT D'UNITÉ DE LONGUEUR

Le tableau ci-dessous indique comment transformer une unité de longueur en une autre unité de longueur.

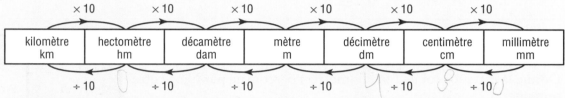

- Pour passer d'une unité de longueur à une unité de longueur immédiatement inférieure, on multiplie par 10.
- Pour passer d'une unité de longueur à une unité de longueur immédiatement supérieure, on divise par 10.

Ex.: 2,4 m = 24 dm = 240 cm = 2400 mm
34,5 m = 3,45 dam = 0,345 hm = 0,0345 km

3. Transforme les mesures suivantes en centimètres.

a) 2,4 m _____ **b)** 0,4 dm _____ **c)** 0,0048 dam _____ **d)** 24 mm _____

e) 0,08 km _____ **f)** 0,0025 hm _____ **g)** 12,7 dm _____ **h)** 13,47 mm _____

4. Transforme les mesures suivantes en mètres.

a) 3 km _____ **b)** 5,2 dam _____ **c)** 478 dm _____ **d)** 72,4 cm _____

e) 18 mm _____ **f)** 3,7 hm _____ **g)** 0,08 km _____ **h)** 432,8 mm _____

5. Transforme les mesures suivantes en kilomètres.

a) 2485 m _____ **b)** 42,8 dam _____ **c)** 3000 cm _____ **d)** 423,8 dm _____

e) 2 400 000 mm _____ **f)** 4 m _____ **g)** 718,2 hm _____ **h)** 4,2 m _____

6. Transforme les mesures suivantes dans l'unité de longueur demandée.

a) 748 mm = _____ m **b)** 2480 mm = _____ cm **c)** 72,5 dm = _____ dam

d) 6,18 dam = _____ mm **e)** 2450 m = _____ km **f)** 3,4 hm = _____ dm

g) 7,6 km = _____ m **h)** 32,4 cm = _____ m **i)** 624 mm = _____ dam

j) 340 000 cm = _____ km **k)** 218 dm = _____ km **l)** 62,4 m = _____ mm

m) 2,432 hm = _____ cm **n)** 318,2 dam = _____ km **o)** 1,24 km = _____ m

7. Calcule chacune des sommes suivantes après avoir transformé chaque terme dans l'unité de ton choix.

a) 3 m + 24 dm + 428 cm = _____

b) 2,3 km + 1726 m + 0,4 dam = _____

c) 728 cm + 0,32 m + 45 dm = _____

d) 7,18 hm + 1,34 km + 345 m = _____

e) 7,18 dm + 24,8 cm + 720 mm = _____

f) 628 dm + 3,45 m + 7200 mm = _____

8. Michèle doit acheter 340 cm de dentelle à 1,85 $ le mètre. Combien lui coûtera cette dentelle

_____

9. Une planche de bois mesure 10,5 m. Combien de morceaux de 75 cm de longueur peut-o scier avec cette planche?

_____

10. Nina fait du jogging tous les jours de la semaine pour se mettre en forme.
Donne la distance totale (en kilomètres) parcourue par Nina cette semaine.

Lundi	0,3 km
Mardi	584 m
Mercredi	9 hm
Jeudi	1,5 km
Vendredi	0,986 km
Samedi	1,68 km
Dimanche	2140 m

_____

11. Andréa doit emprunter les pistes suivantes afin de vérifier leur état.
Combien de kilomètres a-t-elle parcourus?

Piste	Longueur
Piste A	1,285 km
Piste B	3747 m
Piste C	43 hm
Piste D	124,3 dam

_____

Activité 4 Unités d'aire

*L'unité de base pour mesurer une surface, dans le système métrique, est le **mètre carré** (m^2).*

Le mètre carré correspond à l'aire d'un carré de 1 m de côté. $\boxed{1\ m^2}$ 1 m
1 m

a) Complète :

1. $1\ m^2 =$ _____ dm^2 2. $1\ m^2 =$ _____ cm^2 3. $1\ m^2$ _____ mm^2

4. $1\ dam^2 =$ _____ m^2 5. $1\ hm^2 =$ _____ m^2 6. $1\ km^2 =$ _____ m^2

b) Indique l'unité de mesure appropriée pour mesurer :

1. la surface du plancher de ta chambre à coucher. _____

2. la superficie d'un pays. _____

3. la surface d'une page de ton livre. _____

4. la surface d'un grain de beauté. _____

CHANGEMENT D'UNITÉ D'AIRE

Le tableau ci-dessous indique comment transformer une unité d'aire en une autre unité d'aire.

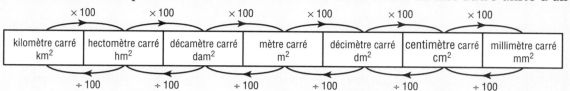

- Pour passer d'une unité d'aire à une unité d'aire immédiatement inférieure, on multiplie par 100.
- Pour passer d'une unité d'aire à une unité d'aire immédiatement supérieure, on divise par 100.
  Ex.: $1,3 \text{ m}^2 = 130 \text{ dm}^2 = 13\ 000 \text{ cm}^2 = 1\ 300\ 000 \text{ mm}^2$
  $2500 \text{ m}^2 = 25 \text{ dam}^2 = 0,25 \text{ hm}^2 = 0,0025 \text{ km}^2$

12. Transforme les unités d'aires suivantes en centimètres carrés.

a) 34 m^2 _____ b) 1549 mm^2 _____ c) $0,000\ 002\ 5 \text{ km}^2$ _____

d) $501,4 \text{ mm}^2$ _____ e) $0,52 \text{ dm}^2$ _____ f) $0,493 \text{ m}^2$ _____

g) $98,4 \text{ dm}^2$ _____ h) $0,04 \text{ dam}^2$ _____ i) $0,0053 \text{ hm}^2$ _____

13. Transforme les unités d'aires suivantes en mètres carrés.

a) 1365 dm^2 _____ b) 50 dam^2 _____ c) $46,2 \text{ cm}^2$ _____

d) $34\ 000 \text{ mm}^2$ _____ e) $1,35 \text{ hm}^2$ _____ f) 386 dm^2 _____

g) $7,9 \text{ hm}^2$ _____ h) $54\ 000 \text{ cm}^2$ _____ i) $0,054 \text{ km}^2$ _____

14. Transforme les unités d'aires suivantes dans l'unité d'aire demandée.

a) 83 dm^2 _____ mm^2 b) $0,0005 \text{ hm}^2$ _____ dm^2 c) $0,004 \text{ hm}^2$ _____ m^2

d) $40,56 \text{ dm}^2$ _____ cm^2 e) $5,5 \text{ m}^2$ _____ dam^2 f) $392\ 000 \text{ mm}^2$ _____ m^2

g) $491,2 \text{ cm}^2$ _____ dm^2 h) $0,001 \text{ km}^2$ _____ m^2 i) $9,85 \text{ km}^2$ _____ dam^2

j) 9 dam^2 _____ cm^2 k) $36,1 \text{ hm}^2$ _____ m^2 l) $163\ 000 \text{ dm}^2$ _____ dam^2

m) $16,4 \text{ m}^2$ _____ mm^2 n) $593\ 000 \text{ dm}^2$ _____ km^2 o) 73 dm^2 _____ m^2

15. Calcule chacune des sommes suivantes après avoir transformé chaque terme en l'unité de ton choix.

a) $3,4 \text{ dam}^2 + 0,0018 \text{ hm}^2 + 400 \text{ dm}^2 =$ _____

b) $40\ 000 \text{ mm}^2 + 2,5 \text{ m}^2 + 5 \text{ dm}^2 =$ _____

c) $7,8 \text{ m}^2 + 0,008 \text{ hm}^2 + 640 \text{ dm}^2 =$ _____

d) $0,04 \text{ m}^2 + 4,8 \text{ dm}^2 + 7200 \text{ mm}^2 =$ _____

16. Dans son jardin, Sylvain a tracé des allées. Le reste est recouvert de pelouse.

a) Quelle est en m^2 l'aire totale des allées? _____

b) Si le jardin a une superficie de $0,05 \text{ hm}^2$, quelle est l'aire totale de la pelouse?

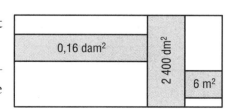

_____

9.2 Périmètre d'un polygone

Activité 1 Périmètre de polygones

a) On désigne par c la mesure du côté ci-contre.

1. Quelle propriété caractérise la mesure des côtés d'un carré?

   _____

2. Complète la table ci-dessous reliant le côté du carré et son périmètre.

Côté du carré (cm)	1	2	3				c
Périmètre du carré (cm)				16	20	24	

b) On désigne par c la mesure du côté du losange ci-contre.

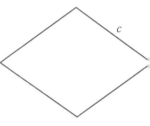

1. Quelle propriété caractérise la mesure des côtés d'un losange?

   _____

2. Complète la table ci-dessous reliant le côté du losange et son périmètre.

Côté du losange (cm)	1	2,5	4				c
Périmètre du losange (cm)				20	26	40	

c) On désigne respectivement par a et b les mesures de la longueur et de la largeur du rectangle ci-contre.

1. Quelle propriété caractérise la mesure des côtés d'un rectangle?

   _____

2. Complète la table ci-dessous reliant les dimensions du rectangle et son périmètre.

Longueur (cm)	2	4	10	5	6		a
Largeur (cm)	1	3		3		8	b
Périmètre (cm)			30		20	40	

d) On désigne respectivement par a et b les dimensions du parallélogramme ci-contre.

1. Quelle propriété caractérise la mesure des côtés d'un parallélogramme?

   _____

2. Complète la table ci-dessous reliant les dimensions du parallélogramme et son périmètre.

Côté (cm)	5	6	8		12	15	a
Côté adjacent (cm)	3	4		6		10	b
Périmètre (cm)			28	32	44		

e) *Un polygone est dit **régulier** si tous ses côtés sont congrus. On distingue :*

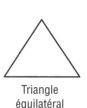 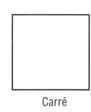 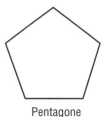 

| Triangle équilatéral | Carré | Pentagone régulier | Hexagone régulier | Octogone régulier |

Si on désigne par c la mesure d'un côté d'un polygone régulier ayant n côtés, quelle est alors, la règle qui donne le périmètre.

_____

f) Le polygone ci-contre n'est pas régulier. Comment obtiens-tu son périmètre ?

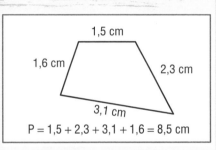

_____
_____

PÉRIMÈTRE D'UN POLYGONE

• Le **périmètre d'un polygone** est égale à la somme des mesures de tous les côtés du polygone.

• Le **périmètre du carré** ou du **losange** est égale à 4 fois la mesure de son côté.

• Le **périmètre du rectangle** ou du **parallélogramme** est égal au double de la somme des mesures des deux côtés adjacents.

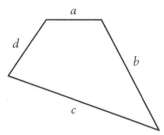

$P = 1,5 + 2,3 + 3,1 + 1,6 = 8,5$ cm

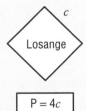

Carré	Losange	Rectangle	Parallélogramme
$P = 4c$	$P = 4c$	$P = 2a + 2b$	$P = 2a + 2b$

• Un polygone est **régulier** lorsque tous ses côtés sont congrus.
Si c désigne la mesure d'un côté d'un polygone régulier ayant n côtés, alors son périmètre P est : $\boxed{P = n \times c}$.

Ex. : Un hexagone régulier (6 côtés) de côté 2 cm a pour périmètre :
$P = 6 \times 2 = 12$ cm.

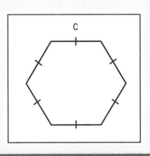

---

1. Trouve le périmètre des figures suivantes.

a)

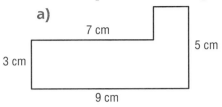

7 cm
5 cm
3 cm
9 cm

P = _____

b)

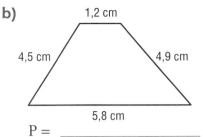

1,2 cm
4,5 cm
4,9 cm
5,8 cm

P = _____

c)

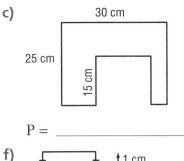

30 cm
25 cm
15 cm

P = _____

d)

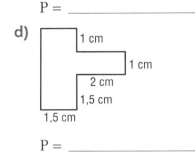

1 cm
1 cm
2 cm
1,5 cm
1,5 cm

P = _____

e)

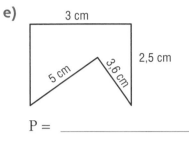

3 cm
2,5 cm
5 cm
3,6 cm

P = _____

f)

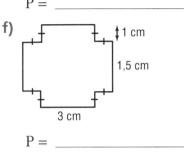

1 cm
1,5 cm
3 cm

P = _____

2. Trouve l'expression qui permet de calculer le périmètre de chacun des polygones suivants.

a)

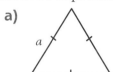

a

_____

b)

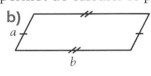

a
b

_____

c)

c

_____

d)

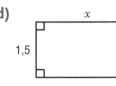

x
1,5

_____

e)

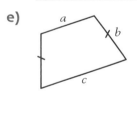

a
b
c

_____

f)

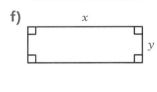

x
y

_____

g)

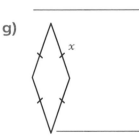

x

_____

h)

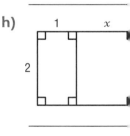

1
x
2

_____

3. Trouve le périmètre des figures suivantes.

a) Un losange de 4,8 cm de côté. _____

b) Un rectangle de 7,8 cm de longueur et 3,7 cm de largeur. _____

c) Un carré de 7,2 cm de côté. _____

d) Un triangle équilatéral de 5,7 m de côté. _____

4. Trouve l'expression qui permet de calculer la mesure d'un côté dans chacun des polygon[es] suivants, sachant que le périmètre du polygone est P.

a)

$c =$ _____

b)

$c =$ _____

c)

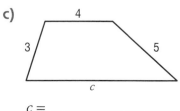

4
3
5
c

$c =$ _____

d)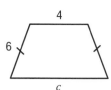

$c =$ _____

e)

$c =$ _____

f)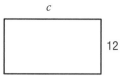

$c =$ _____

5. Trouve la mesure manquante dans chacun des cas suivants.

  a) Le côté d'un carré ayant un périmètre égal à 12,4 m. _____

  b) La largeur d'un rectangle ayant un périmètre égal à 25 m et une longueur égale à 8 m. _____

  c) Le côté d'un triangle équilatéral ayant un périmètre égal à 32,7 cm. _____

  d) Le côté (en centimètres) d'un trapèze sachant que les trois autres mesures 2,4 dm ; 0,185 m ; et 42,8 cm et que son périmètre est égal à 972 mm.

  _____

6. Complète le tableau suivant sachant que le quadrilatère donné est un rectangle.

Largeur (cm)	5,4	8,5		6,9
Longueur (cm)	12,8		17,4	
Périmètre (cm)		40,2	42,8	34,8

7. Yolande a utilisé 10 m de ruban pour border son couvre-lit. Si la largeur du couvre-lit est de 2,2 m, quelle est sa longueur?

_____

8. Noémie a payé 28 $ pour faire encadrer une photographie de forme carrée. Si le cadre se vend 0,50 $ le centimètre, quelle est la mesure d'un côté de cet encadrement?

20 _____

9. M. Louis cultive des tomates dans un espace ayant la forme d'un carré et de la laitue dans un espace ayant la forme d'un rectangle. Les deux espaces ont la même largeur. Si le périmètre du rectangle est de 11 m et que sa longueur est de 3 m, quel est le périmètre du carré de tomates?

_____

10. Un carré de 5,4 cm de côté a le même périmètre qu'un rectangle de 3,6 cm de largeur. Quelle est la longueur du rectangle? _____

11. Un rectangle a pour dimensions 50 cm et 80 cm. On augmente sa largeur de 10 cm. De combien doit-on diminuer sa longueur pour que le périmètre reste le même.

_____

12. Combien y a-t-il de rectangles ayant 12 cm de périmètre, et dont les dimensions sont des nombres entiers? Précise les dimensions.

_____
_____
_____
_____

9.3 Aire d'un polygone

Activité 1 Aire d'un carré – Aire d'un rectangle

a) On désigne par c la mesure du côté du carré ci-contre.

1. Quelle est l'aire du carré ? _____

2. Calcule l'aire si le côté mesure 3 cm. _____

3. Quelle est la mesure du côté si l'aire est égale à 25 cm² ? _____

b) On désigne par b la mesure de la base et par h la mesure de la hauteur dans le rectangle ci-contre.

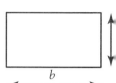

1. Quelle est l'aire du rectangle ? _____

2. Quelle est l'aire d'un rectangle de base 12 cm et de hauteur 5 cm ? _____

3. Quelle est la mesure de la base si l'aire est égale à 18 cm² et que la hauteur est égale à 3 cm ? _____

Activité 2 Aire de quadrilatères

a) Dans le parallélogramme ABCD ci-contre, b désigne la base et h la hauteur relative à cette base.

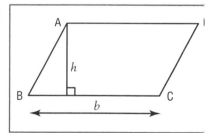

L'image du triangle ABH par la translation t est le triangle DCH′.

1. Quelle est la nature du quadrilatère AHH′D ?

   Quelles sont ses dimensions ?

   _____

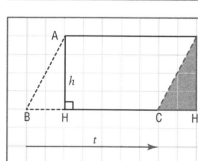

2. Compare l'aire du parallélogramme ABCD et celle du quadrilatère AHH′D.

   _____

3. Quelle est donc l'aire du parallélogramme ABCD ? _____

) Dans le triangle ABC ci-contre, *b* désigne la base et *h* la hauteur relative à cette base.

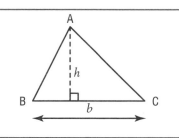

On considère la rotation *r* de centre le milieu O de $\overline{AC}$ et d'angle 180°.
L'image du triangle ABC par la rotation *r* est le triangle CB′A.

1. Quelle est la nature du quadrilatère ABCB′?
   Quelles sont ses dimensions? _____
   _____

2. Compare l'aire du quadrilatère ABCB′ à celle du triangle ABC. _____

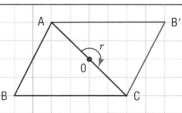

3. Quelle est donc l'aire du triangle ABC? _____

) Dans le trapèze PQRS ci-contre, B désigne la grande base, *b* la petite base et *h* la hauteur.

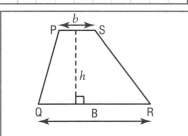

On considère la rotation *r* de centre le milieu O de RS et d'angle 180°. L'image du trapèze PQRS est le trapèze P′Q′SR.

1. Quelle est la nature du quadrilatère PQP′Q′?
   Quelles sont ses dimensions?
   _____

2. Compare l'aire du quadrilatère PQP′Q′ à celle du trapèze PQRS? _____

3. Quelle est donc l'aire du trapèze PQRS? _____

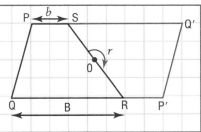

) Dans le losange PQRS ci-contre, D désigne la mesure de la grande diagonale et *d* la mesure de la petite diagonale.

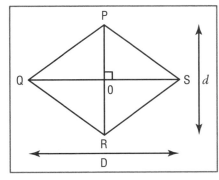

On considère les translations t_1 et t_2.
L'image du triangle OPS par t_1 est le triangle AQR.
L'image du triangle OPQ par t_2 est le triangle BSR.

1. Quelle est la nature du quadrilatère QABS?
   Quelles sont ses dimensions?_____
   _____

2. Compare l'aire du quadrilatère QABS à celle du losange PQRS._____

3. Quelle est donc l'aire du losange? _____

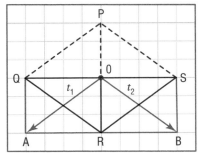

AIRE DE QUADRILATÈRES

- Les formules suivantes permettent de calculer l'aire A d'un polygone à l'aide de ses dimensions

Polygone	Figure	Formule
Carré		$A = c \times c = c^2$ c: mesure d'un côté du carré
Rectangle		$A = b \times h$ b: mesure de la base h: mesure de la hauteur
Triangle		$A = \dfrac{b \times h}{2}$ b: mesure de la base h: mesure de la hauteur associée à la base
Parallélogramme		$A = b \times h$ b: mesure de la base h: mesure de la hauteur associée à la base
Trapèze		$A = \dfrac{(B + b) \times h}{2}$ B: mesure de la grande base b: mesure de la petite base h: mesure de la hauteur
Losange		$A = \dfrac{D \times d}{2}$ D: mesure de la grande diagonale d: mesure de la petite diagonale

1. Calcule l'aire de chacun des polygones suivants après avoir exprimé l'aire par la formule appropriée.

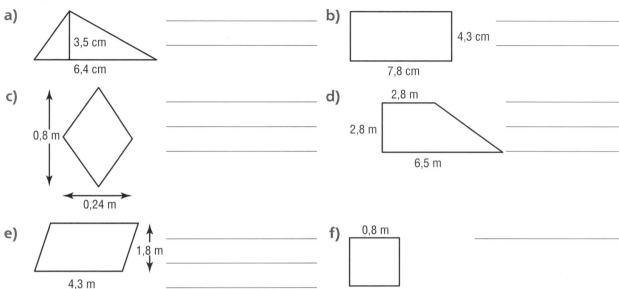

a) 3,5 cm 6,4 cm _____

b) 4,3 cm 7,8 cm _____

c) 0,8 m 0,24 m _____

d) 2,8 m 2,8 m 6,5 m _____

e) 1,8 m 4,3 m _____

f) 0,8 m _____

2. Le périmètre d'un carré est égal à 31,6 cm. Calcule son aire. _____

3. Les dimensions d'un rectangle sont de 40 cm par 32 cm. Trouve l'aire de ce rectangle en décimètres carrés. _____

4. Si le périmètre d'un rectangle est de 36 cm et sa longueur est de 10 cm, trouve l'aire de ce rectangle en millimètres carrés. _____

5. L'aire d'un carré et l'aire d'un rectangle sont égales. Si le carré a 8,4 cm de côté et la longueur du rectangle est 21 cm, quelle est la largeur du rectangle? _____

6. Un carré et un rectangle ont le même périmètre. L'aire du rectangle est égale à 45 cm² et sa largeur est égale à 5 cm. Calcule l'aire du carré. _____

7. Si la base d'un triangle mesure 9,2 dm et la hauteur associée à cette base mesure 7 dm, quelle est l'aire de ce triangle en centimètres carrés? _____

8. Si l'aire d'un triangle est de 2,1 cm² et la mesure de sa base est de 2,8 cm, quelle est la hauteur de ce triangle? _____

9. Quelle est l'aire d'un parallélogramme dont une base mesure 8,3 cm et la hauteur associée à cette base mesure 46 mm? _____

10. Si une des diagonales d'un losange mesure 1,4 dm et une autre 9 cm, quelle est l'aire de ce losange?
_____

11. Calcule l'aire d'un trapèze sachant que la grande base mesure 9 cm, la petite base 5,6 cm et la hauteur 3 cm. _____

12. Les dimensions d'un terrain rectangulaire sont de 11 m sur 15 m. Combien M. Lavallée paiera-t-il pour recouvrir ce terrain de gazon à raison de 3,50 $ le mètre carré?
_____

13. Exprime l'aire de chacun des polygones suivants à l'aide des variables suivantes.

a)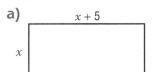

b)

c)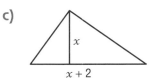

d)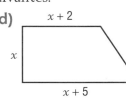

_____ _____ _____

14. Trouve l'aire de chacune des figures suivantes en la décomposant en triangles ou e quadrilatères. (L'unité de mesure est le centimètre).

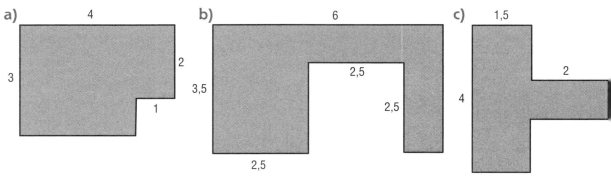

a) b) c)

_____ _____ _____

15. Le triangle ABC ci-contre a été encadré dans un rectangle. En retranchant de l'aire du rectangle la somme des aires des triangles A_1, A_2 et A_3, on obtient l'aire du triangle ABC. Calcule, par cette méthode, l'aire du triangle ABC.

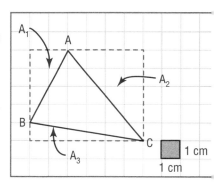

_____

16. Utilise la méthode d'encadrement pour calculer l'aire des polygones suivants.

a)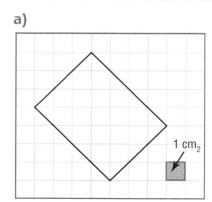

b)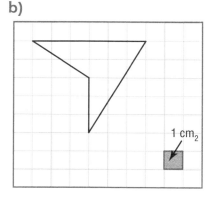

c)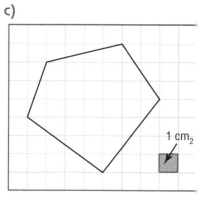

_____ _____ _____

ÉVALUATION 9

1. Transforme les unités de longueur suivantes dans l'unité de longueur demandée.

   a) 53,18 m _____ (hm)   **b)** 2,18 m _____ (mm)

   c) 340 dm _____ (hm)   **d)** 24 000 cm _____ (dam)

   e) 0,318 km _____ (dm)   **f)** 0,018 hm _____ (cm)

2. Transforme les unités d'aires suivantes dans l'unité d'aire demandée.

   a) 5,8 dam² _____ (m²)   **b)** 0,0015 hm² _____ (m²)

   c) 1,85 dam² _____ (dm²)   **d)** 420 000 cm² _____ (dam²)

   e) 2,954 hm² _____ (m²)   **f)** 5248 cm² _____ (m²)

3. Un terrain rectangulaire a un périmètre égal à 80 m. Si la longueur mesure 25 m, quelle est la largeur?

_____

4. Calcule l'aire des polygones suivants. Donne ta réponse en mètres carrés.

   a) Un triangle ayant une base égale à 3,2 m et une hauteur associée à cette base égale à 180 cm.

     _____

   b) Un carré dont le périmètre est égal à 128 dm. _____

   c) Un trapèze dont la grande base mesure 15 m, la petite base mesure 32 dm et la hauteur 120 dm.

     _____

   d) Un losange dont la grande diagonale mesure 3,2 m et la petite diagonale mesure 1,4 m de moins que la grande. _____

5. M. Boileau désire faire installer des planches de bois rectangulaires dont la dimension est de 3,5 m sur 18 cm sur un patio ayant la forme d'un trapèze et dont les dimensions sont : B = 6,5 m, *b* = 3,2 m et *h* = 6 m.

   a) Quelle est l'aire du patio? _____

   b) Quelle est l'aire d'une planche? _____

   c) De combien de planches a-t-il besoin? _____

   d) Quel est le coût de cette installation si chaque planche coûte 3,80 $ _____

6. Mme Légaré fait installer une clôture de 76 m de longueur autour de son terrain rectangulaire. Si la largeur de ce terrain est de 18 m, quelle est l'aire du terrain? _____

7. Trouve l'aire de chacune des figures suivantes en la décomposant en triangles et quadrilatères. (L'unité de mesure est le centimètre.)

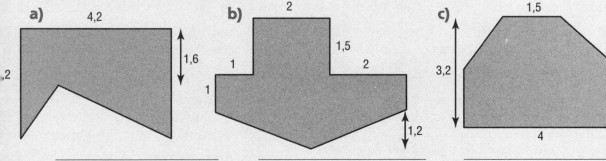

   a) 4,2   1,6   ,2

   b) 2   1,5   1   2   1   1,2

   c) 1,5   3,2   1,6   4

_____   _____

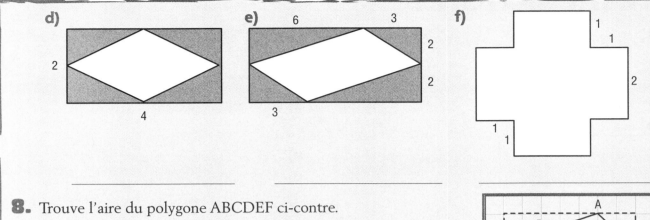

d)

2

4

e)

6   3

2

2

3

f)

1

1

2

1

1

8. Trouve l'aire du polygone ABCDEF ci-contre.

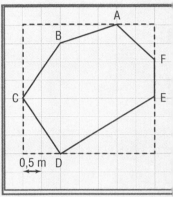

0,5 m

9. Un trapèze a une aire de 25 cm². Détermine la mesure de la grande base, sachant que la petit base mesure 4 cm et que la hauteur mesure 5 cm. _____

10. Un litre de peinture couvre une surface de 18 m². Combien de litres de peinture doit achete Benoît pour peindre deux murs rectangulaires de 9 m sur 6 m et un plafond rectangulaire d 9 m sur 8 m? _____

11. Une piscine carrée de 70 dm de côté est recouverte d'une toile solaire. Si la toile coûte 3,25 le mètre carré, combien la toile solaire a-t-elle coûté? _____

12. Un plancher de cuisine rectangulaire de 4,2 m sur 5,6 m doit être recouvert de tuile rectangulaires de 4 dm sur 3 dm. Combien Stéphane paiera-t-il pour recouvrir ce plancher le prix d'une tuile est de 1,75 $? _____

13. Un trottoir en béton a été construit autour d'un terrain rectangulaire dont les dimensions sor 12 m sur 7 m. La largeur de ce trottoir est de 1,5 m. Quelle est l'aire du trottoir?

_____

14. Le toit d'une maison est composé de 4 triangles ayant chacun une base de 8 m et une hauteur d 6 m. Combien faudra-t-il payer pour peindre ce toit à raison de 1,50 $ le mètre carré? _____

15. Un champ de blé a la forme d'un trapèze rectangle dont la petite base mesure 0,8 km et la grand base 1,4 km. La hauteur de ce champ est de 0,5 km. M. Tremblay met $\frac{1}{2}$ h pour labourer 5 hm

Combien de temps lui faudra-t-il pour labourer tout le champ? _____

16. Un mur a la forme d'un trapèze rectangle dont les bases mesurent 6 m sur 6,20 m et la hauteu mesure 2,5 m. On veut recouvrir ce mur de carreaux de céramique rectangulaires dont le dimensions sont de 25 cm sur 20 cm. Si la pose de chaque carreau coûte 0,50 $, quel sera prix de l'installation des carreaux de céramique? _____

Chapitre *10*

Statistique

DÉFI 10

1 Différents diagrammes

Analyse chacun des diagrammes suivants. Décris avec précision les résultats de ton analyse.

a)

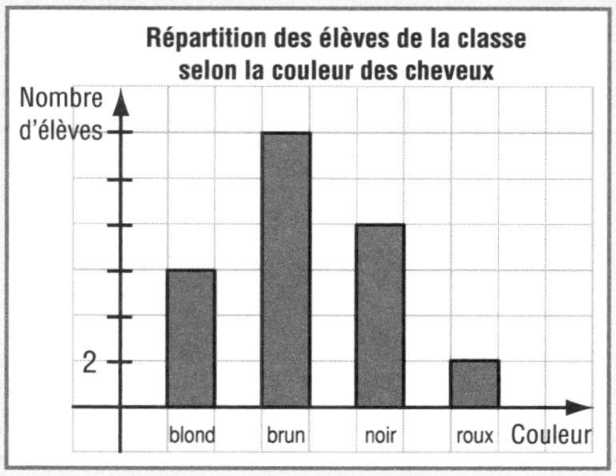

Répartition des élèves de la classe selon la couleur des cheveux
Nombre d'élèves
2
blond
brun
noir
roux
Couleur

b)

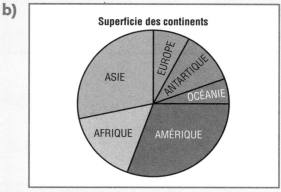

Superficie des continents
ASIE
EUROPE
ANTARTIQUE
OCÉANIE
AFRIQUE
AMÉRIQUE

c)

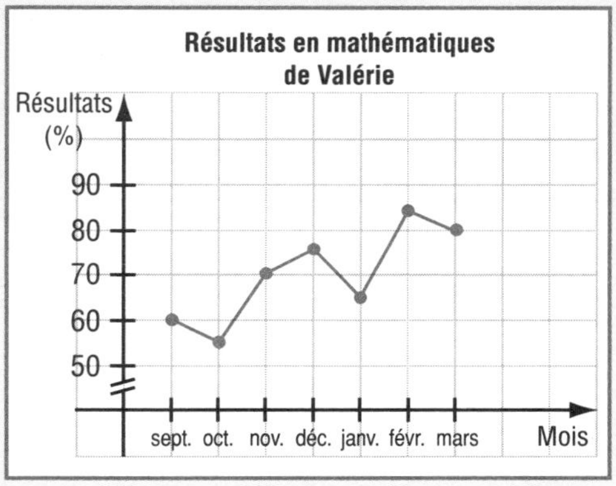

Résultats en mathématiques de Valérie
Résultats (%)
90
80
70
60
50
sept.
oct.
nov.
déc.
janv.
févr.
mars
Mois

d)

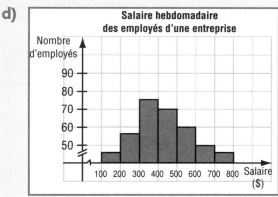

Salaire hebdomadaire des employés d'une entreprise
Nombre d'employés
90
80
70
60
50
100
200
300
400
500
600
700
800
Salaire ($)

2 Un chiffre à choisir

On a demandé à chaque élève d'une classe de penser à un chiffre de 0 à 9.
Les réponses obtenues des élèves de la classe sont indiquées dans la table ci-dessous.

2	3	4	7	8	2	7	9	0	5
1	5	7	6	9	7	3	5	7	4

Analyse les réponses obtenues. Illustre la situation par un diagramme.

3 Couleur préférée

On veut connaître la couleur préférée des élèves de ta classe.

  a) Établis une procédure te permettant de connaître la couleur préférée.

  b) Applique la procédure établie.

  c) Exprime les résultats avec précision et illustre la situation par un diagramme.

4 Une pièce de monnaie

Lance 20 fois une pièce de monnaie. Trouve une façon de présenter le plus clairement possible les résultats obtenus.

5 Des résultats en mathématiques

Voici les résultats de Julie en mathématiques durant la dernière étape.

$$72, 65, 70, 76, 82$$

Trouve un nombre qui caractérise

  a) l'ordre de grandeur des résultats de Julie _____

  b) la dispersion des résultats de Julie _____

6 Des élèves au choix

Tu voudrais choisir au hasard 5 élèves de ta classe. Explique comment procéder pour choisir ces 5 élèves. Compare et commente les différentes façons de procéder.

10.1 Étude statistique

ÉTUDE STATISTIQUE

- Une **population** est un ensemble de personnes, d'objets… que l'on considère dans une étude statistique. Un **échantillon** est un sous-ensemble de cette population.
  Ex.: Dans la population des élèves de l'école Marie Curie, on choisit pour échantillon les élèves de la classe de Karen.

- Le nombre total d'éléments de la population ou de l'échantillon est appelée **taille**.
  On désigne la taille d'une population par N et la taille d'un échantillon par n.
  Le **taux de sondage** est égal au rapport $\frac{n}{N}$.
  Ex.: Dans une population de taille 10 000, on prélève un échantillon de taille 100.
  Le taux de sondage est alors égal à $\frac{100}{10\,000}$ ou 1 %.

- On appelle **caractère** l'aspect particulier que l'on désire étudier chez les individus d'une population. Les **modalités** d'un caractère sont les valeurs possibles du caractère.
  Ex.: Dans la population des élèves de l'école Marie Curie, on étudie
  – le caractère «nombre de frères ou sœurs» qui a pour modalités: 0, 1, 2, 3…
  – le caractère «couleur des yeux» qui a pour modalités: bleu, vert, brun, noir…

- On distingue **2 types de caractères**:
  – Le caractère **quantitatif** qui exprime une quantité et prend des valeurs numériques.
    Ex.: Le caractère «nombre de frères ou sœurs» qui prend les valeurs numériques: 0, 1, 2…
  – Le caractère **qualitatif** qui exprime une qualité et ne prend pas des valeurs numériques.
    Ex.: Le caractère «couleur des yeux» dont les valeurs bleu, vert, brun… ne sont pas numériques.

1. Pour chacune des études suivantes, indique
  1. la population étudiée;
  2. le caractère étudié et les modalités possibles pour le caractère;
  3. le type de caractère (qualitatif ou quantitatif).

  a) On interroge les élèves de la classe de Caroline pour déterminer leur fruit préféré.
  1. _____
  2. _____
  3. _____

  b) On a relevé le nombre de diagonales dans un polygone choisi d'un ensemble de polygones.
  1. _____
  2. _____
  3. _____

  c) Pour organiser des activités sportives, le directeur de l'école a réalisé un sondage auprès des élèves de son école pour déterminer l'activité sportive préférée.
  1. _____
  2. _____
  3. _____

d) On a relevé jour après jour durant une semaine la croissance d'une plante (au dixième d[e] centimètre près) à partir du moment où elle germe.

1. _____
2. _____
3. _____

e) On a relevé le nombre de buts marqués par les Canadiens de Montréal durant chacune de[s] parties de hockey jouées durant la dernière saison de la Ligue nationale.

1. _____
2. _____
3. _____

2. Les responsables de la cafétéria d'une école ont organisé un sondage pour déterminer le pla[t] préféré des élèves. On a interrogé les 28 élèves d'une classe et on compte un total de 350 élève[s] dans cette école.
Détermine :
1. la taille de l'échantillon. _____
2. la taille de la population. _____
3. le taux de sondage. _____

3. On interroge les élèves d'une classe sur les caractères suivants.
1. Le chiffre préféré.
2. Le nombre de fautes dans leur dernière dictée.
3. La chaîne de télévision qu'il regarde le plus souvent.
4. La taille (en cm).
5. La saison préférée.
6. La durée du trajet (en min) pour se rendre à l'école.

Identifie pour chaque caractère son type (qualitatif ou quantitatif).
1. _____ 2. _____ 3. _____
4. _____ 5. _____ 6. _____

4. Donne un exemple d'étude statistique que tu désirerais effectuer.
Définis correctement :
1. la population visée par ton étude;
2. le ou les caractères que tu veux étudier et leurs modalités possibles;
3. le type de caractère (qualitatif ou quantitatif).

_____
_____
_____
_____

RECENSEMENT – SONDAGE – ENQUÊTE

- Un **recensement** est une étude statistique où tous les éléments de la population sont analysés.
- Un **sondage** est une étude statistique où on analyse un échantillon afin d'avoir un aperçu de la population d'où l'échantillon a été choisi.
  L'échantillon est dit **représentatif** lorsqu'il possède les mêmes caractéristiques que la population d'où il a été prélevé et lorsqu'il donne alors un bon aperçu de cette population. Lorsqu'il n'est pas représentatif, l'échantillon est dit **biaisé**.
- Une **enquête** est une étude statistique où l'on interroge des experts sur un domaine visé par l'étude.

5. Indique laquelle des deux méthodes d'étude, recensement ou sondage,

   a) permet de connaître avec plus de précision les caractéristiques d'une population.

   _____

   b) nécessite une organisation plus grande et plus lourde. _____

   c) entraîne une étude plus courte. _____

   d) entraîne des coûts moins élevés. _____

   e) donne des résultats plus rapides sur l'objet étudié. _____

   f) permet de prendre une décision avec certitude. _____

6. Dans chacune des situations suivantes, indique s'il est préférable de réaliser un recensement, un sondage ou une enquête.

   a) On veut classer les gardiens de buts de la Ligue nationale de hockey selon le nombre de buts encaissés durant la saison.

   _____

   b) Un magazine spécialisé dans l'étude des automobiles veut publier un article visant à comparer les caractéristiques du modèle minifourgonnette produit par plusieurs producteurs d'automobiles.

   _____

   c) On veut comparer les cotes d'écoute des stations de télévision. _____

   d) Une entreprise pharmaceutique désire connaître les effets secondaires liés à la consommation d'un nouveau médicament.

   _____

   e) Le propriétaire d'une boutique de chaussures veut faire l'inventaire annuel des articles dans sa boutique.

   _____

   f) Un parti politique veut connaître les intentions de vote des électeurs. _____

7. Donne un exemple de situation nécessitant

   a) un recensement; _____

   b) un sondage; _____

   c) une enquête. _____

10.2 Tableau de données

TABLEAU DE DONNÉES

- Un tableau de données permet de résumer l'information recueillie lors d'une étude statistique.
  Ex. : On a relevé le nombre de frères ou sœurs qu'ont les 20 élèves d'une classe.

La **série de données** obtenue est :

2	3	1	0	2	1	2	3	1	0
1	2	1	2	3	3	2	0	1	1

Pour résumer l'information, on procède de la façon suivante :

1. On dénombre les données à l'aide du **tableau de dénombrement** ci-contre.

> Le symbole ⊞ signifie que la valeur a été dénombrée 5 fois.

Valeur	Dénombrement
0	III
1	⊞ II
2	⊞ I
3	IIII

2. On établit, à partir du tableau de dénombrement, le **tableau de données**.

- On donne un **titre** au tableau.
- La première colonne indique les valeurs du **caractère** (ici le nombre de frères ou sœurs) rangées par ordre croissant.
- La deuxième colonne indique le nombre de fois que chaque valeur apparaît dans la série de données.
  La valeur 2 est apparue 6 fois dans la série, ce qui signifie qu'il y a 6 élèves de la classe ayant 2 frères ou sœurs.

Répartition des élèves selon le nombre de frères ou sœurs

Nombre de frères ou sœurs	Fréquence
0	3
1	7
2	6
3	4
Total	20

- La **fréquence** (ou effectif) d'une valeur indique le nombre de fois que cette valeur apparaît dans une série de données.

- La **fréquence relative** est égale au rapport entre la fréquence et le nombre total de données.
  Ex. : La fréquence de la valeur 2 est 6. (6 élèves ont 2 frères ou sœurs.)

La fréquence relative de la valeur 2 est $\frac{6}{20}$ ou 30 %.
(30 % des élèves ont 2 frères ou sœurs.)
Le tableau de distribution ci-contre met en évidence la colonne des fréquences relatives exprimées en pourcentage.

Répartition des élèves selon le nombre de frères ou sœurs

Nombre de frères ou sœurs	Fréquence relative (%)
0	15
1	35
2	30
3	20
Total	100

- La **somme des fréquences relatives** est égale à 1 ou 100 %.

1. Le tableau ci-contre indique le nombre de langues parlées par les employés de la compagnie aérienne Aéroplus.

Répartition des employés selon le nombre de langues parlées

Nombre de langues parlées	Fréquence
1	48
2	80
3	16
4	6
Total	150

a) Indique
   1. la population étudiée. _____
      _____
   2. le caractère étudié et son type. _____
      _____

b) 1. Quel est le nombre total d'employés dans la compagnie?
      _____
   2. Quelles sont les valeurs du caractère étudié? _____
   3. Combien d'employés parlent 3 langues? _____
   4. Quel est le nombre de langues le plus souvent parlées? _____

c) Quel est le nombre d'employés qui parlent
   1. moins de 2 langues? _____
   2. au plus 2 langues? _____
   3. plus de 2 langues? _____
   4. au moins 2 langues? _____
   5. plus de 4 langues? _____
   6. au plus 4 langues? _____

d) Calcule et interprète
   1. la fréquence de la valeur 4. _____
   2. la fréquence relative de la valeur 1. _____

2. Le tableau ci-contre indique la répartition des élèves d'une classe selon la couleur des cheveux.

Répartition des élèves selon la couleur des cheveux

Couleur des cheveux	Nombre d'élèves
Blond	7
Brun	10
Noir	6
Roux	2
Total	

a) Indique
   1. la population étudiée. _____
   2. le caractère étudié et son type.
      _____

b) Quel est le nombre total d'élèves de la classe? _____

c) Quel est le pourcentage d'élèves
   1. aux cheveux blonds? _____
   2. aux cheveux bruns ou noirs? _____

3. On a relevé le nombre de buts marqués par les Canadiens de Montréal lors des 20 dernières parties de la saison.

2, 1, 3, 0, 4, 2, 2, 3, 1, 4
4, 2, 5, 3, 4, 2, 1, 3, 2, 1.

a) Indique
   1. la population étudiée. _____
   2. le caractère étudié et son type. _____

b) Résume l'information dans un tableau de données.

c) Complète la colonne des fréquences relatives exprimées en pourcentage.

d) Quelle est la somme des fréquences relatives?

_____

e) Quelle est la fréquence relative de la valeur 3? Interprète le résultat.

_____

_____

f) Vrai ou faux?

1. Les Canadiens ont marqué le plus souvent 2 buts. _____

2. Le plus grand nombre de buts marqués est 4. _____

3. Les Canadiens ont marqué aussi souvent 4 buts que 1 but. _____

Répartition des parties selon le nombre de buts

Nombre de buts	Fréquence	Fréquence relative (%)

REGROUPEMENT DES DONNÉES EN CLASSES

Lorsque les données sont nombreuses et pour la plupart distinctes, il est préférable de regrouper les données en classes.

Ex.: On interroge 25 élèves d'une classe pour déterminer la durée (en min) du trajet pour se rendre à l'école.

32, 40, 52, 12, 55, 46, 35, 23, 18, 42
34, 54, 68, 48, 36, 28, 25, 38, 45, 65
29, 48, 49, 45, 35

Si on regroupe les données en 6 classes, on obtient:

Répartition des élèves selon la durée du trajet.

N° de la classe	Classes	Dénombrement	Fréquence	Fréquence relative (%)
1	[10 – 20[	II	2	8
2	[20 – 30[	IIII	4	16
3	[30 – 40[	HHH I	6	24
4	[40 – 50[	HHH III	8	32
5	[50 – 60[	III	3	12
6	[60 – 70[	II	2	8
	Total		25	100

Noter que

– les classes sont **adjacentes**: la limite supérieure d'une classe est égale à la limite inférieure de l classe suivante.

– les classes ont de préférence la même **amplitude**: la différence entre les limites est la même pou chaque classe.

Chaque classe a une amplitude de 10 min.

Chaque classe est fermée à gauche et ouverte à droite. La donnée 40 n'appartient pas à la class [30 – 40[mais appartient à la classe [40 – 50[. Ainsi, chaque donnée appartient à une seule class

4. 30 élèves passent un examen de mathématiques. Voici les résultats.

> 55, 80, 70, 60, 82, 75, 65, 92, 68, 95, 81, 50, 72, 64, 45,
> 76, 58, 78, 86, 76, 84, 75, 58, 62, 83, 68, 86, 75, 48, 91.

a) Regroupe les données en 6 classes d'amplitude 10 sachant que la limite inférieure de la première classe est égale à 40.

Nº de la classe	Classes	Dénombrement	Fréquence	Fréquence relative (%)

b) Quel est le pourcentage d'élèves ayant un résultat

1. supérieur ou égal à 60 et inférieur à 70? _____

2. supérieur ou égal à 80? _____

3. inférieur à 60? _____

c) Dans quelle classe observe-t-on le plus grand nombre d'élèves? _____

5. Un coureur olympique de 100 m a relevé, au cours de son entraînement, la durée des 50 dernières courses qu'il a effectuées.

> 10,24 10,36 10,52 10,31 10,51 10,45 10,24 10,34 10,27 10,44
> 10,18 10,30 10,10 10,29 10,21 10,18 10,35   9,95 10,36 10,14
> 10,17 10,01 10,02 10,11 10,38 10,40 10,41 10,42 10,24 10,43
> 10,18 10,07 10,27 10,26 10,05 10,25 10,12 10,25 10,32 10,08
> 10,03 10,04 10,15 10,11   9,98   9,97 10,06 10,16   9,96 10,18

a) Regroupe les données en 7 classes d'amplitude égale à 0,1 s sachant que la limite inférieure de la première classe est 9,90 s. Indique la colonne des fréquences et celle des fréquences relatives.

Répartition des courses selon la durée

Nº de la classe	Classes	Dénombrement	Fréquence	Fréquence relative (%)

b) Quel est le pourcentage de courses dont la durée est

1. inférieure à 10 s? _____

2. inférieure à 10,10 s? _____

3. supérieure ou égale à 10,10 s et inférieure à 10,40 s? _____

10.3 Diagrammes

DIAGRAMME À BANDES

- Un diagramme à bandes permet d'illustrer une variable **qualitative**.
  On construit un **diagramme à bandes** à partir d'un tableau de distribution des données.

Répartition des élèves de la classe selon la couleur des yeux

Couleur des yeux	Nombre d'élèves
bleu	6
vert	8
brun	12
noir	4
Total	30

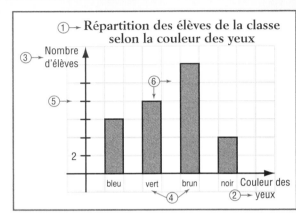

Les principaux éléments sont

① le titre.

② l'identification de l'axe horizontal : la variable «couleur des yeux».

③ l'identification de l'axe vertical : les fréquences «nombre d'élèves»

④ l'identification des bandes (les modalités de la variable) : bleu, vert…

⑤ la graduation de l'axe vertical : l'échelle utilisée tient compte des fréquences.

⑥ les bandes ont toute la même largeur et sont également espacées. La hauteur de chaque bande est proportionnelle à la fréquence.

- Dans un diagramme à bandes, les bandes peuvent être représentées **verticalement** ou **horizontalement**.

---

1. Le diagramme à bandes verticales ci-contre illustre la répartition des élèves d'une classe selon la langue parlée au foyer.

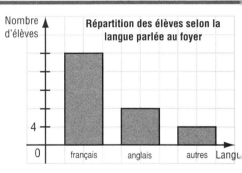

a) Identifie

　1. la population. _____

　2. le caractère et son type.

　_____

b) Quelles sont les valeurs du caractère? _____

c) Quelle est la langue parlée qui domine? _____

d) Détermine le tableau de distribution des données. Donne la colonne des fréquences et celle des fréquences relatives exprimées en pourcentage et arrondies au dixième près.

Langue	Fréquence	Fréquence relative (%)

2. Le diagramme à bandes horizontales ci-contre illustre la répartition des élèves de 1re secondaire de l'école Le Lac selon leur sport d'hiver préféré.

a) Identifie

   1. la population.

   _____

   2. le caractère étudié et son type.

   _____

b) Quel sport est le plus populaire ? _____

c) Combien d'élèves préfèrent le patinage ? _____

d) Quel est le pourcentage d'élèves qui préfèrent le ski alpin ou le hockey ? _____

3. On a interrogé 80 élèves de 1re secondaire pour déterminer leur catégorie préférée d'émission de télévision.

Catégorie	Fréquence
Nouvelles	5
Sports	40
Films	20
Téléromans	15

Trace un diagramme à bandes verticales à partir du tableau de données.

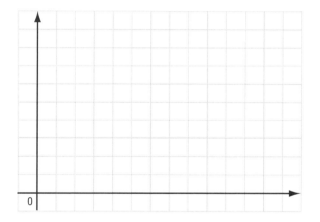

4. On a interrogé 50 élèves de 1re secondaire pour déterminer le moyen de transport pour se rendre à l'école.

Moyen de transport	Fréquence	Fréquence (%)
Bicyclette	10	
Autobus	25	
Auto	5	
Marche à pied	10	
Total	50	

Trace un diagramme à bandes horizontales illustrant les fréquences relatives.

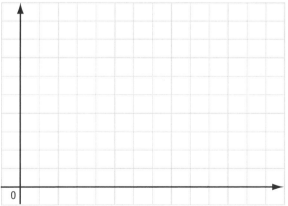

DIAGRAMME CIRCULAIRE

- Un **diagramme circulaire** permet d'illustrer une variable qualitative.
  Le **diagramme circulaire** représente chaque partie d'un tout. On le construit à partir d'un tableau de données.

Budget de la famille Gaudreau

Secteur	Fréquence relative (%)	Angle
Logement	40	144°
Nourriture	25	90°
Vêtements	15	54°
Loisirs	10	36°
Autres	10	36°
Total	100	360°

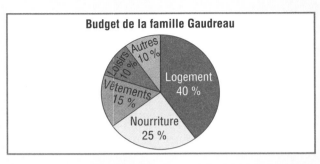

Budget de la famille Gaudreau

1. On calcule l'angle alloué à chaque secteur en multipliant la fréquence relative du secteur par 360°. Ainsi, la mesure de l'angle du secteur «logement» est 40 % × 360° = 144°.
2. On trace un cercle et on construit chaque secteur à l'aide du rapporteur.
3. On identifie clairement chaque secteur et on y inscrit le pourcentage alloué.
4. On donne un titre au diagramme.

5. Le diagramme circulaire ci-contre indique le moyen de transport des employés pour se rendre chaque jour au travail.

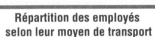

Répartition des employés selon leur moyen de transport

a) Quels sont les moyens de transport utilisés par les employés?

_____

b) Construis le tableau de distribution correspondant au diagramme circulaire.

c) Détermine le nombre d'employés pour chaque secteur si l'entreprise compte au total 200 employés.

d) Est-il vrai d'affirmer qu'il y a autant d'employés qui prennent le métro que d'employés qui prennent l'autobus ou la voiture? _____

Moyen de transport	Fréquence relative (%)	Nombre d'employés

6. On a relevé la langue maternelle des 80 participants d'un congrès.

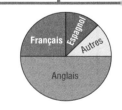

a) Quel est le pourcentage de participants ayant pour langue maternelle
1. l'anglais _____ 2. le français _____

b) Quel est le nombre de participants ayant pour langue maternelle
1. l'espagnol _____ 2. le français ou l'anglais _____

7. Le tableau de distribution suivant donne la répartition des élèves de l'école Mozart selon leur activité estivale préférée. Représente la situation par un diagramme circulaire.

Activité	Fréquence	Fréquence (%)	Angle
Camping	16		
Natation	24		
Pêche	12		
Vélo	20		
Autres	8		
Total	80		

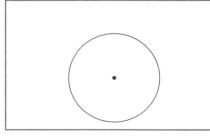

© Guérin, éditeur lt

8. Le diagramme à bandes ci-contre donne la répartition des élèves d'une classe selon la couleur des cheveux. Illustre cette répartition par un diagramme circulaire.

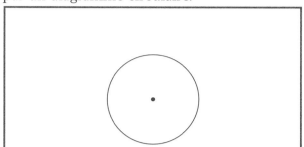

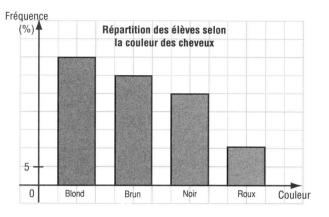

DIAGRAMME À LIGNE BRISÉE

- Un **diagramme à ligne brisée** est utilisé pour représenter une variable qui évolue de façon continue : variation de température, croissance d'une plante, valeur d'une action en bourse…

- La ligne brisée ci-contre est composée de plusieurs segments consécutifs joignant une succession de points. Chaque point indique la température relevée à chaque heure.

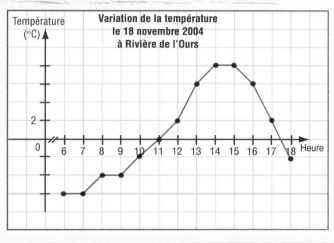

9. Pour répondre aux questions suivantes, réfère-toi au diagramme à ligne brisée de l'encadré ci-dessus.

a) Quelle situation ce diagramme représente-t-il?

_____

b) Entre quelles heures a-t-on relevé les observations?

_____

c) Quelle a été durant cette journée la température
1. minimale? _____ 2. maximale? _____

d) À quels moments de la journée a-t-on relevé une température inférieure à 0 °C?

_____

e) Décris l'évolution de la température durant cette journée.

_____

_____

10. Le dernier vendredi de chaque mois de l'année 2004, on a relevé à la fin de la journée la valeur de l'action Mobilex, cotée à la Bourse de Montréal.

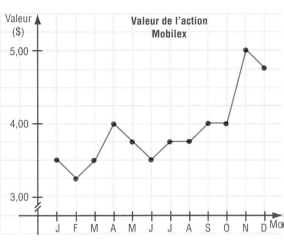

a) Quelle était la valeur de l'action le dernier vendredi du mois de septembre? _____

b) Quel est le mois où la valeur était la plus basse? Quelle était cette valeur? _____

c) Quel est le mois où la valeur était la plus haute? Quelle était cette valeur? _____

d) Décris l'évolution de la valeur de l'action durant l'année 2004 le dernier vendredi de chaque mois.

_____

_____

_____

11. a) Représente, par un diagramme à ligne brisée, l'évolution du résultat de Roberto, en mathématiques, durant l'année scolaire.

Bulletin	1	2	3	4	5
Résultat (%)	70	64	72	76	84

b) Dans quels bulletins Roberto obtient-il un résultat supérieur à sa moyenne?

_____

_____

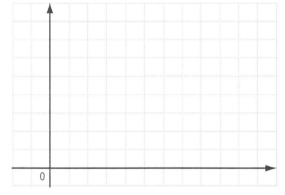

12. a) Représente, par un diagramme à ligne brisée, l'évolution de la température enregistrée, d'heure en heure, à Paradis-Ville le 28 août 2003.

Heure	6	7	8	9	10	11	12	13	14	15	16	17	18
Temp. (°C)	4	5	7	11	11	12	13	14	14	13	13	10	8

b) À quelle heure a-t-on relevé la température :

1. la plus basse? _____

2. la plus élevée? _____

c) Quelle a été la température

1. maximale? _____

2. minimale? _____

d) De quelle heure à quelle heure le changement de température a-t-il été le plus marqué?

_____

_____

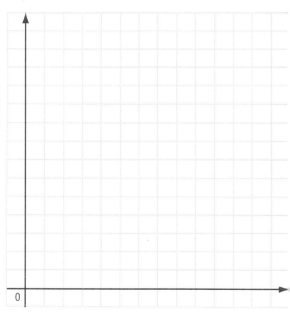

HISTOGRAMME

- Un **histogramme** est utilisé pour représenter des données qui sont groupées en classes.

  Ex.: L'histogramme ci-contre illustre la répartition des joueurs d'une équipe de basket-ball selon la taille (en cm) des joueurs.

  On observe que
  - les joueurs ont une taille qui varie entre 190 cm et 204 cm.
  - la classe 196-198 renferme le plus grand nombre de joueurs.

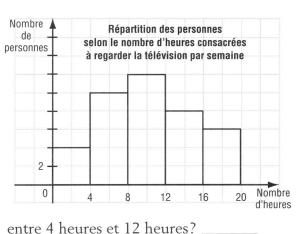

13. Pour répondre aux questions suivantes, réfère-toi à l'histogramme de l'encadré ci-dessus.

a) Combien compte-t-on de joueurs

    1. ayant une taille située entre 194 et 196 cm? _____

    2. ayant une taille supérieure à 2 m? _____

    3. dans l'équipe? _____

b) Quel est le pourcentage de joueurs

    1. ayant une taille située entre 196 et 198 cm? _____

    2. ayant une taille inférieure à 196 cm? _____

    3. ayant une taille supérieure à 185 cm? _____

14. L'histogramme ci-contre illustre la répartition de 40 personnes selon le nombre d'heures consacrées à regarder la télévision par semaine.

a) Dans quelle classe trouve-t-on

    1. le plus grand nombre de personnes?

    _____

    2. le plus petit nombre de personnes?

    _____

b) Quel est le pourcentage de personnes qui regardent la télévision

    1. pendant moins de 8 heures? _____   2. entre 4 heures et 12 heures? _____

c) Quel est approximativement le nombre de personnes qui regardent la télévision pendant moins de 10 heures?

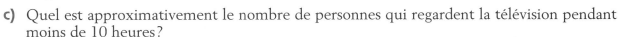

_____

15. Les histogrammes suivants illustrent la répartition des résultats (sur 100) à un examen de mathématiques des élèves de trois groupes de 1re secondaire. Chaque groupe renferme 25 élèves. Dans chaque histogramme, on observe 7 classes. La 4e classe, celle du centre, est dans chaque cas la classe 60-70.

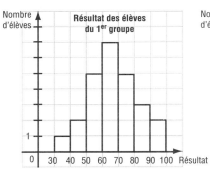 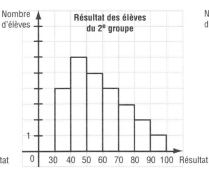 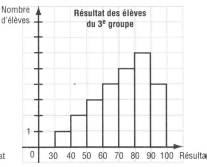

a) Peut-on affirmer que dans chaque groupe, les résultats des élèves se distribuent de la même façon?

_____

b) La répartition des élèves du 1er groupe est presque symétrique. En effet, les résultats situés de part et d'autre de la classe 60-70 se répartissent à peu près de la même façon. Peut-on observer une symétrie dans

1. la distribution des résultats du 2e groupe? _____

2. la distribution des résultats du 3e groupe? _____

c) Vrai ou faux?

1. Dans le 2e groupe, un nombre élevé d'élèves se situe dans les premières classes. Le nombre d'élèves par classe diminue au fur et à mesure que les résultats augmentent.

_____

2. Dans le 3e groupe, un nombre élevé d'élèves se situe dans les dernières classes. Le nombre d'élèves par classe diminue au fur et à mesure que les résultats diminuent.

_____

d) Calcule le pourcentage d'échecs dans chaque classe.
(Un élève échoue à l'examen s'il obtient un résultat inférieur à 60 %.)

1er groupe: _____

2e groupe: _____

3e groupe: _____

e) M$_1$, M$_2$ et M$_3$ désignent respectivement la moyenne du 1er, 2e et 3e groupe. Lequel des trois énoncés est le plus plausible?

1. M$_1$ = M$_2$ = M$_3$ 2. M$_2$ < M$_1$ < M$_3$ 3. M$_3$ < M$_1$ < M$_2$

10.4 Moyenne et étendue

Activité 1 — La moyenne

On a relevé le nombre d'enfants demeurant dans chaque maison située sur la rue De la Roche.

$$2, 4, 3, 0, 1, 2, 5, 3, 2, 4$$

a) Indique dans cette situation
1. la population étudiée. _____
2. la variable étudiée et son type. _____

b) Combien y a-t-il de maisons situées dans cette rue? _____

c) Combien compte-t-on d'enfants au total dans cette rue? _____

d) Quel est le nombre moyen d'enfants par maison? _____

e) Explique comment faire, en général, pour calculer la moyenne d'une série de données.

_____

Activité 2 — L'influence des données sur la moyenne

Julie a obtenu, durant la 4e étape, les résultats suivants en mathématiques: 72, 68, 76, 91, 83

a) Quelle a été sa moyenne en mathématiques à la 4e étape? _____

b) Que devient la moyenne si on exclut
1. le résultat le plus faible? _____
2. le résultat le plus élevé? _____
3. le résultat 76? _____

c) L'énoncé suivant est-il vrai ou faux?
«La moyenne d'une série de données est plus influencée par les données extrêmes (donnée la plus haute ou la plus basse) que par les données qui lui sont voisines.» _____

d) Complète par le terme qui convient.
1. Exclure le résultat le plus faible dans une série de données a pour effet _____ la moyenne.
2. Exclure le résultat le plus élevé dans une série de données a pour effet _____ la moyenne.

Activité 3 L'étendue

André et Bernard ont obtenu durant la 5e étape, en français, les résultats suivants :

André : 68, 78, 70, 74, 80   Bernard : 60, 58, 76, 82, 94

a) Vérifie que André et Bernard ont la même moyenne. _____

b) Explique pourquoi les résultats en français d'André et Bernard se différencient alors qu'ils on[t] la même moyenne.

_____

_____

c) *On appelle étendue d'une série de données, l'écart entre la plus petite et la plus grande donné[e].* Calcule l'étendue pour la série de notes obtenues par

1. André. _____   2. Bernard. _____

d) Une grande dispersion des données dans une série implique-t-elle une étendue grande ou faibl[e]

_____

MOYENNE ET ÉTENDUE

- La **moyenne** est une mesure qui indique la **grandeur** des données.
  La moyenne d'une série de données est égale au quotient de la somme des données divisée par le nombre des données dans la série.

$$\text{Moyenne} = \frac{\text{Somme des données}}{\text{Nombre des données}}$$

- L'**étendue** est une mesure qui indique la **dispersion** des données.
  L'étendue est la distance qui sépare la plus petite donnée (X_{min}) de la plus grande donnée (X_{max}[)]

$$\text{Étendue} = X_{max} - X_{min}$$

Ex. : Températures observées la 1re semaine de mars à l'heure du midi.

Lundi	Mardi	Mercredi	Jeudi	Vendredi	Samedi	Dimanche
–2 °C	–4 °C	0 °C	4 °C	6 °C	–2 °C	–9 °C

$\text{Moyenne} = \frac{-2 + -4 + \dots + -9}{7} = \frac{-7}{7} = -1 \text{ °C}$ $\text{Étendue} = X_{max} - X_{min} = 6 - (-9) = 15 \text{ °C}$

---

1. Calcule la moyenne et l'étendue pour chacune des séries suivantes.

a) 35, 12, 25, 30, 18. _____

b) 15, –10, 25, –20, 10, 15, 20, –30, –15, –10. _____

c) 21,4 ; 46,5 ; 39,7 ; 24,8. _____

d) 125,50 ; –275,25 ; 165,50 ; –55,75 ; 95,25. _____

2. Trouve la moyenne de chaque série. Arrondis la réponse au dixième près.

a) 21, 27, 34. _____

b) 118, 246, 136, 299, 209, 358. _____

c) 17,4 ; 32,5 ; 25,7 ; 30,9. _____

d) 15, –12, –28, 22. _____

3. On a relevé la température moyenne chaque mois dans une région A et dans une région B.

Région	J	F	M	A	M	J	J	A	S	O	N	D
A	–8°	–6°	–1°	9°	15°	21°	25°	22°	17°	11°	8°	4°
B	7°	8°	9°	10°	12°	13°	14°	14°	12°	11°	10°	9°

a) Calcule la température moyenne (arrondie à l'unité près) observée dans chaque région.

   1. Région A _____   2. Région B _____

b) Calcule l'étendue de la série pour chaque région.

   1. Région A _____   2. Région B _____

c) Dans un climat océanique, les hivers sont doux et les étés sont frais alors qu'un climat continental se caractérise par de fortes amplitudes thermiques annuelles. Suite aux résultats obtenus, détermine celle des deux régions A ou B qui correspond à la région océanique.

_____

4. On a fait passer le même test de mathématiques à deux groupes d'élèves.

Groupe 1	**Groupe 2**
67, 54, 77, 84, 79, 54, 60, 78, 85, 93 48, 78, 88, 95, 54, 80, 78, 92, 76, 88 68, 76, 82, 75, 70.	64, 75, 84, 88, 64, 70, 76, 82, 65, 70 72, 80, 77, 66, 71, 76, 75, 80, 78, 66.

a) Calcule la moyenne (arrondie à l'unité près) et l'étendue pour chaque groupe.

_____

b) Lequel des deux groupes est le plus homogène? Justifie ta réponse.

_____

5. On compte un total de quatre tests dans la 5e étape de mathématiques. Après avoir passé les trois premiers tests, Éric constate que sa moyenne est 88. Quelle note doit-il obtenir au dernier test s'il désire que sa moyenne d'étape soit 90? _____

6. Suite à un test où les résultats ont été faibles, le professeur décide d'augmenter chaque note de 5 points. Compare

a) la moyenne des notes modifiées à celle des notes originales.

_____

b) l'étendue des notes modifiées à celle des notes originales.

_____

7. Dans une usine, on compte au total 80 ouvriers et 20 cadres. Le salaire moyen annuel des ouvriers est 42 000 $ et celui des cadres est 58 000 $? Quel est le salaire moyen annuel des employés de l'usine?

_____

8. Jessica a fait 4 tests d'anglais durant son étape. La moyenne de Jessica est 73 et l'étendue est 20. Détermine les notes de Jessica si sa note la plus basse s'écarte de 11 points de la moyenne et si une de ses notes dépasse de 3 points la moyenne.

_____

10.5 Échantillonnage

Activité 1 Échantillon aléatoire

• Un échantillon prélevé dans une population est **aléatoire** lorsqu'on choisit au hasard les individus devant faire partie de l'échantillon.

Le tableau ci-dessous donne le nombre de personnes habitant dans chacun des 100 appartement d'un immeuble. Chaque appartement est identifié par un nombre de 00 à 99. Ainsi, on observe personnes dans l'appartement identifié par le nombre 04 et 3 personnes dans l'appartement identifié par le nombre 30.

	0	1	2	3	4	5	6	7	8	9
0	2	3	1	3	5	3	2	4	3	1
1	4	5	3	2	4	3	5	2	3	6
2	1	2	4	3	5	2	1	3	2	4
3	3	4	5	4	3	4	2	3	1	4
4	2	3	4	5	4	3	2	3	2	4
5	2	3	2	4	1	4	5	3	4	3
6	3	4	5	4	5	6	5	4	3	4
7	3	4	5	4	3	5	3	4	4	6
8	4	4	4	5	4	3	4	2	3	5
9	3	4	5	4	6	4	3	4	5	3

a) Identifie
1. la population étudiée. _____
2. la variable étudiée. _____

b) Voici une méthode qui te permet de déterminer au hasard 5 nombres parmi les 100 nombres allant de 00 à 99.
Place dans un sac 10 papiers numérotés de 0 à 9. Pige un papier, note le chiffre qui y est inscrit, puis remets le papier dans le sac. Pige à nouveau un papier et note le chiffre qui est inscrit. Les 2 chiffres obtenus constituent le 1er nombre choisi au hasard. Répète cette opération quatre autres fois en remettant chaque fois le papier dans le sac. Quels sont alors les 5 nombres de 2 chiffres que tu as obtenus?

_____

c) Les 5 nombres que tu as obtenus te permettent de choisir de façon aléatoire les appartements faisant partie de ton échantillon. Réfère-toi au tableau ci-dessus pour déterminer les données de cet échantillon aléatoire.

_____

d) Calcule
a. la moyenne de la population, c'est-à-dire le nombre moyen de personnes par appartement dans l'immeuble. _____
b. la moyenne de l'échantillon, c'est-à-dire le nombre moyen de personnes par appartement dans l'échantillon. _____

e) En statistique, la moyenne de l'échantillon permet d'estimer la moyenne de la population lorsque celle-ci est inconnue.

Compare la moyenne de ton échantillon à la moyenne de la population. Est-ce une bonne estimation ? Comment pourrait-on améliorer l'estimation de la moyenne de la population ?

_____

_____

f) Augmente la taille de l'échantillon de 5 à 10. Choisis par la même procédure 5 autres appartements.

  a. Quelles sont les 10 données de ton échantillon ? _____

  b. Quelle est la moyenne de ton nouvel échantillon ? _____

  c. Laquelle des deux moyennes d'échantillon estime le mieux la moyenne de la population ?

_____

_____

Activité 2 Échantillon systématique

On considère une population où les individus sont classés dans un ordre précis (alphabétique ou autre). Un échantillon prélevé de cette population est **systématique** lorsque
- le premier individu devant faire partie de l'échantillon est choisi **au hasard**.
- les autres individus de l'échantillon sont choisis l'un à la suite de l'autre de manière systématique selon un **même procédé**.

Considère comme population la liste des N élèves de ta classe, sur laquelle ceux-ci sont inscrits dans l'ordre alphabétique. On va choisir par une méthode systématique un échantillon de taille $n = 5$.

a) Le pas de sondage, désigné par «p», est le nombre entier le plus proche du rapport $\frac{N}{n}$.

Calcule le pas de sondage «p». _____

b) Choisis au hasard un nombre entier entre 1 et «p». _____
Désigne par «k» le nombre que tu as choisi.

c) Sur la liste d'élèves, le premier individu devant faire partie de l'échantillon aura la position «k», le suivant la position «k + p», le prochain «k + 2p»... et ainsi de suite. On obtient un échantillon systématique en additionnant le pas de sondage «p» à chaque numéro qui permet de repérer les élèves.

Quel échantillon systématique obtiens-tu ? _____

Nº	Liste d'élèves
1	Archambault, Johanne
2	Arseneau, Philippe
k	
$k + p$	
$k + 2p$	

MÉTHODES D'ÉCHANTILLONNAGE

L'**échantillonnage** est le procédé par lequel on prélève un échantillon dans la population.

On distingue plusieurs méthodes pour prélever un échantillon en particulier.
- L'échantillonnage **aléatoire** (voir activité 1)
- L'échantillonnage **systématique** (voir activité 2)

1. Dans chacun des cas suivants, indique la méthode d'échantillonnage utilisée.

a) Pour déterminer ce que pensent les résidents d'une ville sur l'ajout d'une piste cyclable, on a choisi, à l'aide d'une table aléatoire, 1000 résidents tirés de la liste électorale.

_____

b) Pour contrôler la qualité des boîtes de conserve produites par une usine, on prélève, tout les 100 boîtes, une boîte de la chaîne de production.

_____

c) Une usine fabrique des appareils de télévision. Pour contrôler leur qualité, on retire chaqu jour à 11 h un appareil à chaque étape de la chaîne de production.

_____

d) Le professeur inscrit le nom de chacun des 30 élèves de sa classe sur un billet, mets l billets dans un sac et demande à un élève de choisir avec remise 6 billets du sac.

_____

2. Un centre de recherche possède, dans l'ordre alphabétique, la liste des 2852 personnes aya subi le même traitement médical. Le centre désire prélever de cette liste un échantillo systématique de 250 personnes. Décris un procédé pour choisir cet échantillon.

_____

_____

_____

3. Dans le tableau suivant, on trouve le numéro, l'âge et la langue maternelle de chacun d campeurs d'une colonie de vacances située dans les Laurentides. (F : français ; A : anglais ; X : autr

Nº	Âge	Langue	Nº	Âge	Langue	Nº	Âge	Langue	Nº	Âge	Langue	Nº	Âge	Langu
01	13	F	11	13	F	21	15	F	31	14	A	41	16	F
02	14	X	12	14	A	22	16	A	32	13	F	42	13	A
03	15	A	13	13	X	23	13	F	33	15	F	43	15	A
04	16	F	14	15	F	24	16	A	34	14	F	44	14	F
05	12	A	15	13	F	25	16	F	35	16	A	45	16	F
06	13	F	16	14	A	26	14	F	36	15	F	46	13	A
07	13	F	17	14	F	27	13	F	37	14	X	47	15	F
08	14	A	18	13	F	28	14	F	38	16	A	48	14	F
09	14	A	19	16	F	29	15	A	39	14	F	49	16	A
10	15	F	20	16	X	30	16	F	40	15	F	50	14	F

a) Prélève un échantillon aléatoire de taille 10 de cette population et relève l'âge et la lang parlée de chaque campeur.

Nº										
Âge										
Langue										

b) Estime à l'aide de cet échantillon aléatoire

1. l'âge moyen des campeurs. _____

2. le pourcentage de campeurs ayant pour langue maternelle le français. _____

c) Calcule

1. l'âge moyen des campeurs de la colonie. _____

2. le pourcentage de campeurs de la colonie qui ont pour langue maternelle le français. _____

Compare les résultats obtenus avec les estimations obtenues en b).

d) Prélève un échantillon systématique de taille 10 de cette population et relève l'âge et la langue parlée de chaque campeur.

N°										
Âge										
Langue										

Puis, estime à l'aide de cet échantillon systématique,

1. l'âge moyen des campeurs.

2. le pourcentage de campeurs ayant pour langue maternelle le français.

Activité 3 Sources de biais

*On appelle **biais** toute erreur produite lors de la recherche d'informations.*
ors d'une étude statistique indique les différentes sortes d'erreur qui peuvent se produire.

SOURCES DE BIAIS

On désigne par **biais** toute erreur produite lors de la recherche d'informations.

Parmi les principales **sources de biais**, on distingue:
- des méthodes d'échantillonnage non appropriées pour l'étude.
- la mauvaise formulation des questions.
- les erreurs de mesure.
- l'attitude du sondeur ou l'attitude du répondant.
- la mauvaise analyse des résultats.

---

4. Explique pourquoi les maisons de sondage évitent de téléphoner à l'heure du souper.

_____

_____

5. Explique pourquoi les gouvernements n'organisent pas d'élections durant l'été ni en plein hiver? Quel serait le meilleur mois pour tenir des élections?

_____

_____

_____

_____

_____

6. Explique pourquoi les questions suivantes sont mal formulées. Corrige leur formulation af que celles-ci n'influencent pas l'opinion des répondants.

a) Certains experts affirment que le produit A est plus efficace que le produit B. Êtes-vo d'accord avec l'opinion des experts?

_____

_____

Nouvelle formulation: _____

b) Ne croyez-vous pas qu'il soit nécessaire de supprimer les programmes qui véhiculent de violence à la télévision?

_____

Nouvelle formulation: _____

_____

c) Quel âge avez-vous?

_____

_____

Nouvelle formulation: _____

d) Êtes-vous d'accord avec ceux qui disent que les gens riches bénéficient injustement d programmes sociaux?

_____

_____

Nouvelle formulation: _____

_____

7. Un sondage a été effectué auprès de 40 résidents d'un centre de personnes âgées dans la vi de Chicoutimi. Les personnes interrogées ont entre 75 et 85 ans. Suite à ce sondage, un artic a conclu que les personnes retraitées au Québec n'ont pas de fréquentes visites de leur famil Trouve 3 sources de biais suite à ce sondage.

_____

_____

_____

_____

_____

_____

10.6 Réalisation d'un sondage

Activité 1 Cueillir des données

Lors d'une étude statistique, il existe plusieurs méthodes pour recueillir des données. La méthode de cueillette des données est-elle influencée par le sujet de l'étude statistique? Justifie ta réponse.

LA CUEILLETTE DES DONNÉES

Il existe plusieurs méthodes pour recueillir des données.

L'entrevue téléphonique: On interroge les individus par téléphone.

L'entrevue en personne: On interroge l'individu en tête à tête.

Le questionnaire écrit: L'individu répond à un questionnaire.

L'observation directe: On note à l'aide d'une grille d'observations des événements ou le comportement des individus.

L'observation de documents: On prend directement l'information à partir d'une banque de données.

…

- Dans chacune des situations suivantes, indique la méthode généralement utilisée pour recueillir des données.

  a) Le service de circulation d'une ville veut déterminer le nombre de voitures qui passent à une intersection afin de prendre la décision de placer ou non un feu d'intersection.

  b) On veut sonder les électeurs sur leur intention de vote une semaine avant les élections.

  c) Le contrôleur d'une usine vérifie la qualité des aliments mis en conserve.

  d) Une compagnie aérienne désire connaître le degré de satisfaction des voyageurs sur le service reçu à bord de ses avions.

  e) Un enquêteur effectue une recherche à l'hôtel de ville sur les statistiques des naissances et des décès qui ont eu lieu durant la dernière décennie.

Activité 2 Réaliser un sondage

La cafétéria de ton école désire réaliser un sondage afin de connaître le plat préféré des élèves du 1ᵉ cycle de l'école. La procédure suivante va te permettre de réaliser ce sondage.

1. Définir la population étudiée et choisir un échantillon représentatif

   a) Quelle est la population visée par l'étude? _____

   b) Donne un échantillon représentatif de cette population. _____

2. Définir le (ou les caractères) étudié(s)

   a) Quel caractère dois-tu étudier dans cette population? _____

   b) Quelles sont les modalités possibles pour le caractère? _____

   c) Est-ce un caractère qualitatif ou quantitatif? _____

3. Élaborer un questionnaire approprié

Afin de limiter les choix de réponses, il est préférable de demander aux élèves de remplir u questionnaire du type suivant.

> Parmi les choix suivants, indique ton plat préféré. **Attention!** Tu dois cocher un seul choix.
> - A.   ❑ **Pain de viande**
> - B.   ❑ **Pizza**
> - C.   ❑ **Poulet**
> - D.   ❑ **Spaghettis**
> - E.   ❑ **Autres**

Modifie ce questionnaire si tu le désires en tenant compte des plats existants à la cafétéria ton école. Formule correctement ta question pour éviter tout biais.

4. Recueillir les données auprès de l'échantillon

Si tu désires garder l'anonymat, il est alors recommandé de demander aux élèves de remp chacun un questionnaire tel que décrit à l'étape 3. Si l'anonymat n'a pas d'importance, util alors une grille du type suivant pour aller chercher tes données. Cette grille facilitera d'aut part la compilation des données.

GRILLE: ....

Nom des élèves	A	B	C	D	E
....					
....					
....					
....					
....					
TOTAL					

5. Compiler les données

Utilise un tableau de compilation pour faciliter le traitement des données. Le tableau de compilation ne sera pas nécessaire si une grille a été utilisée à l'étape précédente.

Tableau de compilation

Modalités	Dénombrement	Fréquence
A		
B		
C		
D		
E		

6. Organiser les données dans un tableau

À partir du tableau de compilation, classe les données dans un tableau de distribution qui permet de voir comment les élèves de ton échantillon se répartissent selon le plat préféré.

Répartition des élèves selon le plat préféré

Plat préféré	Fréquence	Fréquence relative (%)
Pain de viande		
Pizza		
Poulet		
Spaghettis		
Autres		
TOTAL		

7. Illustrer les données par un graphique.

Le type de graphique pour illustrer les données dépend du type de caractère qui est étudié. Quel graphique conviendrait le mieux dans cette situation? Justifie ta réponse, puis trace le graphique.

_____

_____

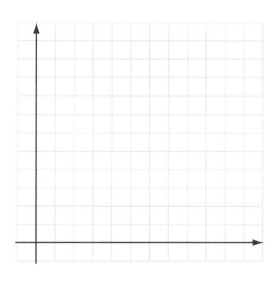

8. Analyser les données et tirer des conclusions

a) Quel est le plat qui est
1. le plus populaire?_____
2. le moins populaire? _____

b) Quel autre commentaire pourrais-tu faire sur les résultats du sondage? _____

9. Produire un rapport sur le sondage

Remets un rapport complet et soigné de ton étude.

Pour réaliser un sondage, il faut

1. définir la population étudiée et choisir un échantillon représentatif.
2. définir le (ou les caractères) étudié(s).
3. élaborer un questionnaire approprié.
4. recueillir les données auprès de l'échantillon.
5. compiler les données.
6. organiser les données dans un tableau.
7. illustrer les données par un graphique.
8. analyser les données et tirer des conclusions.
9. produire un rapport sur le sondage.

1. On veut savoir si une pièce de monnaie est truquée ou non.

a) Si on lance cette pièce 30 fois, quelle devrait être la fréquence observée du

1. résultat pile? _____ 2. résultat face? _____

b) Effectue un sondage qui permettrait d'analyser si la pièce est truquée ou non.

_____
_____
_____

2. On veut savoir si un dé qui possède 6 faces numérotées de 1 à 6 est truqué ou non.

a) Si on lance ce dé 30 fois, quelle devrait être la fréquence observée de chaque face du dé?__

b) Effectue un sondage qui permettrait de savoir si le dé est truqué ou pas.

_____
_____
_____

3. Ton école va organiser des activités parascolaires. Effectue un sondage auprès des élèves du cycle pour déterminer leur activité scolaire préférée.

4. Effectue une étude statistique sur la croissance d'une plante à partir du moment où elle germ

5. Effectue un sondage, auprès des élèves du 1er cycle de ton école, qui étudie

1. le type d'émission de télévision préférée.
2. le nombre d'appareils de télévision par foyer.
3. la durée d'écoute de la télévision par semaine par les élèves du 1er cycle.

6. Effectue un sondage, auprès des élèves du 1er cycle, qui étudie la taille

1. des garçons.   2. des filles.

ÉVALUATION 10

1. Pour chacune des études suivantes, indique
   1. la population étudiée.
   2. le caractère étudié et les modalités possibles pour le caractère.
   3. le type de caractère (qualitatif ou quantitatif).
   4. la méthode d'étude (recensement, sondage ou enquête).

   a) On interroge les élèves de la classe de David afin de connaître le plat préféré des élèves de son école.
   1. _____
   2. _____
   3. _____
   4. _____

   b) On a relevé le nombre d'élèves absents par classe lors d'une journée d'école.
   1. _____
   2. _____
   3. _____
   4. _____

   c) Dans une revue spécialisée dans la vente des automobiles, on a interrogé plusieurs concessionnaires à travers le pays pour déterminer la couleur préférée d'automobile des consommateurs.
   1. _____
   2. _____
   3. _____
   4. _____

2. Deux groupes d'élèves passent un examen. Le groupe A de 24 élèves obtient une moyenne de groupe égale à 73. Le groupe B de 26 élèves obtient une moyenne de groupe égale à 68.
Quelle est la moyenne des deux groupes réunis? _____

3. Voici les notes des 30 élèves d'une classe.

   a) Calcule
   1. la moyenne _____ 2. l'étendue _____

   b) Explique comment choisir un échantillon aléatoire de taille 5.
   _____
   _____
   _____

   c) Choisis un échantillon systématique de taille 5.
   _____
   _____

1	75	11	80	21	70
2	60	12	58	22	68
3	48	13	76	23	75
4	54	14	45	24	54
5	65	15	68	25	60
6	70	16	78	26	96
7	75	17	58	27	80
8	66	18	85	28	78
9	86	19	82	29	85
10	80	20	90	30	95

4. Entre 5 h et 6 h, on a relevé le nombre de passagers dans chacun des autobus passant à l'intersection de deux rues.

8	7	9	10	9	8	9	11	11	10
9	10	10	11	10	12	10	11	12	11

a) Quelle est la population étudiée?

_____

b) Quelle est le caractère étudié?

_____

c) Regroupe les données dans un tableau de distribution.

d) Quel est le pourcentage d'autobus où on observe

   1. 10 passagers? _____

   2. moins de 10 passagers? _____

Répartition des autobus selon le nombre de passagers

Nombre de passagers	Fréquence	Fréquence relative (%)

e) 1. Quel est le nombre moyen de passagers par autobus? _____

   2. Quelle est l'étendue de la série de données? _____

5. Trente élèves ont passé un examen de mathématiques. Voici les résultats.

55, 80, 70, 60, 82, 75, 65, 92, 68, 95
81, 50, 72, 64, 45, 76, 58, 78, 86, 76
84, 75, 58, 62, 83, 68, 86, 75, 48, 91

a) Regroupe les données en 6 classes d'amplitude 10 sachant que la limite inférieure de l première classe est 40.

Classes	Dénombrement	Fréquence	Fréquence (%)

b) Détermine la colonne des fréquences relatives. (Exprime chaque fréquence relative e pourcentage arrondi au dixième près.)

c) Quel est le pourcentage d'élèves ayant échoué à cet examen si la note de passage est 60 %? ___

d) Dans quelle classe trouve-t-on

   1. le plus petit nombre d'élèves? _____

   2. le plus grand nombre d'élèves? _____

6. Le tableau ci-contre indique la répartition des 25 touristes selon leur continent d'origine.

Représente cette situation par

Continent	Fréquence	Fréquence (%)	Angle
Amérique	6		
Europe	12		
Asie	5		
Afrique	2		

a) un diagramme à bandes

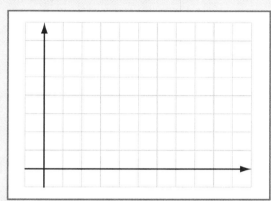

b) un diagramme circulaire

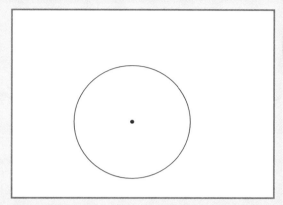

7. On a relevé la taille (en cm) des 200 élèves de 5ᵉ secondaire de l'école Pythagore.

a) Ces données comprennent-elles un garçon ayant une taille inférieure à 162 cm?

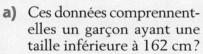

b) Existe-t-il, parmi les élèves, une fille ayant une taille supérieure à 172 cm?

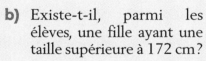

c) Dans quelle classe se situe le nombre le plus élevé de filles?

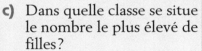

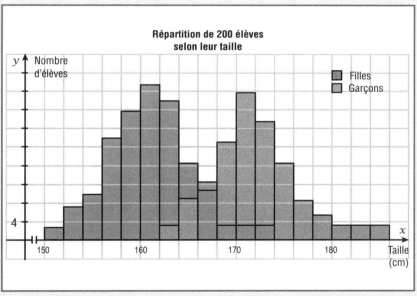

d) Dans quelle classe se situe le nombre le plus élevé de garçons? _____

e) Dans la classe 164-166, quel est le pourcentage:

1. de filles? _____ 2. de garçons? _____ 3. d'élèves? _____

f) Explique pourquoi, dans ce diagramme, la région bleue est plus souvent située à droite de la région grise.

_____

CONSTRUCTIONS

SYMBOLES

$\mathbb{N}$	ensemble des nombres naturels
$\mathbb{N}^*$	ensemble des nombres naturels non nuls
$\mathbb{Z}$	ensemble des nombres entiers
$\mathbb{Z}_+$	ensemble des nombres entiers positifs ou nuls
$\mathbb{Z}_-$	ensemble des nombres entiers négatifs ou nuls
$\mathbb{Q}$	ensemble des nombres rationnels
$\in$	appartient à
$\notin$	n'appartient pas à
$=$	est égal à
$\neq$	n'est pas égal à
$<$	est inférieur à
$>$	est supérieur à
$\leq$	est inférieur ou égal à
$\geq$	est supérieur ou égal à
$\approx$	est approximativement égal à
a^n	a exposant n
$\sqrt{}$	racine carrée
PGCD	plus grand commun diviseur
PPCM	plus petit commun multiple
%	pour cent
AB	droite AB
$\overline{AB}$	segment AB
$m\overline{AB}$	mesure du segment AB
$\cong$	est congru à
$\angle AOB$	angle AOB
$m \angle AOB$	mesure de l'angle AOB
$\perp$	est perpendiculaire à
$//$	est parallèle à
$\triangle ABC$	triangle ABC

INDEX

NOTES

NOTES

ACHEVÉ D'IMPRIMER
EN L'AN DEUX
MILLE
QUATRE
SUR LES
PRESSES DES
ATELIERS GUÉRIN
MONTRÉAL (QUÉBEC)